대구·경북

임진왜란의 흔적 2

대구·경북

임진왜란의 흔적 2

김현우 지음

한국학술정보

세상에는 문(文)과 무(武)라는 두 가지 큰 일이 있다. 문무(文武)를 병행하지 않고 나라를 제대로 다스린 사례는 없다. 삼국시대나 고려시대에 비해 조선이 약했다. 문치(文治)에만 힘쓰고 무력(武力)을 기르지 않았기 때문이다.

- 홍양호, 『해동명장전』 중에서 -

머리말

우리나라에는 전쟁이나 전투와 관련된 유적 혹은 흔적들이 전국에 산재해 있다. 왜구・일본의 침입과 식민지배에 의한 유적과 유물 또한 도처에 널려 있어 수난의 역사를 말해주고 있다.

전국에 왜구 혹은 일본군의 침공으로부터 영토와 국민의 생명과 재산을 지키기 위한 성곽, 관아 등 군사시설물이 많았는데 임진왜란 때 상당 부분 파괴되거나 변형되거나 불에 타 소실되었다. 의병을 내거나 의병활동의 근거지가 된 향교, 서원, 사찰 등은 여지없이 불에 타 소실되거나 훼손되었다. 물론 의병을 내지 않았어도 일본군이 지나간 곳의 건축물은 대부분 파괴되거나 불에 탔다.

예를 들면 1593년 5월 일본군의 침공을 받은 경주 불국사는 대웅전・극락전・자하문을 포함한 대부분의 건물이 소실되었다. 일본군이 불을 질러 모두 불태웠는데 목조건물들은 다 사라졌고, 보물이나 문화재는 일본군에 의해 약탈되었다. 일제강점기인 1924년 일본인들이 대규모의 개수 공사를 하는 과정에서 다보탑을 완전히 해체 보수했는데 이에 관한 기록이 전혀 남아 있지 않다. 또한 탑 속에 두었을 사리와 사리장치, 그 밖의 유물들이 이 과정에서 모두 사라져버려 그 행방을 알 수 없게 되었다. 그리고 기단의 돌계단 위에 놓여 있던 네 마리의 돌사자 가운데 보존상태가 가장 좋았을 듯한 3마리가 일제강점기 일본인들에 의해 반출되기도 했다.

일본에 의해 유린된 조선의 강토, 살육당하거나 포로로 잡혀 일본으로 끌려간 백성들, 살아남았다 해도 더욱 피폐해진 백성들의 삶, 파괴되거나 약탈당하거나 맥이 끊겨버린 문화재・문화유산은 어찌 말로 다 표현할 수 있을 것인가?

전란의 흔적이나 유적은 오랜 세월이 흐르면서 상당 부분 훼손되거나 사라졌다. 일부 남겨진 흔적이나 유적도 원래의 모습이나 형태를 잃은 것이 많다. 그러나 그렇다고 해서 역사적 사실 자체가 사라진 것은 아니기 때문에 역사를 기억한다는 차원에서 남아 있는 일부 그리고 복원된 유적이나 역사의 현장을 답사하여 사진으로 정리해보았다.

이 책을 내는 이유는 임진왜란과 관련하여 어느 지역에 어떤 자료 혹은 흔적이 있는지 보라는 뜻도 있지만, '준비가 없으면 환란을 당하게 된다'는 무비유환(無備有患)의 역사적 경험을 되새겨야 한다는 것에 있다.

여기에서 준비란 국방을 튼튼히 하는 준비와 사회 내부에 존재하는 모순이나 불합리성・비효율성을 조정・해결하여 내실을 다져두는 준비, 두 가지를 말한다.

왜란이 발발하기 전 일본은 전국시대를 거치면서 최강의 군사력과 신식 무기체계를 갖추었으며, 여러 차례의 사절단 파견과 밀정 침투를 통해 조선의 지리・지형과 정치정세 등을 면밀히 정탐하고 있었다.

그런데도 조선 조정에서는 일본에 대해 눈과 귀를 막고 있었다. 뿐만 아니라 임진왜란 직전에 일본에 다녀온 사신 다수가 곧 일본의 침공이 있을 것이라고 보고했는데도 조정에서는 단 한 사람 김성일의 보고, 즉 일본의 침공은 없을 것이라는 보고를 믿었다. 역사상 수많은 외침을 당하고 전쟁을 경험한 나라의 조정이라고는 보기 힘들다.

또 임진왜란 기간에 일부 백성들이 일본군에 투항하고 적극적으로 관군이나 의병활동 관련 정보를 제공했거나, 일본군의 침공소식을 듣고 먼저 낫을 들고 우리 관아로 달려가 불을 지르거나 하는 등의 행동을 한 것은 조선사회가 신분제도나 조세제도 등과 관련된 사회적 모순을 해결하지 못하고 있던 '위태로운' 사회였음을 의미한다.

근년 세계적으로 문화재 찾기 운동이 전개되고 있다. 외국에 나가 있는 우리 문화재의 소재를 파악하고 찾아오는 일은 우리 문화의 맥을 되살린다는 점에서 중요하다. 그리고 국내의 문화재와 현장 유적에 대해서도 발굴과 보존, 그리고 이를 활용한 역사교육 또한 중요하다고 생각된다.

식견이 부족한 사람에게 여러모로 도움을 주신 각지의 문화원 관계자, 관청의 문화관광 담당자, 향토사가, 주민들께 감사의 말씀을 드린다.

2013년 2월

김현우

일러두기

1. 이 책은 현장 중심의 사진화보 자료집이다. 수록된 사실관계 서술은 주로 현장의 안내문, 안내책자, 사적비, 신도비 등에서 발췌한 것이며, 구체적인 서술이나 내용 확인을 위해 사서(史書), 백과사전, 문화재청 홈페이지, 각 행정관청 홈페이지 등을 참고했다. 책 제목 '임진왜란의 흔적'에서 '임진왜란'은 임진왜란과 정유재란을 모두 포함한다.

2. 왜군(倭軍)·왜병(倭兵)·왜적(倭敵) 등의 여러 가지 표현은 '일본군(日本軍)'으로 통일하여 사용했다. 단, 신도비나 사적비 등에서 옮겨 적은 경우에는 원문 그대로 왜군·왜병·왜적 등의 표현을 사용했다.

3. 임진왜란·정유재란 당시의 연월일은 음력 연월일이다.

4. 동일한 전투 혹은 사건을 기록한 자료라 할지라도 누가 언제 기술했느냐에 따라 일시, 숫자, 인명, 인원 등이 다를 수 있다. 주로 현장에서 얻은 자료를 정리한 이 책 본문에서도 경우에 따라 이러한 한계를 보일 수 있다.

목 차

왜란의 흔적을 찾아서

I

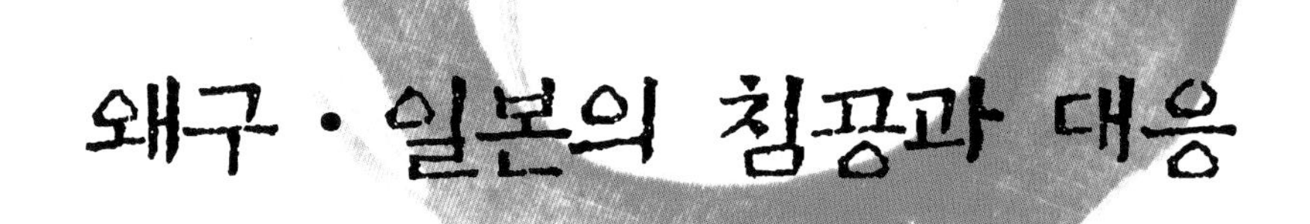

왜구·일본의 침공과 대응

1. 왜구·일본을 경계하다

○ 호국의 상징 경주 문무대왕릉

경주 해변에는 문무대왕의 호국정신을 느낄 수 있는 3곳의 유적이 있다. 문무대왕릉, 이견대, 그리고 감은사 터가 그것이다. 문무대왕릉(文武大王陵)은 신라 제30대 문무대왕(재위 661~681)의 무덤으로 동해안에서 약 200미터 떨어진 바다에 모셔져 있다. 문무대왕은 아버지인 태종 무열왕(武烈王)의 업적을 이어받아 668년 고구려를 멸망시키고, 계림도호부를 설치하려는 당나라 군대를 격퇴하여 676년 신라의 삼국통일을 이룬 임금이다.

681년 지병으로 임종을 앞두고 있던 문무대왕은 맏아들과 신하들을 부른 자리에서 자신이 죽으면 화장을 한 후 동해바다에 묻으라고 했다. 그렇게 해주면 나라를 지키는 용이 되어 왜구로부터 나라를 지키겠노라는 유언을 남겼다. 그해 7월 문무대왕은 서거했고, 뒤를 이어 왕위에 오른 신문왕은 유언을 받들어 동해안 바다 한가운데 솟은 바위 위에서 장사를 지냈다.

동해바다의 용이 되어 왜구의 침입을 막아내고자 했던 문무대왕의 능은 왜구의 침입이 삼국시대 혹은 그 이전부터 얼마나 집요하게 계속되어 왔는가를 보여주는 상징적인 유물이다.

한 나라의 국왕이 해적 무리 혹은 무력집단에 의한 침입에 감내하기 어려운 고난을 당하여 몸소 바다의 용이 되어 나라와 백성을 지키고자 했던 사실은 우리 역사에 있어 왜구·일본과 관련하여 신중하고도 심층적인 연구를 요구하고 있다.

문무대왕릉

문무대왕릉

옛날부터 사람들은 경주시 양북면 봉길리 앞바다 물속에 솟은 이 바위를 '대왕바위' 혹은 '대왕암(大王岩)'이라고 불러왔다. 수중릉이 있는 대왕암은 자연 바위를 이용하여 만든 것으로 그 안에 동서남북으로 인공수로를 만들었다.

대왕암 위에는 그 중앙에 비교적 넓은 공간이 있고, 그 동서남북 사방으로 물길을 내어 바닷물이 파도를 따라 동쪽으로 나 있는 수로로 들어오고 서쪽 수로로 나감으로써 큰 파도가 쳐도 안쪽 공간은 바다 수면이 항상 잔잔하게 유지된다고 한다. 수면 아래에는 길이 3.7미터, 폭 2미터의 남북으로 길게 놓인 넓적한 거북모양의 돌이 덮여 있고 그 안에 문무왕의 유골이 매장되어 있을 것이라고 추정되고 있다. 문무대왕릉은 1967년 7월 24일 사적 제158호로 지정되었다.

ㅇ 경주 이견대

이견대(利見臺)는 삼국통일을 이룬 통일신라 문무대왕의 수중릉인 대왕암이 잘 보이는 인근 해변 언덕에 자리 잡은 정자로 평소 신문왕이 대왕암을 바라보던 곳이다. 이곳은 바다에 나타난 용을 보고 크게 이익을 얻었다는 곳이며, 세상을 구하고 평화롭게 할 수 있는 옥대와 만파식적이라는 피리를 용으로부터 받았다는 전설이 여기에서 비롯되었다. 그 후 신라의 역대 임금들이 이곳에서 문무대왕릉을 참배했다.

이견대는 죽어서도 용이 되어 나라를 지키겠다는 문무대왕의 호국정신을 받들어 그의 아들 신문왕이 681년에 세웠다. 신문왕은 해변에 사찰 '감은사'를 짓고, 용이 된 아버지가 절에 들어와 돌아다닐 수 있도록 금당(법당) 밑에 동해바다를 향해 인공수로를 만들었다.

이견정에서 바라본 문무대왕릉

이견대 자리에 세운 이견정

이견정

이견정 천정

이견대라는 이름은 『주역』의 '비룡재천 이견대인(飛龍在天 利見大人)'이란 문구에서 따온 것이다.

신문왕이 세운 이견대는 없어졌지만 1970년 발굴 당시 건물 터를 확인했으며 1979년 신라시대의 건축양식을 추정하여 이견정(利見亭)을 새로 지었다. 경주시 감포읍 대본리 661에 위치하고 있는 이견대는 1967년 8월 1일 사적 제159호로 지정되었다.

이견대기(利見臺記)

삼국을 통일하여 구우(區宇)를 평정한 문무대왕은 당나라의 비망(非望)으로 고구려 구토를 완전히 회수하지 못한 아쉬움과 일의대수를 격하여 대륙진출을 꾀하는 왜구의 방어를 근심하지 않을 수 없었다. 당의 세력을 근본적으로 퇴치한다는 것은 당시의 신라로서는 불가능한 일이므로 부득이 화해하여 현상유지를 도모하였으나 망국의 유민을 포섭한 왜국의 동태는 큰 근심거리가 아닐 수 없었다. 전쟁은 끝났으나 아직 태평성대라 할 수는 없다. 고구려 구토가 당의 점령하에 있는데 왜구의 불시 침략이 있다면 어떻게 할 것인가? 부왕(父王)과 같이 즐풍목우(櫛風沐雨)의 신산(辛酸)을 겪고 부왕의 하세(下世) 후에는 성신 김유신의 찬화(贊化)를 힘입으니 이제 스스로 유경의 고독 속에 소오(宵旰)의 어려움을 겪어야 했다.

대왕은 평소에 지의법사에게 짐은 죽어서 호국대룡(護國大龍)이 되어 불법을 숭봉하고 나라를 수호하리라고 하였다. 용은 축보(畜報)이나 대왕은 나라를 수호하는 길이면 축보라도 감수하겠다고 하는 것이다. 즉위 21년 신사辛巳(681) 7월 1일 임종에 유조(遺詔)하시기를 짐을 위하여 무덤을 만들지 말라. 명종(命終) 10일 후에 고문외정(庫門外庭)에서 서국식(西國式)으로 화장하여 동해구(東海口)의 대석상(大石上)에 장골(藏骨)하라. 짐이 호국의 용이 되어 길이 동해바다를 지키리라 하셨다.

생전에 삼국을 통일하고 붕후에는 호국의 용이 되어 동해를 지키시겠다는 것이다. 신문왕은 유조를 봉행하고 대행왕(大行王)이 호국사찰로 창시하여 미필한 곳을 보은의 원리(願利)로 완성하니 금당(金堂) 체하(砌下)에 동향으로 일혈(一穴)을 열어 용이 입사(入寺) 선요(旋繞)하도록 하였다. 유조에 순응하는 효심의 발로이다.

다음 해 임오(682) 5월 초 7일 원리에 낙성되고 해관(海官)과 일관(日官)의 봉청도 있어 신문왕은 망국의 슬픔을 용포에 간직하여 위의(威儀)를 갖추어 이곳으로 행행하셨다. 벽립(壁立)한 이곳 해안의 언덕 위에 가행(駕幸)하시어 선왕의 해중능침인 대왕암을 지척에 알현하니 파간(波間)에 부침하고 운리(雲裏)에 현형(現形)하는 화룡(化龍)의 위용이 안전(眼前) 현연(現然)하였다.

시신(侍臣)을 보내어 능침을 검상(檢詳)하고 원리에 돌아와 유어(留御)하시며 사명(寺名)을 감은사라고 명하여 가행하신 곳에 대(臺)를 쌓고 사(榭)를 지어 이견대라 명명하시니 주역건괘(周易乾卦)의 이견대인(利見大人)에서 취한 말이다. 삼국유사에서는 5월 8일부터 7일간 풍우가 대작(大作)하였다가 16일에 풍파가 조용해져서 왕이 해중(海中)에 친행하시어 용에게서 흑옥대(黑玉帶)를 받고 또 유명한 만파식적의 용죽(龍竹)을 얻어 17일 환궁하였다고 하였으나 저간의 일은 다 기록할 수 없다. 만파식적은 문무대왕이 김유신과 같이 통일신라의 평화와 번영을 기원하는 의지의 상징물로 하사한 것이라 하고 효소왕대(孝昭王代)에 부례랑(夫禮郞)의 이적(異蹟)이 있어 다시 만만파파식적이라고 하였다.

그러나 신라 이후 일천 년 이곳 동해구의 유적은 점차 망각되어서 마침내 감은사의 법등(法燈)은 꺼지고 이견대는 기우난에서 역원(驛院)으로 바뀌고 대왕암은 뎅바위라고 불러 해룡전설만이 구전되어 왔다.

해방 후 1960년대에 들어 우리 손에 의한 석굴암 공사에 따라 이곳 동해유적은 다시 주목을 받아 1967년 5월 한국일보사 주관 신라오악조사단(단장 이상백, 김상기) 전원에 의하여 대왕암이 세계에 유례가 없는 장골을 위한 해중릉(海中陵)임이 밝혀졌다. 온 국민은 이 소식에 크게 놀랐고 문화재위원회는 새로운 사적으로 공포하여 문무대왕릉이라 명명하기에 이르렀다.

이제 이 감포(甘浦) 앞바다는 천만년 겨레의 저마다의 가슴속에서 잊히지 못할 곳이 되었으니 대왕암이 있고 이견대가 있고 감은사지가 있는 한 영광된 날의 역사와 같이 문무대왕의 사이불사(死而不已)의 호국정신이 여기에 숨 쉬고 있기 때문이다. 이견대에 올라 대왕암을 바라보는 사람들에게 대왕의 화룡정신(化龍精神)을 오늘에 되새기고 내일에 전하고자 하는 뜻에서 삼가 이 기문을 쓰는 바이다.

1976년 5월 김상기 찬(撰) 1990년 10월 손돈호 서(書)

○ 호국사찰 경주 감은사

문무대왕은 삼국을 통일한 후 부처의 힘을 빌려 왜구의 침입을 막고자 이곳에 절을 세웠다. 사찰 건립이 마무리되기 전에 왕이 서거하자 그 뜻을 이어받은 아들 신문왕(神文王)은 즉위 이듬해인 682년 동해변에 사찰 감은사를 창건하고 금당(金堂) 밑에 동해바다를 향해 수로를 내어 동해의 바닷물이 금당 밑까지 들어오게 했다. 이는 동해의 용이 된 아버지가 바닷물을 따라 금당까지 들어온다고 믿었기 때문이다.

용이 된 문무대왕이 드나들었다는 절로 잘 알려진 감은사는 지금은 3층 석탑 2기와 금당, 중문, 강당 등 건물터만 남아 있다.

앞에서 언급한 것처럼 문무대왕은 '내가 죽으면 바다의 용이 되어 나라를 지키고자 하니 화장하여 동해에 장사지낼 것'을 유언했는데 그 뜻을 받들어 장사한 곳이 절 부근의 바닷가 대왕암이며, 문무대왕의 평소의 은혜에 감사한다는 뜻으로 절 이름을 감은사(感恩寺)라고 했다.

감은사는 앞에서부터 중문・금당・강당을 일직선상에 배치했다. 사찰 전면 동쪽과 서쪽에 두 개의 탑이 나란히 서 있고, 중문 뒤편 중앙에 불상을 모시는 금당이 있으며, 그 뒤에 강당이 있다. 중문에서 강당까지 회랑을 두른 구조를 가지는 사찰이다.

감은사의 현재의 모습은 1979년부터 2년에 걸쳐 전면 발굴조사를 실시하여 얻은 자료를 근거로 하여 창건 당시의 건물 기초대로 정비한 것이다.

충효(忠孝)의 정신이 깃든 유적 감은사는 경주시 양북면 용당리 55-1에 소재하며, 1963년 1월 21일 사적 제31호로 지정되어 보호 관리되고 있다.

멀리서 본 삼층석탑(왼쪽은 서탑, 오른쪽은 동탑)

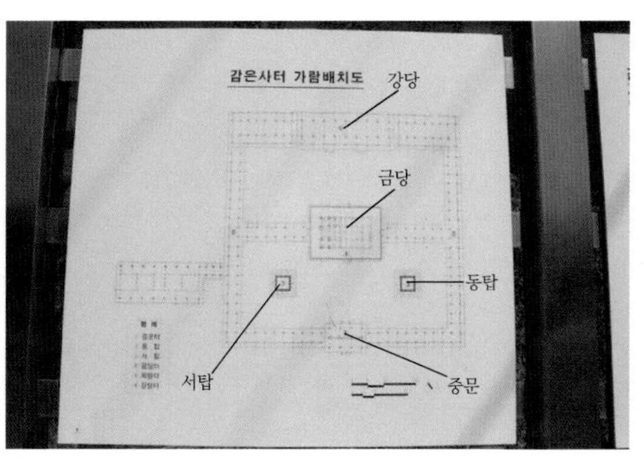

가람 배치도

서탑

동탑

금당 터(바닥에 배수로 공간이 보인다)

회랑 터(바닥에 기둥을 세웠던 주춧돌이 보인다)

삼층석탑

(삼층석탑)

감은사 터 금당 앞뜰에 나란히 서 있는 쌍탑(동탑과 서탑)이 삼층석탑이다. 삼층석탑은 682년(신문왕 2)에 건립된 통일신라시대 초기의 석탑으로서 수십 개의 부분으로 나누어 만들어 조립식으로 세운 것으로 높이는 각각 13.4미터이다. 동탑과 서탑은 2단의 기단 위에 3층 탑신을 올린 모습으로, 서로 같은 규모와 양식을 하고 있다.

1959년 12월부터 1960년에 걸쳐 서탑을 해체, 보수할 때 3층 몸돌에서 건립 당시 설치했던 정교한 사리장치가 발견되었다. 이 사리장치는 '서삼층석탑 사리장엄구'로 이름 지어졌으며 1963년 1월 21일 보물 제366호로 지정되었다.

서탑 옆에 있는 동탑은 1996년 4월에 해체, 보수했는데 3층 지붕돌에서 금동사리함이 발견되었다. 동삼층석탑 사리장엄구는 2002년 12월 7일 보물 제1359호로 지정되었다.

옛 신라의 1탑 중심에서 삼국통일 후 2탑 중심으로 변모한 최초의 가람배치를 보이는 삼층석탑은 1962년 12월 20일 국보 제112호로 지정되었다.

○ 호국사찰 경주 기림사

기림사(祇林寺)는 경주시 양북면 기림로 437-4 함월산 기슭에 있는 사찰로 643년(신라 선덕여왕 12)에 창건되었다. 기림사라는 이름은 부처가 생전에 제자들과 함께 수행했던 인도의 기원정사를 뜻한다. 기원정사의 숲은 기림(祈林)이라고 하는데 기림사는 이런 연유로 사찰의 명칭을 정하게 되었다.

대적광전

기림사 사적비

승병의 교육훈련공간이었던 진남루

측면에서 본 진남루

진남루 현판

사찰 안내도(④ 진남루)

기림사는 임진왜란 때 조선 수군과 승병활동의 근거지였다. 특히 사찰의 중심 건물인 대적광전 남쪽에 자리하고 있는 진남루(鎭南樓)는 승병교육과 훈련을 위한 공간으로 활용되었다. 기림사 사적비에 적힌 내용 일부를 인용하면 다음과 같다.[1)]

기림사 사적비

1592년 임진왜란이 일어나자 왜군이 지나가는 길목에 위치한 기림사는 경주지역 방위에 중요한 역할을 했다. 이때 기림사의 인성 스님은 승군 279명을 거느리고 활동하였으며 인근지역 승군을 총지휘하는 진동 장군(鎭東將軍)의 직책을 맡기도 했다. 연대와 건립과정은 명확하지 않지만 군사지휘소를 의미하는 진남루가 현재에도 대적광전 맞은편에 그대로 남아 있어 기림사의 당시 승군활동을 말해주고 있다.

왜란 중에 기림사가 입은 피해는 자세하지 않다. 그러나 전란이 끝나고 30여 년이 지난 뒤부터 진행된 대규모 중창불사는 전쟁피해와도 관련이 있었던 것으로 보인다.

진남루는 정면 7칸, 측면 2칸의 맞배지붕 건물이다. 일반적으로 누각이라고 하면 중층 건물이나 다락집의 형상을 의미하나 여기서는 일반적인 형태를 벗어난 모습을 하고 있다. 진남루는 1991년 9월 6일 경상북도 문화재자료 제251호로 지정되었다.

○ 구미 대둔사

조선 조정은 임진왜란을 겪은 후 일본의 재침에 대비하여 여러 가지 대책을 강구했다. 한편에서 왜란 중에 큰 활동을 한 사명대사 또한 나름대로 대비했는데 그중의 하나는 대둔사를 승병활동의 예비기지로 삼은 것이다.

사명대사는 1592년부터 1598년까지 계속된 임진왜란·정유재란이 평정된 후인 1606년(선조 39)에 승병 1만 명이 기거할 수 있도록 사찰을 다시 짓고 승군을 주둔시켰다.

구미시 옥성면 산촌옥관로 691-78에 소재하는 대둔사는 446년(신라 눌지왕 30)에 도리사를 처음 건립한 아도화상이 지은 절이다. 1231년(고려 고종 18) 몽고족의 침략으로 불타버린 것을 충렬왕의 아들이 출가하여 다시 세웠다.

---

1) 일본군이 경주에 침입했을 때 불국사, 원원사 등에 모인 승군 253명이 단석산에 집결했다가 기림사로 왔는데 이때 기림사의 인성(印性) 스님은 진동 장군이 되어 승군을 지휘했다. 1594년에는 이눌(李訥)이 의병을 일으켜 기림사에 진을 쳤다. 경주시사편찬위원회, 『경주시사 I』(경주, 2006), 288쪽. 기림사 사적비와 경주시사의 내용 중 승군의 수가 약간 다르나 기림사가 승군활동의 지역 거점이었다는 점은 일치한다.

대웅전

통풍을 위해 설치된 나무창문(좌측 벽 첫 번째 문짝 위)

대웅전은 자연석으로 중앙 계단을 쌓고 주춧돌 위에 둥근 기둥을 세운 정면 3칸, 측면 3칸의 겹처마 팔작지붕이다. 기단 네 모서리에는 팔각형으로 다듬은 기둥을 세워 상부 추녀를 받치게 했다. 벽체는 모두 흙벽으로 하고 바깥 벽면에 벽화를 그려놓았다.

대웅전은 1982년 8월 4일 경상북도 유형문화재 제162호로 지정되었다. 대웅전 안의 아미타여래상은 삼베와 옻칠로 만들어졌으며 2010년 2월 보물 제1633호로 지정되었다.

2. 조선통신사의 귀국보고

ㅇ 김성일 귀국보고의 진실

'임진왜란' 하면 떠오르는 인물 중 하나가 학봉 김성일이다. 퇴계 이황의 제자이며 뛰어난 성리학자인 그에게는 학문적 업적과 전란 초기 의병을 규합하고 관군을 지휘하여 효율적인 전투활동을 가능케 한 공적이 있다.

한편 그는 1591년 3월 1일 조선통신사 부사 자격으로 일본을 다녀와 귀국보고를 하는 자리에서 일본의 침공은 없을 것이라고 했다. 조선통신사 정사인 황윤길과 서장관, 수행무사 모두 일본이 곧 조선을 침공할 것이라고 보고했는데 김성일만은 이를 부인했다.

선조 임금과 조정의 관리들은 김성일의 보고를 채택했다. 강력한 무력을 갖춘 일본의 도요토미 히데요시는 이미 조선에 대해 위협을 가하고 있는 상황이었지만 조선 조정은 잘못된 선택을 했다. 김성일의 보고가 사실이라서가 아니라 빠른 시일 내에 전쟁에 대비하자면 해야 할 일도 많고, 재정적인 문제도 있기 때문에 일본이 침공해오지 않으면 좋겠다는 희망 어린 생각에서 그렇게 눈을 감았다.

통신사의 귀국보고와 관련하여 선조실록과 선조수정실록의 내용이 다르기는 하지만,[2)] 김성일의 발언이 조정의 전란 대비를 막았다는 점까지 부인하기는 어렵다.

안동시 서후면 풍산태사로 2830-6 학봉종택 옆에는 '학봉기념관'이 자리하고 있다. 여기에는 김성일의 생애, 학문적 업적, 정치사상, 의병활동 등이 정리되어 제시되고 있는데,

2) 선조실록과 선조수정실록의 기술 내용 차이에 관해서는 배상렬, 『난중일기 외전』(서울: 비봉출판사, 2007), 166~167쪽 참조.

특히 눈길을 끄는 것은 '귀국보고의 진실' 부분이다.

귀국보고의 진실

학봉은 "왜적이 사신들을 뒤따라 금방 쳐들어올 것이라고 장황하게 말하여 인심을 요동시키는 정사(正使)의 보고가 사의(事宜)에 매우 어긋난다 하며 이에 부동(浮同)하지 않았다(不見如許情形). 이것은 왜란의 가능성을 부인한 것이 아니라 왜적이 오기도 전에 조야가 겁에 질려 혼란이 생길 것을 염려한 것이니 꼭 잘못 주달한 것은 아니다."

『선조실록』, 유성룡 『징비록』, 이항복 『당후일기』

사신이 귀국하고 한 달 뒤, 왕이 비변사의 의논에 따라 황윤길과 김성일에게 서울에 온 왜국의 사신을 만나게 하여 사정과 상황을 자세히 들었다. 또 부산에 도착한 왜사(倭使)가 오억령(吳億齡)을 만나 "내년에 왜가 쳐들어올 것"이라고 했고 이를 왕에게 보고했다.

『선조실록』

즉 '왜가 침략해올 것이다'라는 왜사의 말은 이미 정부에 보고된 것인데, 왜란이 발발하자 왕과 조정은 학봉을 정치적 희생양으로 삼은 것이다. 더구나 당파가 달라 정·부사의 보고가 달랐다는 주장은 조선왕조 3백 년 동안 단 한 번도 제기된 적이 없었다. 일제가 침략을 합리화하기 위해 조선의 당쟁을 과장 강조한 식민사관에서 비롯된 오해이며 왜곡이다.

"선생의 보고 때문에 방비를 철수했거나 적을 불러들인 것이 아닌 이상, 난이 발발하자 손쓸 수 없었던 것은 당시의 형세이지 선생의 잘못은 아니다."

이식, 『해사록』 발문

학봉은 귀국 뒤 소차를 올려 "임금의 지척에서 부정이 행해지고, 조세가 살가죽을 벗겨내고 뼛골을 후벼내는 듯하고, 탐관오리가 약탈하고, 농사철을 빼앗아 성 쌓기에 강제동원한다면 누구와 더불어 나라를 지킬 것입니까? 오늘날 진실로 두려워할 것은 섬 오랑캐(倭)에 있지 않고 인심(人心)에 있으니, 방비가 견고한 성지와 예리한 무기가 있은들 아무 소용이 없을 것입니다"라고 절규하며, 국방을 위한 진정한 급선무는 내정개혁과 민생·민심 안정임을 강력히 건의했다.

『선조실록』, 『학봉전집』

출처: 운장각 학봉기념관, 학봉김선생기념사업회

이상의 자료는 김성일은 일본이 침공해올 것이라는 것을 의심하지 않았으며, 왜란 발발 후에는 정치적 희생양이 되었다는 점을 부각시키고 있다. 침공을 예상했다면 국론을 통일하여 전쟁대비에 나섰어야 하는데 민생이 고달퍼짐을 우려하여 이를 시행하지 않은 것이나, 몇 년이 걸릴지 모르는 내정개혁, 그것도 실행 여부 자체가 불확실한 내정개혁에 관한 의견을 적의 침공 직전에 건의했으니 할 일은 다했다는 식의 입장 표명으로 해석된다.

전란에 대한 방비를 하지 못한 조정이나 상황 파악을 제대로 하지 못한 김성일의 애매한 태도와 발언은 결과적으로 커다란 국가적 참화를 초래했다. 무력으로 일본을 통일한 도요토미 히데요시가 조선을 하대하면서 군대를 보내겠다고 협박을 가하고 있는 급박한 상황에서 내정개혁이나 민생안정 운운한 것은 공허한 논의에 불과하다.

왜란 발발 후 선조 임금이 김성일을 처형하려 했던 것에서 김성일이 최소한의 전란 대비조차 하지 못하게 한 것은 사실인 것으로 받아들여진다.

조선 조정은 대마도(對馬島) 도주(島主)로부터 조총을 선물로 받았음에도 불구하고 신식무기 조총이 갖는 군사적 의미를 간파하지 못했고, 제대로 된 방비책을 세우지 못해 국난을 초래했다는 비난을 면할 길이 없다.

왜란을 초래한 책임은 내부적으로는 안전하고 건강한 사회를 만들지 못한 군주와 중신들에게 있다. 김성일 개인에게 그 책임을 전가하는 것은 가혹한 일이다. 다만 통신사의 일원으로 일본에 파견되었을 때 김성일이 누구를 만나 어떤 이야기를 들었으며, 어디를 방문했는지를 파악하는 일은 군사 정보 전문가가 아닌 그가 귀국보고 당시 행한 발언의 의미 혹은 진위를 밝히는데 도움이 될 것이다.

학봉기념관 내의 '귀국보고의 진실' 부분에서 변론적 자료만을 제시하기 보다는 김성일의 일본 내 행적을 조사하여 그의 귀국보고 발언이 현지에서의 자료와 정보 수집에 근거한 소신발언이었음을 입증하는 것이 바람직하다.

3. 백성들, 스스로 구제하다

○ 사설 의료기관 상주 존애원

존애원(存愛院)은 상주시 청리면 율리1길 5의 넓은 약뱅이 들 한구석 낮은 언덕 아래에 자리하고 있다. 건물의 규모는 크지 않지만 이곳은 임진왜란의 전화를 입고 질병 앞에서 고통스러워하는 상주지역 백성들의 아픔을 스스로 덜어주기 위해 자생적으로 탄생한 전국 최초의 사설 의료원이다. 존애원은 1993년 2월 25일 경상북도 기념물 제89호로 지정되었다.

(설립)

임진왜란 종료 후 백성들의 굶주림은 극에 달했고 전국적으로 질병이 만연하여 수많은 백성들의 인명을 앗아가고 건강을 위협했다. 이러한 사정은 상주지역에서도 마찬가지였다. 북천전투를 겪은 상주사람들도 기아와 가난, 질병을 피해갈 수 없었다. 질병이 돌아 주민들의 건강이 위협받게 되자 상주지역 주민들을 돕자는 데 뜻을 같이한 선비들은 사설의료원 설립에 나섰다.

존애원 설립목적은 지역주민에 대한 의료활동, 경로 및 교육에 있다. 정경세(鄭經世), 성람(成濫), 이준(李埈), 김각(金覺), 이전(李琠), 강응철(康應哲), 김광두(金光斗) 등의 선비들이 '존심애물'의 숭고한 사랑을 실천하려는 뜻에서 존애원을 설립했다. 존애원이라는 명칭은 '사랑하는 마음이 있으면 남을 돕게 된다'는 송나라 선비 정자(程子)의 '존심애물(存心愛

物)'에서 따온 말이다.

질병과 상처를 치유해주기 위해 자생적으로 탄생한 존애원은 1599년에 설립되어 공사를 시작했고, 1602년에 건물이 완성되었다. 설립의 주체는 상주 외남면을 중심으로 인근 지역에 생활의 근거지를 두고 있던 지역유지들이었다.[3]

정경세가 의료원 설립을 발의하면서 주도적인 역할을 했으며, 성람은 정경세의 발의를 수용하여 초대 주치의로 활동했다.

당시 13개 문중이 존애원 설립에 동참했는데 13개 문중의 '낙사계'는 지금까지도 이어져 매년 음력 2월 10일에 모임을 갖고 있다고 한다.

존애원 창설에 동참한 13개 문중
진양(晋陽) 정씨, 흥양(興陽) 이씨, 여산(礪山) 송씨, 영산(永山) 김씨, 월성(月城) 손씨, 청주(清州) 한씨, 상산(商山) 김씨, 재령(載寧) 강씨, 단양(丹陽) 우씨, 회산(檜山) 김씨, 무송(茂松) 윤씨, 창녕(昌寧) 성씨, 전주(全州) 이씨

(운영)

존애원이 임시 막사와 의약품 보관창고를 갖추고 의료원으로서 일을 시작한 것은 1599년이다. 존애원에 대한 재정지원은 낙사계에서 맡았는데 이 낙사계(洛社稧)는 1566년 결성된 병인계(丙寅稧)와 1578년 조직된 무인계(戊寅稧)가 1599년 기해년에 통합된 조직이다. 당시 통합회의를 가진 곳이 바로 이곳 존애원이다(당시 명칭은 존애당).

뜻을 모은 13개 문중의 낙사계 계원들은 각기 출자한 쌀과 베로 기초적인 기금을 마련했으며, 건립 당시부터 존애원을 운영 관리해왔다. 한약재는 사람들의 손을 빌어 채집하고 중국산 한약재는 무역거래를 통해 조달했다. 환자들에게는 약간의 치료비를 약재로 대신 받기도 했으며, 때에 따라 약을 매매하기도 하여 거기서 얻는 이익으로 다시 약재를 구입하는 방법으로 운영했다. 환자는 지역이나 신분을 가리지 않고 받았다.

그러나 존애원이 설립되고 수십 년이 지난 시점에서 자산의 상당 부분이 소진되어 운영이 매우 어려워졌다. 존애원은 곡식을 빌려주고 이자를 받아 재원을 증식시키는 일을 했는데 이는 이자로 약값을 비롯한 각종 운영자금을 마련하기 위한 것이라고 추정되고 있다. 그런데 곡식을 빌려간 사람들이 잘 갚지 않아 운영이 어려워졌고, 이로 인해 약을 달이거나 한약재를 다듬던 도구 등이 철거되면서 의료원의 기능은 약화되기 시작했다[4]

3) 우인수, 「존애원의 기능과 역사적 지위」, 『존애원의 위상제고를 위한 학술대회 논문집』(상주: 상주문화원, 2011), 41쪽.

의료기관으로서의 존애원은 1599년 설립 때부터 1782년경까지 약 180여 년간 기능했다. 중간에 재정상황이 악화되어 기능이 약화되기도 했고 무고사건에 휘말리기도 했다.

낙사계에 가입하지 못한 일부 주민들에게는 낙사계가 오히려 질시의 대상이 되기도 하여 1782년에는 고을에 사는 윤 모(尹某)가 무고하는 사건이 발생했다.[5] 이 무고사건으로 낙사계와 존애원의 모든 문헌이 압수당하거나 증거자료로 제출되었다. 이때 존애원의 의료사업의 규모와 실적이 기록된 관련 문헌들이 모두 없어졌다고 전한다.[6]

무고사건이 발생한 지 15년이 지난 1797년(정조 21) 서고 이동(李垌)이 사헌부에 근무할 때 밤중에 임금이 불러서 갔더니 '존애원과 낙사계의 사적'에 관해 하문하기에 모든 것이 사실무근이라고 소상하게 설명하니 정조 임금은 낙사계를 '대계(大稧)'라고 칭송했다.[7] 이렇게 무고는 벗어났으나 무고사건 이후 혼란스러운 시기를 견뎌내지 못한 존애원은 의료원으로서의 기능을 상실하게 되었다.

(경로 및 교육활동)

존애원은 낙사계 합계 당시 결성목적을 '인간의 상성 회복과 향풍 쇄신'이라 하여 의료활동만큼이나 미풍양속 진작을 중요한 역할로 간주했다.

존애원에서는 의료활동뿐만이 아니라 낙사계의 회합공간이 되어 각종행사도 치렀다. 특히 경로잔치인 백수회(白首會)는 1607년 정월 대보름에 다수의 고령자를 모신 가운데 개최된 이래 갑오경장(1894)을 전후한 시기까지 계속되었다. 백수회를 통해 예절교육장으로서의 기능을 유지해왔다.[8] 1906년에는 한광(韓匡)이 아들의 혼인식 때 존애원에서 '대계백수회(大契白首會)'를 개최하기도 했다.

존애원은 후진을 양성하고 교육을 진흥시키는 강학소 역할도 했다. 1602년 12월 남계 강응철이 '중용'을 강론한 이래 인재를 양성하고 학문을 숭상하는 교육공간으로 운영되었다.

앞에 언급된 것처럼 존애원의 기능과 역할에 대해서는 분분한 논의가 진행되고 있으나 분명한 것은 왜란 이후 지역의 유지들이 뜻을 모아 스스로 돕기 위해 구빈 의료 활동을 시작했다는 점이고 이는 곧 상주 선비들의 박애정신의 발로라고 할 수 있다.

---

4) 우인수, 앞의 글, 65쪽.

5) 김철수, 「존애원의 성립배경과 존재의의」, 『존애원의 위상제고를 위한 학술대회 논문집』(상주: 상주문화원, 2011), 30쪽.

6) 김철수, 앞의 글.

7) 김철수, 앞의 글, 31쪽.

8) 김철수, 앞의 글, 18쪽.

존애원

옆에서 본 존애원

4. 임진왜란의 기록

임진왜란은 일본이 조선의 내부 상황과 지리 지형을 면밀히 파악한 후 감행한 계획적인 침략전쟁이다. 오다 노부나가는 일본 통일의 초석을 다졌고, 도요토미 히데요시는 일본을 실질적으로 통일했다. 도요토미는 통일의 여세를 몰아 조총부대를 앞세워 조선을 침공했다.

일본은 센고쿠시대(戰國時代)를 거치면서 전쟁경험을 축적했고 신무기인 조총으로 무장한 강력한 군대를 보유하고 있었다. 반면 상비군이 아닌 예비군 편제로 군 조직을 운영해 온 조선은 군사력이 약할 수밖에 없었으며, 군비 또한 빈약했다. 따라서 조선군은 일본군의 적수가 되지 못했고, 일본군은 부산포에 상륙한 지 20일이 채 되지 않은 시점에 조선의 수도 서울에 입성했다.

임진왜란은 주변국과 어느 정도 균형 잡힌 무력을 키우지 않은 국가의 평화와 안정이 사상누각에 불과하다는 것을 각인시켜준 참혹한 전쟁이었다. 이 전쟁을 기록한 보고서나 전쟁일기는 여러 편 있지만 여기서는 정만록과 징비록을 소개한다.

○ 정만록

정만록(征蠻錄)은 경상도 관찰사의 영리이던 효사재 이탁영(李擢英, 1541~1610)이 쓴 일기이다. 임진왜란 때 조선을 침공한 야만스러운 왜적(倭賊)을 정벌했다는 뜻을 갖는 기록물이다. 그의 직책 '영리(營吏)'란 이방·형방과 같은 부류의 관리로서 양반이 아닌 중인(中人)의 신분이다.

이탁영은 1541년 1월 10일 의성현 북부면 지곡리(현재의 의성군 의성읍 충효로 20)에서 아버지 이연년과 어머니 김씨 부인 사이에서 5대 독자로 출생했다.

이탁영은 임진왜란이 발발하자 51세의 나이에 종군하여 경상도 관찰사 김수(金睟)의 막하에서 참모로 활동하면서 의병모집, 군량조달, 전략수립 등의 군무를 맡았다. 관찰사를 수행하면서 각 지방의 전황보고를 취합하고 분석하는 직무를 맡은 정보차지(情報次知)의 직위에 있던 그가 엮어 남긴 이 자료는 매우 구체적이다.

왜란 초기에는 김수의 진영에서 모병과 군량조달, 정보수집 및 분석, 계초 작성 등의 업무를 맡아 공을 세웠다. 관찰사 김수가 삼남지방의 근왕병을 일으킬 때 그 방책을 건의했고 수원지방까지 진격했다.

김수가 조정에 소환된 이후에는 주로 초유사 김성일의 막하에서 참모로 일했다. 1593년에는 김성일에게 여러 가지 전술을 건의하여 의병군이 승리하는 데 기여했다.

그는 임진왜란이 발발한 1592년부터 왜란이 평정된 1598년까지 7년간 종군하면서 틈틈이 정황을 기록하고 자료를 수집하여 정리했는데 내용을 보면 왜란 발발 1개월 전인 1592년 3월 9일부터 1599년 11월까지 기록했다. 정리 후에 이를 나라에 아뢰니 선조 임금이 '정만록(征蠻錄)'이라 이름 지어주었다.

(구성)

정난록의 가치는 구체적인 상황묘사와 풍부한 참고자료에 있다. 정만록은 일기에 해당하는 건권(乾卷)과 자료집에 해당하는 곤권(坤卷)의 2권으로 구성되어 있다.

건권(제1권)은 표지 뒷면에 임진왜란 당시 참전한 여러 관리들의 좌목(座目)을, 다음에 '임진변생후일록'이라는 제목 아래에 그날그날 보고 듣고 겪은 일들을 적고 있다. 1592년은 '임진변생후일록'이라는 제목하에 날마다 기록했고, 1593년에서 1598년까지는 매년 매월 중요사건 위주로 적었다.

곤권(제2권)에는 이탁영이 경상도 관찰사 영내에서 근무하면서 접한 교서, 장계, 통문, 첩보, 치보, 격문이 실려 있다. 이들 각종 공문서는 실록이나 다른 역사서에서 보기 힘든 자료이다. 1592년 4월 14일 임진왜란이 시작된 날로부터 시작하여 그해 연말까지는 약 10일간 기록하지 않은 것을 제외하면 거의 완전하게 적었다.

그의 일기에는 1592년 6월의 용인전투 현지상황과 그의 경험이 상세하게 기록되어 있다. 한 예를 들면 그는 말에서 떨어지고 진흙탕에 빠지면서 정신없이 도망치는 자신과 다른 조선군 병사들의 모습을 적나라하게 묘사했다. 수만 명의 조선 육군이 불과 1,500명 정도의 일본군에 패하여 도주할 때의 상황인데 조선 육군 구성원의 대다수가 급조된 농민이라고는 해도 당시 조선 육군의 전략과 전술, 지휘체계의 취약성을 알 수 있게 해주는 대목이다.

이탁영은 편모를 봉양하고 있었는데 전란 중에 어머니를 모시지 못하는 안타까움과 걱정하는 마음을 그의 일기 곳곳에서 읽을 수 있으며, 당시 백성들이 겪은 참담한 상황 또한 잘 묘사하고 있다.[9]

정만록 내용 일부

- 어젯밤 꿈에 정란이 보였으나 어찌 되었는지 울어버렸다. 청주의 적은 진안으로 간다고 하고 성주의 적은 초닷샛날 접전하자는 말을 보내왔다고 한다. 상주에 살던 전 사부(師傅)인 하락(河洛)은 영남의 명사인데 흉적을 만나 싸우던 날 사부 부자는 대부인을 모시고 처와 자부와 함께 피란 중에 왜적(倭賊)을 만났는데 먼저 부인을 잡고 항복하라면서 부자를 참하고 자부를 보리밭으로 끌고 가서 10여 명의 적이 욕을 보이고는 놓아주었는데, 드디어 목을 매어 죽었다 하니 이 무슨 시운(時運)인고?(1592년 7월 2일)

- (앞부분 생략) 낙동강을 거슬러 올라온 적은 하나같이 아군으로 가장하여 망건과 별량자(別凉子)에 장표(長標)를 붙이고 창녕의 결진처로 간다고 한다. 아군의 원군이 오면 불의에 습격하여 모두 죽이겠다고 한다. 동서 사방에서 매일 험한 소식만 들리고 고향 소식을 듣지 못하니 차라리 죽는 것이 좋을 듯하다. 적들의 행동을 보면 소를 잡아먹는지는 모르고 다만 개, 돼지, 닭 등을 잡아먹으며 쌀을 씻지 않고 밥을 지어 먹는다 한다. 여자 하나를 붙잡으면 부자형제를 가리지 않고 30~40명이 서로 윤간하여 죽게 한다고 한다. 서책을 찢어서 더러운 것을 닦는다 하며, 장독에다 방실(放失)하여 사람에게 먹도록 한다니 그 소행을 어찌 말로 다하랴. 이런 욕을 보이는데도 천벌을 내리지 않는고? 몸이 늙었음을 원망하며 통곡할 뿐이다(1592년 7월 7일).

- 거창에서 유(留)하다. 김산군(金山郡)은 지광(地廣)도 좁고 작은 군인데 흉적의 살략(殺掠)이 날로 심하여 본군(本郡)의 보고에 의하면 사망자가 2,200여 명이라 한다. 기타 큰 읍의 사망도 가히 짐작할 수 있다. 다만 참혹하고 비통할 따름이다. 지례에 있는 적을 의병대장 김면이 어제 출동하여 완전히 잡아 불살라 버렸고, 도망한 남은 적은 주부(主簿) 배설(裵楔)이 성주군(星州軍)을 거느리고 가서 다 죽였다고 한다.
  호남 미녀가 많이 포로로 잡혀 왔는데 애걸하여도 불태워 죽였다 하니, 참혹하여 들을 수가 없다.
  군관인 봉사 상반남이 총환에 맞아 죽었다. 그는 왕년에 군공으로 급제하여 용명을 떨쳤다. 별도의 상계에 네리고 간 아군 전사자가 무려 50여 명이라 한다. 날씨는 벌써 추워지는데 노모 처자가 깊은 산중에서 추위와 굶주림에 견디지 못하여 아마 죽었으리라. 울어보아야 소용이 없구나. 지금 충청도 전통을 보니 동궁(東宮)께서는 이천 근처에 다다랐다 하나 강원도 지경인데 아마 관서(關西)에서 함경도로 가시나보다(1592년 8월 2일).

- 거창에서 유하다. 적은 더욱 날뛰고 고향에는 갈 수도 없어 어머니와 자식을 생각하니 오장육부가 뒤집히는 듯하다. 비록 멀지 않아 돌아간대도 우리 부자의 두 집과 노비의 집이 다 타버리고 노비와 우마도 빼앗기고 의복이나 가보도 다 없어졌을 것이니 알몸으로 거지 신세를 면할 길이 없다. 세상일이 이리도 참혹할까?(1592년 8월 5일)

- 초계에서 유하다. 좌도로 적세(賊勢)를 살피러 보냈던 군관과 진양의 정경호가 오늘 돌아와 보고하였는데, 병사(兵使)는 전일 경주성에 있는 적을 포위하다가 불리하여 사망자가 200여 명이었고, 대구부사도 경솔히 적을 쫓으려 하다가 도리어 포위되어 사망자의 수를 알 수 없을 정도라고 한다. 이 적들과 내려오는 적들이 도로에 가득하여 지나가기가 어렵다고 한다. 원통한 일을 하늘에 원망하랴. 우수영의 군관인 성수경은 장계를 가지고 상경하였다가 진주판관에 제수되었다고 한다.
  7월 29일에 의주로부터 전해오는 말에 의하면 명나라 명장 사유격이 7월 17일에 평양전에서 경솔히 진격하다가 피살되고는 다시 정예군 3만을 청해왔다는데 송경(개성)쯤 도착하였으리라 한다. 경성(京城)에 있는 많은 적들이 용인, 과천, 수원 등의 온 산야에 퍼져 있다고 한다.
  관동의 적은 영월 부근 9개 처에 결진(結陣)하고, 풍기와 영천(영주)으로 곧 넘어온다니 노모를 찾을 길이 점점 어려워지는 듯하니 차라리 죽기만 같지 못하구나.
  이른 아침에 국상, 군헌 두 선생과 경초 세 친구가 주육(酒肉)을 가져와 위로하더니 국상이 또 술을 가지고 보러왔다(1592년 9월 1일).

9) 이탁영(이호응 편주), 『역주 정만록(복사본)』(의성: 의성문화원, 2002).

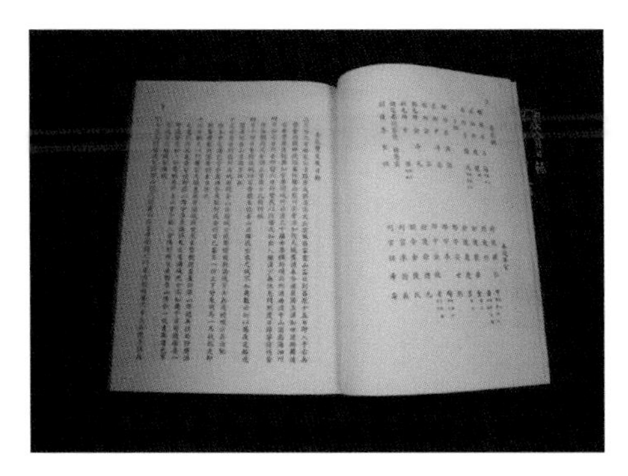

정만록(번역본)

이탁영은 전란이 평정될 때까지 관찰사를 따라 종군하면서 전공을 세웠고, 각종 계초를 작성했다. 전쟁에 관한 계초 등은 용인전투에서 모두 상실했고, 승정원의 계본(啓本)도 임금의 의주 파천 시에 흩어져 없어졌으므로 기록의 보전을 위해 이를 등서하여 개인적으로 보관해왔다. 조정에서는 그의 사후에 중추부사의 직위를 내렸다.

정만록에 수록된 장계의 내용 일부

초계의 가장인 정언충의 치보(馳報)에 의하면 의병장 전치원, 이대기 등이 강변에 목책을 설치하고 진을 치고 기다렸더니 6월 19일 닭이 울 무렵에 왜적의 대선 3척과 소선 2척이 낙동강을 내려오다가 대선 2척이 심어둔 목책에 걸려 궁사와 대군(大軍)이 소리치면서 협공하고, 복병했던 군인들이 큰 돌을 바위 위에서 굴리니 적이 황겁해서 가득 실은 짐을 거의 물에 던지고 어찌할 줄 모르는 터에, 아군이 장편전(長片箭)으로 무수히 쏘아대기를 한참 동안에 적선은 겨우 빠져 내려갔다. 아군은 강을 따라 뒤쫓아 10리쯤 따라가니 뒤따른 대선 1척이 짐 다섯 바리를 강물에 던지고 허둥지둥 내려가니 의령지경(義寧地境)에 이를까 할 무렵에 아군의 기병과 보병이 일시에 강물에 뛰어들어 가로막고, 장편전으로 쏘고, 창인(槍刃)으로 찔러 죽이는데 창녕·의령병도 또 협공하여 다투어 공격하는 동안 앞의 2척은 빠져 내려가고 그중 1척은 완전히 포착하여 참두(斬頭)가 4인이요, 화살에 맞은 것이 20여 명이나 되는 것이 물에 빠져 죽거나 혹 도망하여서 참두는 못하였으나, 짐과 배는 다 빼앗아오고 기타 2척은 창녕·의령에 빼앗겼나이다.

아군은 자시(子時)로부터 사시(巳時)에 이르는 동안 주리고 고전하였기 때문에 피로하고 군세도 약한데다가 화살(弓矢)마저 떨어져서 나머지 2척을 잡지 못하고 왜의(倭衣) 25벌과 수령의 의복과 잡물 여덟 바리는 군인들에게 상으로 나누어주고 총통 2, 철갑(갑옷) 3, 투구 2, 철가면 1은 관에 올린다는 지보이옵니다.

의병 전 첨사 손인갑의 치보가 6월 20일에 도착하였는데 창녕의 기군장(起軍將)인 성천희의 치통(馳通)에 본현에 있는 적들이 생민(生民)을 마구 죽이고 집을 불태우니 분하여 이를 갈며 정로위(定虜衛)인 황록(黃綠) 등과 40여 명을 거느리고 이달 초 6일에 낙동강의 왜선을 쫓아 10여 명을 사살하였으나 참수는 못하였나이다.

군인 김천좌(金天佐)는 강물을 헤엄쳐서 참수 하나와 훔친 물건을 빼앗아오고, 또 초 10일에는 적을 20여 명이나 사살하였으나 참수는 없고, 영산의 수성장 이조(李禂)의 치보에는 본현이 함락된 후로는 왜적이 산야에 널리 깔려 있어서 토적할 길이 없어 처참하더니 전 봉사 윤추(尹樞)와 전 권관 신초(辛礎), 전 수문장 신비(辛碑)와 같이 가만히 의논하고 모집한 70여 명을 거느리고 적이 많으면 숨어 피하고, 적으면 불시에 공격하여 겨우 참수 3이나, 이로써 적은 이를 갈고 독을 내뿜어서 많이 모여들었습니다.

지난 5월 12일 미명에는 불시에 엄습하여 사력을 다하여 싸웠는데, 중과부적하여 많은 피해를 보고 분산하여 피하였으나, 더욱 모병하여 토적하려고 하나 양식이 다하고 화살도 없어서 민망한 소식을 치보하여 왔나이다.

의령의 가장(假將)인 곽재우의 치보에는 이달 6월 18일에 왜선 3척이 내려오다가 2척은 침몰하고 1척만이 노 저어 내려오거늘 완전히 잡고 참수 17개를 하였다는 치보이옵나이다.

진해현감 권규(權逵)의 치보에는 6월 21일에 왜적 50여 명이 고성에서 여기를 지나가다가 병사(兵使)와 현감과 사수 20여 명을 거느리고 추격하였고, 병사 조대곤(曺大坤)은 죽기를 각오하고 적진에 뛰어들어 활을 쏘아 한 머리를 베고, 그밖에 보인(保人) 조처인(曺處仁) 등이 16인을 쏘아 죽였다고 치보하여 왔나이다. 조대곤의 치보 내에 21일 진해 땅에서 왜적을 잡아 죽인 일은 진해현감 권규의 치보 내에 있다 하옵고 병사가 참수한 1명의 좌이(左耳)와 환도 1을 수송한다는 치보이옵나이다. 또 조대곤의 치보 내에는 진해의 요로에다가 주야로 복병시켰더니 6월 22일 닭이 울 무렵 왜적 5~6명이 창원을 떠나온 것이 지나가거늘 병사는 군졸을 데리고 일시에 공격하니 한 적이 칼을 휘두르며 나타남에 병사가 사살하고 충의위(忠義衛) 홍유례(洪有禮) 등이 2왜를 쏴죽이고 좌이를 베어 소금에 절이고 왜의 1, 환도 1은 보내겠다고 치보하였나이다. 칠원현 이방좌(李邦佐)의 치보에는 6월 20일에 왜적 20여 명이 진해로부터 창원으로 가거늘 복병장 황여지(黃汝址)도 3명을 쏘아 죽이고 참두하려 할 즈음 많은 적이 후원하는지라 겨우 참두 1과 왜의와 띠(帶), 환도 각 1을 빼앗아, 환도는 장사들에게 나누어주고 왜의와 띠와 참두 1을 올려보낸다고 치보하였나이다.

함안군수 유숭인(柳崇仁)의 치보에는 6월 21일 왜적 30여 명이 영산(靈山)에서 강을 건널 때 공격하여 사살하고 참수한 것 하나를 올려보낸다고 하며, 나머지 적은 화살에 맞아 영산으로 패퇴하였는데 뒤따라 잡지 못하였다는 치보이옵니다.

합천군수의 글월(文狀)에는 6월 21일에 초계 땅 낙동강에 왜선 11척이 내려와서 머물고 있다는 것을 본군(本郡) 가장(假將) 손인갑(孫仁甲)이 병졸을 이끌고 22일 미명에 왜적과 접전하였는데, 창녕 쪽으로 적선이 내려가는지라 인갑은 군병을 이끌고 도강하여 마수원(馬首院)에 이르러 그 배를 완전히 잡고, 하륙(下陸)할 때에 모래언덕에서 말이 넘어지는 바람에 그만 깊은 소(淵)에 빠져 죽었다는 치보이옵나이다. 손인갑은 제장을 통솔하고 힘껏 싸워 대공을 눈앞에 두고 물에 빠져 죽었으니 통석한 일이옵고, 그 후임을 그 군중의 의견을 들으니 거제현령 김준민(金俊民)이 용감하며 능히 대신할 수 있을 것이라 하오나 접전 시의 첩보가 없다가 치보장을 가지고 온 합천군인(陜川郡人) 윤담손(尹淡孫)이 와서 보고하는 말에 의하면, 왜선 11척이 문득 목책에 걸려 내려가지 못하자 적이 당황하는 터에 대군이 일제히 활을 쏘아 붙이니 적은 양반님, 양반님하면서 싸우지 말아요 하고 애걸하니, 인갑이 큰 소리로 너희들이 칼을 버리면 너희의 원(願)을 들어주마 하니, 과연 적은 칼을 물에 던졌으나 여전히 난사하니 적은 옷을 물에 적셔서 뱃전에 걸고 화살을 피하고 가득 실은 짐을 모두 물에 던지니 남은 적은 거의 죽었는데, 배를 끌어올렸더니 그동안 도주한 적은 불과 15여 명이라고 하더이다.

길이 막혀 좌도의 군정(軍情)은 상세히 알 수 없으나, 창녕 같은 곳은 적의 피해가 극심한데도 분발하여 토적하고 있사오며 기타 많은 군읍(郡邑)이 다투어 싸우고 있나이다. 참수한 명단과 그 수는 뒤따라 장계하옵고 환도는 전용(戰用)으로 장사에게 나누어주었나이다.

지난 4월 27일 이전의 변보(邊報)는 승정원에서 접수하였고, 27일 이후의 치계는 도로가 막혀서 중간에서 유체되었을까 두려워하여 그 대략을 다시 적어 5월 12일에 신(臣)이 군관 이자해(李自海)를 시켜서 호남의 배편으로 올려보냈더니 충청도 태안 근처에서 풍랑을 만났다가 다행히 돌아오는 배를 만나 다시 관서로 가다가 또 강화도 근처에서 적을 만나서 돌아온 것을 신이 아산현에서 만나보고 서방(서양)의 희귀한 부채도 약간 구하여 같이 봉하여 신의 마도(말을 관리하는 종자) 강만담(姜萬潭)을 시켜서 다른 배를 얻어 올렸사오나 득달하였는지 모르겠나이다.

본도(本道)의 소식은 당연히 계속 치계하여야 하는데도 수륙(水陸) 두 길이 막혀서 관인(官人)을 시키면 득달하기 어려우므로 신의 군관 전 군수 안세희(安世熙)의 자원(自願)을 받아들여 이달 23일 서장 3통과 왜이(倭耳) 44개를 함께 봉하여 올리오며, 각처의 의병들이 얻은 적의 귀(耳)는 따로 초유사 김성일이 담당하여 올리라고 이문(移文)하였사오니 이런 연유로 잘 아뢰옵소서.

『역주 정만록』(2002), 277～281쪽

의성군 의성읍 충효로 20 경주 이씨 문중에 소재하는 일기체 기록인 정만록은 사료로서의 가치를 인정받아 1986년 10월 15일 보물 제880호로 지정되었다.

○ 징비록

징비록(번역본)

징비록(懲毖錄)은 서애 유성룡(1542～1607)이 임진왜란 때의 상황을 기록한 자료이다.

'징비'는 중국 고전 『시경』에 나오는 '스스로를 미리 징계해서 후환을 경계한다'는 의미의 '여기징이비후환(予其懲而毖後患)'이라는 문장에서 따왔다. 방비를 하지 못하여 전국토가 불에 타버린 참혹했던 임진왜란의 경험을 교훈 삼아 다시는 이런 일이 없도록 경계하자는 뜻에서 책의 제목으로 사용되었다. 이 책은 1599년 2월 집필하기 시작하여 1604년에 마친 것으로 알려져 있다. 필사본 징비록은 조수익이 경상도 관찰사로 재임하고 있을 때 필자 손자의 요청으로 1647년(인조 25)에 16권 7책으로 간행했다. 임진왜란 이전의 조선과 일본의 관계, 명나라의 지원병 파견 및 조선 수군의 제해권 장악 관련 전황 등이 기록되어 있다.

징비록에는 또 조정 내의 분열, 임금과 조정에 대한 백성들의 원망과 불신, 무사안일로 일관했던 상당수 관료와 군인들의 모습이 그려져 있다. 당시 조선의 전쟁준비 소홀과 그로 인해 유발된 참담한 결과를 묘사했다. 징비록은 1969년 11월 7일 국보 제132호로 지정되었다.

그런데 징비록이나 선조실록 등 중앙의 고급관료가 집필한 사서에서는 자신이 처한 입장에서 기술하기 때문에 사실관계 전달에 문제가 발생하기도 한다. 징비록에서는 부산첨사 정발이 절영도로 사냥을 나갔다가 일본군이 바다를 메우며 몰려오자 부산성으로 달아났으며, 일본군이 뒤따라와 성을 함락시킨 것으로 묘사하고 있다.[10]

이와 관련해서는 지방행정관이 일본의 공격으로부터 관문인 부산을 방비해야 할 필요성을 조정에 보고했음에도 이를 무시하고 있던 중앙의 고급관료들이 조선군이 일본군과의 첫 전투인 부산성 전투에서 참패하고 전멸당한 것에 대한 책임을 지방의 행정관에게 뒤집어씌운 것이라는 견해가 제시되고 있다.[11]

10) 유성룡(이재호 옮김), 징비록(서울: 역사의 아침, 2007), 58쪽 참조.

11) 하세가와 쓰토무(조여주 역), 『귀화한 침략병– 임진왜란의 숨은 이야기 –』(서울: 현대문학, 1996), 34쪽 참조.

5. 조선을 사랑한 일본인 사야가

○ 사야가 김충선

임진왜란 때 조선에 침공해온 일본군 중 침략전쟁의 무모함과 명분 없음에 회의를 느낀 자들이 부산 상륙 후 조선군에 투항하여 일본군을 상대로 싸웠는데 이들을 통칭하여 항왜(抗倭)라고 한다.

사야가(沙也可)는 일본의 조선침공군 제2군을 이끈 가토 기요마사의 선봉상으로 임진왜란 개전 초기인 1592년 4월, 22세의 나이에 조선에 귀순한 항왜이다.[12]

귀순 후 조선군을 돕던 그는 조선의 무기가 불완전함을 통감하게 되었다. 이순신 장군과도 서신을 주고받으면서 조총제작 및 화약제조에 관해 의견을 교환했다.

통제사 이순신 장군에게 답하는 글(答統制使 李公舜臣書)

엎드려 보내주신 글월 받자와 통제하시는 체후 평안하신 줄 아옵고 제 마음이 놓였습니다. 적을 무찔러 없애기가 날을 정하기 어려우니 우국하시는 마음, 날이 갈수록 더욱 간절하신 줄 믿습니다. 소장은 비록 외국에서 온 천한 군인이오나 외람하게도 신민의 열(列)에 끼이게 되었사오니 본국인의 심정과 무엇이 다르오리까? 그러나 지모가 서투르고 재주도 용기도 다 모자라서 계획과 책략을 한 가지도 도와 드리지 못하오니 도리어 죄송할 뿐입니다.

하문하옵신 조총과 화포와 화약 만드는 법은 전번에 비국(備局)으로부터 내린 공문에 의하여 벌써 각 진에 가르치고 있는 중이옵니다. 이제 또 김계수를 올려 보내라는 명이 계시니 곧 보내옵니다. 바라옵건대 총과 화약을 대량으로 만들어서 기어코 적병을 전멸시키기를 밤낮으로 축원하옵니다.

『모하당문집』(2009), 65~66쪽.

---

12) 『모하당문집』(대구: 사성김해김씨종회, 2009), 3쪽. 모하당문집은 김충선의 가계인 사성 김해 김씨 6세손 김한조가 1798년(정조 22) 편집 간행한 책이다.

이순신은 사야가에게 조총과 화포, 화약 제조법을 조선군에 전수할 것과 사야가의 항왜 부하인 김계수를 자신의 진영으로 보내달라고 했고 사야가는 그 명을 받아 김계수를 보냈다. 이렇게 사야가는 조총 제작기술을 가진 항왜 부하들을 조선군 진영에 보내 조총 사용기술을 전수하는 데 힘썼다.

조선 지상군이 패전을 거듭하고 있는 가운데 수군을 지휘하는 이순신 등과 연락하며 조총 제작기술을 보급하여 전쟁 상황을 반전시키는 데 기여한 사야가는 그 공로로 1593년 4월 선조 임금으로부터 벼슬과 함께 김해 김씨 김충선(金忠善)이라는 성과 이름을 하사받게 된다.

그런데 사야가 김충선에 관해서는 그가 조총 제작기술을 조선군에 전수했고, 일본군을 몰아내는 데 공을 세웠다는 사실 외에는 알려진 것이 거의 없다.

ㅇ 사야가 김충선의 실체

조선 조정은 사야가 본인과 일본에 있는 그의 가족을 보호하기 위해 그의 인적사항을 철저하게 비밀로 부쳤으며 공식적인 기록으로는 거의 남기지 않았다.

그가 조선군에 투항한 시기는 개전 초기이며 조선 지상군이 일본군을 상대로 제대로 된 전투 한번 해보지도 못하고 패주할 무렵이었다. 그런 시기에 사야가가 일단의 부하들을 데리고 조선군에 투항한 사건은 조선보다도 일본 측에 큰 충격을 주었다. 도요토미 히데요시로부터 문책을 당할 것을 두려워한 일본군 장수는 시간이 흐른 다음에야 사야가를 전사자 혹은 행방불명자로 처리해 보고했을 것이다. 그런 탓에 사야가가 누구인지를 규명할 만한 자료는 일본에도 거의 남아 있지 않다. 조선 조정에서 기밀문서로 분류하여 남긴 자료가 있다면 이를 발굴해내는 것이 사야가의 실체를 밝히는 열쇠가 될 것이다.

대구 녹동서원에 있는 '김충선 신도비명'에는 사야가의 실체를 어느 정도 밝혀주는 내용이 적혀 있다. 그에 따르면 사야가(沙也可)는 본래 사씨(沙氏) 가문의 자손으로 조부의 이름은 사옥국(沙沃國), 부친의 이름은 사익(沙益)이라 했다.[13]

모하당문집은 사야가가 가토 기요마사의 선봉부대 장수라고 기록하고 있다. 이를 근거로 다수의 문헌에는 사야가는 가토의 부하라고 되어 있다. 사야가는 1592년 4월 20일 경

13) 『모하당문집』(2009), 239쪽.

상도병사 박진에게 강화서를 보낸 것으로 되어 있는데 김충선 신도비의 내용 일부를 옮겨 적어보면 다음과 같다.

김충선 신도비명(金忠善神道碑銘)

선조 25년 임진에 가등청정(加藤清正)이 흥사동침(興師東侵)함에 있어 선생의 담용절륜(膽勇絶倫)함과 의기과인(義氣過人)함을 알고 우선봉장에 선임하니 시년이 22세라. 실로 청정의 선봉장되기에 무의(無意)하였으나 동토(東土)의 예의지국임을 소문하고 소중화로서 문물이 수려함을 예감한 바로 의관법도와 인도예양을 견문코자 선봉이 된 것을 계기로 영병(領兵) 3천하고 월해 상륙 부산하니 임진 4월 13일이라.

별견지간에 내습이라 창황망석지중(蒼黃罔惜之中)이나 문물제도나 풍속예절이 추측 이상으로 찬연함에 감탄하고 봉명본국이나 복어이국(服於異國)을 결심한 후 용하변이(用夏變夷)의 의지로 천우교목(遷于喬木)한 심회였다. 삼대 예의가 진재차의(盡在此矣)라고 감복하고 즉시 효유서를 작성하여 계방함으로써 민간의 소요나 유산(流散)의 폐를 사전 방지하고 안도감을 갖게 한 후 20일 도병사 박진에게 강화서를 이송 귀부하였다.

당시 울산군수 이언성이 본영 좌위장으로 군병(郡兵)을 인솔하고 동래에 치왕(馳往)하여 적세 대지(大至)함을 보고 도환(逃還)하니 선생이 축예지병(畜銳之兵)으로 분전할 때 울산군인 서인충 정몽호가 의사를 모초(募招)하여 협조 대파하니 병사(兵使)가 상계우행재소(上啓于行在所)라 선조께서 인견(引見) 후 심가지(甚嘉之)하시어 즉시 가선대부의 위계를 제수하시고 남수(南垂) 일면(一面)의 방어책임을 맡게 하시니, 즉 임진년 12월이라.

이때 적이 수륙 병진하니 선생은 경주로 이진(移陣)하고 울산군수 김태허와 서인충도 합세하여 이견대와 중양 급 봉길리(中洋及鳳吉里)에서 대파 적병하니 권율 장군의 치계로 선생에게 특사 성명(特賜姓名)하고 자헌(資憲)으로 가자(加資)하니 계사년 4월이라.

우리 관복과 청포 3천 필(疋)을 하사하다. 익년 갑오에 김병사응서(金兵使應瑞)와 연영유진(連營留陣)하며 선생은 항시 우리나라 병기의 불리함을 상소하고 수하군관인 김계수(金繼守)와 계충(繼忠) 등을 시켜 조총과 화약제조법을 교련하고 훈련청을 강화하여 신진병혁을 시도하니 일본을 압도하게 정예화되어 적병이 퇴진케 된 것이니 만일에 선생의 위대한 모하정신에 의한 국가애호의 충성이 아니었으면 당시 도이(島夷)의 점령의 액운을 난면케 되었을 것이다.

일본의 연구자, 소설가들은 사야가의 실체에 관해 연구한 결과를 역사소설의 형식으로 정리했다. 사야가의 실명이 무엇이고 어떤 장수의 부하로 조선에 상륙했는지에 관해 다음과 같은 두 가지의 설이 제시되었는데, 이 설들은 사야가의 후손이 편집한 모하당문집의 내용과는 상이한 부분이 있으므로 참고자료의 성격을 갖는다.

-이사고 가네가도 설-

니혼대학 교수 하세가와 쓰토무(長谷川つとむ)는 사야가의 실명이 '이사고 가네가도' 즉 '사포문'이라고 인식했다. 그는 이사고 가네가도가 박진에게 투항할 때 자신의 이름을 초서체로 '사포문(沙包門)'이라고 썼을 것이라고 추정한다. 박진은 세 글자 중에서 첫 번째 글자 '사(沙)'는 정확히 인식했지만 두 번째 글자인 '포(包)'는 '야(也)'로, 세 번째 글자인 '문(門)'은 '가(可)'로 잘못 보았기에 그를 '사야가'라고 부르기 시작했다. 종이 위에 쓴 것이 아니라 땅 위에 썼기에 잘못 인식했을 가능성은 있다.

박진은 나중에야 자신이 글자를 잘못 알아본 것을 알게 되었지만 주위 사람들이 모두

이사고 가네가도를 사야가(沙也可)라고 부르고 있었으므로 정정하기가 쉽지 않아 그대로 쓰게 되었다.[14]

이보다 앞선 1592년 4월 초순 고니시 유키나가는 자신의 부대를 대마도로 향하는 선박에 승선시켰다. 이때 마쓰라 시게노부의 가신인 22세의 청년 이사고 가네가도는 30명의 소총부대원을 이끌고 승선했다. 마쓰라 시게노부 가문은 여러 단위의 철포부대를 운용하고 있었는데 그중 하나가 이사고 가네가도가 지휘하는 철포부대였다.

고니시가 이끄는 제1군은 그의 직속부대 7,000명, 소 요시토시 부대 5,000명, 이사고 가네가도가 소속된 마쓰라 시게노부 부대 3,000명, 아리마 하루노부 부대 2,000명, 오무라 요시아키 부대 1,000명, 고토 스미하루 부대 700명이었다. 고니시가 지휘를 맡은 제1군 소속부대 18,700명은 4월 10일까지 대마도에 집합 완료했다.[15]

4월 13일 오전 8시 고니시 군단 18,700명을 태운 선박 700척이 대마도의 오우라와 와니우라 두 항구를 출발했다. 그중 배 한 척에는 30명이 승선해 있었는데 모두 마쓰라 시게노부 부대의 소총부대 제5조에 속한 이사고 가네가도와 그의 부대원들이었다.

한편 가토 기요마사가 이끄는 제2군에는 가토의 직속 소총부대인 사이카 부대가 편성되어 있었다. 사이카는 본래 불교 진종(眞宗)을 신봉하는 사람인데 네고로의 소총부대와 결합하여 소총부대를 편성한 후 이시야마 혼간지 전투(本願寺戰鬪)에서 가톨릭을 신봉하는 고니시 유키나가와 싸워 패했다. 그 뒤로도 혼간지의 큰 스님 겐뇨의 부름을 받고 한 차례 더 싸움을 일으켰으나 실패했고, 이어 도요토미 히데요시에게 패배한 후에 규슈(九州)로 피신했다. 그곳에서 도요토미 히데요시에게 복종하지 않는 아소신궁(阿蘇神宮)의 신주 겸 그 지방의 영주인 아소 고레미쓰(阿蘇惟光)를 섬기게 되었다.[16]

그런데 도요토미는 히고(肥後)의 북쪽 영지의 절반을 가토 기요마사에게 내어주고는 아소 고레미쓰가 자신의 조선 침략을 방해하려는 역모를 획책했다는 이유로 아소를 체포해 갔다. 사이카는 아소 고레미쓰의 신변이 걱정된 나머지 아소가 결백하다는 증거를 보이기 위해 조선 침공의 대열에 서지 않을 수 없었다.

하세가와 쓰토무는 당시 침공군 각 부대에 조총부대가 편제되어 있었는데 고니시 유키나가가 이끄는 제1군의 철포부대는 이사고 가네가도, 즉 사야가가 지휘했고 가토 기요마

14) 하세가와 쓰토무(조여주 역), 『귀화한 침략병-임진왜란의 숨은 이야기-』(서울: 현대문학, 1996), 153쪽 참조.

15) 하세가와, 앞의 책, 22쪽.

16) 하세가와, 앞의 책, 27쪽.

사가 이끄는 제2군의 철포부대는 사이카가 지휘했다고 본다.

모하당문집에는 사야가가 가토 기요마사의 선봉부대 장수라고 기록하고 있음에도 불구하고 하세가와는 고니시 휘하의 장수 이사고 가네가도가 사야가일 가능성이 크다고 인식하고 있다.

사포문(沙包門)은 언급되지 않았으나 모하당문집이 후손들에 의해 정리된 것이 나중의 일이므로 최초의 이름은 '사포문'이었을 가능성도 있다. 사포문이 사야가로 잘못 전달되는 바람에 그것이 굳어져서 나중에는 후손들까지 사야가를 최초의 이름으로 받아들였을 가능성이 있다.

하세가와 쓰토무와 모하당문집은 그가 사(沙)씨 성을 가진 가문 출신이라는 데 일치한다. 모하당문집에서는 사야가가 가토의 부하라고 했으나 하세가와는 사야가가 고니시의 부하라고 기술한 점이 다르다.

-스즈키 마고이치로 설-

역사소설가 고사카 지로(神坂次郎)는 스즈키 마고이치로(鈴木孫一郎)가 사야가라고 인식했다. 고사카는 사야가를 주인공으로 한 역사소설 '바다의 가야금'을 쓴 저자이며, 와카야마 현에서 옛 총을 연구하는 고식총 연구회의 고문으로 있는 사람이다.

고사카 지로 등 일부 사야가 연구자들은 와카야마 현의 사이카(雜賀)라고 불린 철포부대의 스즈키 마고이치로가 '사야가'라고 주장한다.[17]

일본에는 조총을 직접 제조하여 사용하는 여러 개의 철포부대가 있었다. 그중 최강의 철포부대는 와카야마 현의 '사이카'라는 곳에 있던 부대였다. 이 부대는 영주에게 예속되지 않은 독립집단으로 최고의 명사수들이 있었는데 이 사이카부대에 사야가가 있었으며, 이 부대의 대장 '스즈키 마고이치로'가 바로 사야가라는 것이다.[18]

철포부대원들은 자신이 거주하고 있던 마을 이름을 따 '잡하(雜賀)', 즉 일본발음으로 '사이카'라고 불렀다. 사야가(沙也可)는 조선어 '사야가'를 한자로 바꾼 것으로 사야가는 일본의 '사이카'에서 유래한다는 것이다. 설득력이 있는 주장이다.

실제로 스즈키 마고이치로는 조선으로 출정했고, 출정 후 즉시 모든 기록에서 사라졌다. 나고야 성(사가 현 가라쓰 시 소재)까지 부대원 100명을 이끌고 갔는데, 개전 후에 스

17) 고사카 지로(양억관 역), 『바다의 가야금』(서울: 인북스, 2001), 370~379쪽 참조.
18) 『역사스페셜 6: 전술과 전략 그리고 전쟁, 베일을 벗다』(서울: 효형출판, 2003), 295쪽 참조.

즈키 한 사람만 사라졌다는 것이다. 스즈키 마고이치로는 '사이카 마고이치로(雜賀孫一郞)'라고도 알려져 있다.

조선으로 출병하기 전 사이카부대의 대장 스즈키 마고이치로는 밖에 나가면 모두들 '사이카'라고 불렀다고 한다.

사이카 마고이치로의 본명은 스즈키 시게히데이다. 마고이치로라는 이름은 일본 철포 용병단의 후계자에게 계승되던 직책 명칭이라고 한다.

이를 정리하면 '스즈키 시게히데'에서 '사이카'라는 별칭으로 바뀌었고, '마고이치로'라는 직책 이름이 붙어서 사이카 마고이치로가 되었다. 그런데 본래는 성이 스즈키이기 때문에 본래의 성을 붙인 '스즈키 마고이치로'와 별칭을 붙인 '사이카 마고이치로'의 두 가지 이름이 전승되었다.

사이카 마고이치로는 일본 철포부대 용병단의 지도급 인물이었고, 막부(幕府)와의 관계도 좋지 않았기 때문에 조선으로 출정하게 되자 일본을 배신하여 조선에 귀순했다는 것이다. 그리고 그가 사야가, 즉 김충선이라고 인식했다.

고사카 지로는 스즈키 마고이치로, 즉 사야가는 가토 기요마사의 부하 장수가 아니라고 주장한다. 그렇다면 사야가는 고니시 유키나가의 부하라는 하세가와 쓰토무의 견해와 맥을 같이한다.

고사카 지로는 스즈키 마고이치로가 이끄는 철포부대가 의병의 안내로 경상남도의 의병대장 곽재우를 만나러 간 것은 1592년 9월 13일이라고 적고 있다. 모하당문집에서는 사야가의 귀순 일시는 1592년 4월 20일이라 했고, 고사카 지로는 이보다 5개월이 늦은 9월 13일이라 했다.

역사소설 속의 자료이기는 하지만 고사카 지로의 견해는 하세가와 쓰토무의 경우처럼 구체성을 띠고 있다. 사야가가 귀순을 하려고 결심했을 때 처음 접한 조선군 장수 혹은 의병장이 누구인지도 밝혀져야 할 것이다. 고사카의 주장대로 9월이라면 그때는 조선 정규군이 어느 정도 전열을 정비했을 때라서 사야가가 의병장보다는 조선군 장수에게 귀순을 청했을 가능성이 크다.

사야가는 귀순할 때 김계수 등 항왜 부하들과 행동을 같이한 것으로 보이는데 고사카의 글에서는 개전 후 사야가가 부하들을 대동하지 않고 혼자만 사라졌다고 했다. 그리고 그의 귀순 시점이 1592년 9월 13일이라고 했는데 이는 사야가가 조선의 문물을 흠모해서 귀순하겠다는 강화서의 내용과 어울리지 않는다. 그 당시는 조선군이 전열을 정비하기 시작했고 명나라군이 참전하여 전황이 급박한 시기였는데 그런 내용의 강화서를 보내어 귀순하기란 쉽지 않은 일이다.

결국 고사카의 주장은 설득력은 있지만 귀순 동기나 귀순 일시를 볼 때 앞뒤가 맞지 않는 면이 있다. 모하당문집의 내용을 무시하지 않는 한 고사카의 인식을 전적으로 수용하기에는 어려움이 있다. 다만 모하당문집의 내용 자체도 부분적으로 애매한 점이 있어 더 많은 자료의 발굴이 요망되고 있다.

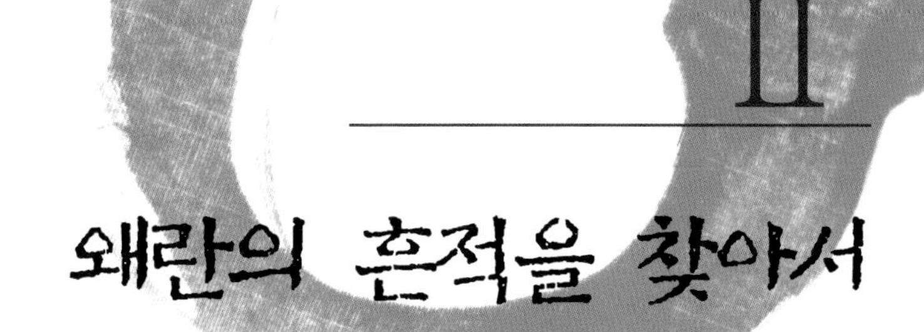

Ⅱ

왜란의 흔적을 찾아서

1. 경산

경산 경흥사

동학산(動鶴山)은 학(鶴)의 형상을 하고 있으며 산자락의 사찰 경흥사(經興寺)는 학의 부리에 해당하는 자리에 위치해 있다. 현재 경흥사에 남아 있는 고승의 부도들과 동학산 언저리에 있는 옛 절터에서 초석과 석축 등이 발견되는 것을 볼 때 사찰의 규모가 웅대했음을 알 수 있다.

신라시대에 창건된 경흥사는 임진왜란 당시 일본군을 격퇴하기 위한 승병들의 훈련공간이었다. 사적비의 내용에 의하면 서산대사, 영규대사, 사명대사가 이곳에 머무르면서 700~800명의 승병을 훈련시켰다고 한다.

일제강점기 경흥사는 임진왜란 당시 승병을 훈련시켰다는 이유로 탄압을 받았다. 여기에 6·25전쟁 전후의 사회적 혼란기에 문화재 도난, 도굴 등으로 인해 사찰은 점차 피폐해졌다.

근년 사세 회복노력에 힘입어 대웅전, 명부전, 독성전, 산령각, 종각 등 대부분의 불사가 마무리되었다. 대웅전은 1993년에 건립되었다.

(부도·비석)

경흥사에는 예로부터 부도가 많아 경내 동쪽의 구릉지를 지금도 '부딧골'이라고 부른다. 이곳에는 한때 경흥사에서 수행한 옛 스님들의 부도 36기가 보존되어 있었다.

일제강점기 일본군이 부딧골 일대를 모두 들추어 황폐지로 만들면서 부도들을 200~300미터 아래의 계곡으로 밀어냈는데 광복 이후 신도들이 그중 일부를 수습해 부도 6기와 깨진 비석 조각 1기를 봉안해 이 자리에 모셔놓았다.

사찰 입구에 보이는 비석들은 최근에 세워진 것으로 경흥사 사적비, 재윤스님 행적비, 경흥사 법당 신축기, 경산시장 최희욱 공덕비, 경산군수 이상우 공덕비 등 모두 5기이다.

대웅전

경흥사 사적비

명부전(옛 대웅전)

(명부전)

경흥사의 옛 대웅전인 명부전은 조선시대 후기에 건립된 것으로 경흥사에서 가장 오래된 전각이다. 건물은 정면 3칸, 측면 2칸 규모의 맞배지붕이다.

명부전은 일제강점기 일본인들이 뒷벽 불화 뒤에 일본 국장(國章)을 그려넣어 일왕과 일본국을 경배하도록 하는 아픔을 겪었지만 광복 후에 절에서 그것을 제거했다고 전한다.

○ 경상북도 경산시 남천면 모골길 196-55

경산 용계서원 충현사

용계서원은 1712년(숙종 38)에 지방 유림의 공의로 성재(省齋) 최문병(崔文炳, 1557~1599)의 학문과 덕행을 추모하기 위해 창건되었다. 1786년(정조 10) 3월 12일 조정의 명에 따라 용계서원(龍溪書院)으로 승격되었다. 서원 건물을 바라볼 때 왼쪽에 2006년에 건립한 신도비각이 있다. 그 후 후손들이 유물관을 새로 지어 유품을 보관하고 있다.

최문병은 1557년(명종 12) 4월 20일 옛 자인현 울곡리(지금의 자인면 울옥리) 선비의 집안에서 태어났다. 그는 일찍이 외숙이자 퇴계의 제자인 전경창에게서 학문과 대의를 배우면서도 오직 경학(經學)에만 전념하여 벼슬에는 뜻이 없는 순수한 유학자였다.

최문병은 1592년 임진왜란이 일어나자 여러 고을의 장정들과 함께 영천시 임고면에 소재하는 천장산에서 수천 명의 의병을 모아 의병장에 추대되었다.

파죽지세로 진격해오는 일본군에게 관군이 연이어 패하자 최문병은 침입경로 요소요소에 의병을 매복시켜 적을 격퇴함으로써 적이 경산 자인현의 경계를 침범하지 못하게 했다. 그 후에 청도의 의병장 박경전(朴慶傳)과 합세하여 두곡에서 일본군 수백 명을 사살하고 선암(청도 금천)에 있는 적을 막았다.

갈지고개에서는 적의 식량과 병기를 탈취하여 그들의 활동을 제약하기도 했다. 일본군이 영천으로 진격해온다는 소식을 들은 최문병은 영천의 의병장 권응수(權應銖)와 합세하여 군위, 하양 등지의 적을 격파하고 군사를 셋으로 나누어 영천성에 도착했다. 여기에서 우장(右將) 정대임(鄭大任)과 더불어 좌장(左將)으로서 말을 달려 적 10여 명의 목을 베었다. 이에 따르던 의병들이 용기를 얻어 진군하니 적이 도주했다. 이와 같이 자인 고을뿐 아니라 인접한 청도, 군위, 하양, 서악(西岳)의 적을 대파하니 최문병에 대한 인접 지역 백성들의 신망이 두터웠다.

최문병은 난중에 조정으로부터 조산대부(朝散大夫), 장기현감, 별제어모장군(別提禦侮將軍), 훈련첨정 감목관(訓練僉正監牧官)의 벼슬을 받았으나, 모두 사양하여 취임하지 않았다.

성재 최문병 신도비

(앞부분 생략)

임란(壬亂)을 당하여 왜적(倭賊)이 아동(我東)을 침공할 때 적이 가는 곳마다 수령과 병사가 성을 버리고 도주하여 열읍(列邑)은 와해하고 사직은 누란의 위기에 처한지라. 공은 초야에 포의(布衣)로 분연히 창의하여 오직 충의로 구국하고자 천장산에 제단을 설치하고 하늘에 맹서를 하니 동참한 군상(群像)이 의병장으로 추대하거늘 기치를 높이 세우고 격문을 사방에 전달하고 한편으로는 향교의 성현 위패를 안전한 곳으로 옮겨 수호하게 한 다음 두곡(杜谷)에 진격하여 수백 명의 적을 격살하고 선암구(仙巖口)의 적을 포위하여 공략하니 익사한 적의 시체가 강수(江水)를 막았고 동곡(同谷)에 진격하여 적의 우마와 군수품을 탈취하니 적이 경계만 하고 호장(虎將)이라 칭하며 교전을 피하였다.

차시(此時)에 적괴(敵魁)가 영천성에 웅거하여 사방으로 공략을 하거늘 공이 방어사 권응수의 진영을 방문하고 병력을 합하여 토적할 것을 약정하고 제 의병장(諸義兵將)과 박연(朴淵)의 적을 격파하고 또 소계(召溪)의 적 수백을 참수하고 영천성에 접근하니 적환(賊丸)이 여우강(如雨降)하여 제장(諸將)이 감히 진격을 못하는지라 공이 정대임과 함께 선두에서 진입하여 성두(城頭)의 적을 참하고 종풍방화(從風放火)하여 적을 남김없이 섬멸하니 영천성 탈환의 전략은 공의 지략이었으나 모든 공은 타(他)에게 양보하였고 후에 병사(兵使) 박진이 조정에 치계(馳啓)하여 별제(別提)와 장기현감(長鬐縣監)을 제수하였으나 내가 어찌 국은(國恩)을 바라리오 하며 모두 불취(不就)하였고 본현(本縣)으로 환군하여 적의 통로를 차단하였고 성현(省峴)의 적을 습격하고 박산(博山)의 적을 축출하여 의병의 기세를 떨치고 창고의 곡식으로 기민(饑民)을 구휼하고 농절기에 종자도 공급하며 여타지성(餘他地城)의 군량미를 지원하니 누가 공을 경외하고 추앙하지 않으리오. 난전(亂前)에 공은 국난을 예측하고 궁시(弓矢)와 과창(戈創)을 많이 준비하였는데 일야에 신령이 현몽하여 장차 대란이 오면 이 지역 생민은 그대의 숭은을 입을 것이라 하고 홀연히 사라지니 시사(是事)는 공이 후일에 세울 위업을 예시한 것이니 어찌 공은 천강신장(天降神將)이 아니리오. 왜적과 강화가 성립되자 개탄을 불금하고 병사들과 말하기를 동지들과 창의하여 적과 공사(共死)할 것을 맹서(盟誓)하였는데 조정이 강화를 하였으니 어찌하겠나 하였다.

(뒷부분 생략)

그 후 전란이 끝나던 해에 집으로 돌아와 집안일을 돌보던 중 1599년 향년 43세의 나이에 세상을 떠났다. 타고난 어진 성품과 닦은 학문으로 충과 효를 갖춘 의병장 최문병은 신도비의 내용에서 보는 것처럼, 재난에 대비하여 병기를 미리 준비했으며, 적을 대하는 용기와 지략은 다른 장수들의 본보기가 되었다. 그의 묘는 용성면 용전동에 있다.

조정에서는 그에게 수선대부 한성부우윤(壽善大夫漢城府右尹)을 증직했고, 고을 사람들은 1712년에 자인 원당리 뒷산에 사당 충현사(忠賢祠)를 세워 우국충정의 정기를 기렸다. 1868년 대원군의 서원철폐령에 따라 훼철될 때 위패는 사당 터에 묻었다고 한다.

서원 복원을 위해 그의 후손인 최기열과 문중의 후예들이 적극 활동하여 문화공보부로부터 국고지원을 받아 사당 충현사를 복원했다. 충현사에 최문병의 위패를 다시 모시고 해마다 음력 3월 15일에 향사를 받들고 그의 학덕과 충효정신을 기리고 있다.

신도비와 용계서원

최문병 신도비

유물관

사당 충현사

충현사 중건 상량문

○ 경상북도 경산시 자인면 원당길 12길 24

경산 임란 창의 8의사 사적비

하양현(河陽縣)은 경산시 하양읍, 와촌면, 진량면 일대에 있던 옛 고을이다. 임란 창의 8의사 사적비는 임진왜란 때 하양현 출신으로 일본군을 격퇴하고 나라와 민족을 수호하기 위해 의병으로 순절 또는 활약한 신해, 황경림, 김거, 허대윤, 박능정, 허경윤, 박붕, 허응길 등 8인 의사의 거룩한 넋을 기리기 위해 건립한 비석이다. 비석은 높이 210센티미터, 너비 90센티미터, 두께 45센티미터에 갓머리돌 높이 51센티미터, 좌대 120센티미터의 규모이다.

하양 유림에서 1973년 7월 하양읍사무소(구 청사) 경내에 건립한 이 비석에는 '임란창의 제공 하양사적비(壬亂倡義諸公河陽事蹟碑)'라 새겨져 있다.

이름	공적 내용
신해(申海)	평산인. 장절공 신숭겸(申崇謙)의 후손. 의병대장으로 영천전투에서 의병장들과 협력하여 영천성을 복성한 공로가 큼. 인동부사 역임. 선무원종공신
황경림(黃慶霖)	장수인. 호는 면와(勉窩). 익성공 황희 정승의 후손. 신해 장군과 영천전투에 참여하여 복성하는 데 기여함. 신해 장군 이진 후에 대장으로 승진. 곽재우 장군을 도와 화왕산 전투에 참가
김거(金鐻)	김해인. 호는 학포(鶴圃). 충간공 김보의 후손. 현능참봉으로 창의하여 곽재우 장군을 도와 화왕산성 의병진에서 공을 세우고 승지를 제수받음
허대윤(許大胤)	하양인. 호는 훈재(塤齋). 문경공 허조의 후손. 동생 허경윤과 창의하여 공을 세움. 분순부위(奮順副尉) 수문장 역임. 선무원종공신
허경윤(許景胤)	하양인. 허대윤의 아우. 형 허대윤과 함께 창의하여 공을 세움. 적순부위(迪順副尉) 수문장 역임. 선무원종공신
박능정(朴能精)	울산인. 장무공 박윤웅의 후손. 훈련원 첨정으로 재임 중에 임진왜란이 발발하자 창의 모병. 울산 서생진에서 전투하다가 진중에서 순절
박붕(朴鵬)	울산인. 박능정의 아들. 호는 관학암(觀鶴庵). 선조 임금 때 문행으로 훈도를 역임했으며 왜란 때 고을 수성장이 되어 공을 세움
허응길(許應吉)	하양인. 호는 희성당(希聖堂). 문경공 허조의 후손. 현풍현감으로 창의하여 곽재우 장군과 협력하여 공을 세움. 선무원종공신

사적비(가까이 있는 것은 4월학생혁명기념비, 멀리 있는 것이 사적비)

사적비 앞면

사적비 뒷면

○ 경상북도 경산시 하양읍 하양로 102 하양읍사무소(구 청사) 경내

2. 경주

경주 경주읍성

경주는 통일신라시대 이후 지방통치의 중심지였다. 고려시대에는 동경유수관(東京留守館)이, 조선시대에는 경주부아(慶州府衙)가 경주읍성(慶州邑城) 내에 있었다.

경주읍성은 1012년(고려 현종 3)에 축성되었으며, 1378년(고려 우왕 4)에 개축되었고, 조선시대에 들어와 태종 임금과 세조 임금 때 다시 지었다.

지금의 경주읍성은 조선시대 전기에 다시 지은 것이나, 임진왜란 때 불에 타 폐허가 되었다.

경주읍성

성곽 유구

성곽유구

고도남루(故都南樓). 옛 도읍의 남쪽 문루라고 적혀 있다.

사진 상단 왼쪽에 보이는 문이 월성아문(月城衙門)이다. 문 앞으로 선정비각이 줄지어 서 있다.

일본군은 1592년 4월 21일 경주읍성에 무혈 입성했다. 그러나 그해 9월에 경주판관 박의장 등이 이끄는 조선군과 의병부대는 비격진천뢰를 사용하면서 공격을 가하여 읍성을 탈환하는데 성공했다. 1597년 정유재란 때 성내의 객사가 불에 탄 것을 비롯하여 많은 피해가 있었는데 1632년(인조 10)에 허물어진 성벽을 중수하고 성문도 다시 세웠다. 다시 지은 읍성의 규모는 성의 둘레 약 1,200미터, 높이 약 4미터 정도였다. 동서남북에 각각 문이 있어 그 문을 통해 출입을 할 수 있었다고 하지만 지금은 문의 흔적을 찾아볼 수 없다.

경주읍성은 1746년(영조 22)에 다시 개축되었는데 당시 성의 둘레는 약 2,300미터였다. 읍성 내에는 조선을 건국한 태조 이성계의 어진(御眞)을 모신 집경전(集慶殿), 관아 등의 건물이 있었다. 동서남북에 향일문(동문), 망미문(서문), 징례문(남문), 공진문(북문)이 각각 있었고, 적의 침입을 막기 위한 해자도 갖추고 있었다.

경주읍성은 일제강점기에 대부분 헐리고 지금은 동부동에 동쪽 성벽 90미터 정도만이 남아 있다. 일부 남아 있던 동쪽 성곽이 풍파에 허물어져 2004년에 복원공사를 하게 되었는데 이때 읍성의 치(성곽방어를 위해 돌출시킨 부분) 보수를 위해 읍성을 해체하는 과정에서 지반석을 비롯한 성곽 축조 당시의 유구가 발견되었다. 이후 북쪽의 도로면 일부를 발굴할 때 치의 기초도 확인되었다. 경주읍성은 1963년 1월 21일 사적 제96호로 지정되었다.

(제1차 경주성 전투)

경주성 전투란 임진왜란 때 경주읍성을 둘러싼 전투를 말한다. 1592년 4월 14일 부산에 상륙한 일본군은 4월 21일 경주성에 이르렀다.

전쟁이 시작되자 박의장(朴毅長)은 경주지역 군대를 이끌고 울산의 경상 좌병영성에 집결해 있었다. 하지만 경상좌병사 이각이 병력을 지휘하지 않고 무단으로 퇴각해버리자 박의장은 다시 경주로 되돌아와야 했다. 4월 21일 일본군이 경주성까지 들이닥치자 일본군의 위세에 압도당한 경주판관 박의장 등은 성을 포기하고 동문인 향일문을 통해 퇴각했다.

한편 바다에서 이순신 장군이 이끄는 수군이 연승을 거두고, 육지에서도 의병들이 창의하여 일본군에 대한 반격을 시작했다. 그해 7월 27일 의병장 권응수가 영천성을 탈환하자 경주에 주둔하고 있던 일본군은 의병들이 경주성을 공격할 것을 예상하고 8월 1일 양산에 있던 병력 일부를 경주로 이동시켜 방어력을 강화하고자 했다.

김호가 이끄는 의병군은 8월 2일 경주성의 일본군을 지원하기 위해 이동 중이던 일본군을 경주 노곡 부근에서 격퇴했다(노곡전투).

경주성 수복을 위해 경상좌도 병마절도사 박진은 경주판관 박의장, 의병장 권응수·정세아의 병력을 모았다. 16개 읍에서 모인 1만여 명의 병력이 정세아가 지휘하는 의병 5,000여 명과 합류하여 1592년 8월 20일 경주성 부근까지 진군했다. 그러나 공격 움직임을 사전에 포착하고 있던 일본군은 경주읍성 북문인 공진문을 빠져나와 언양에 군대를 매복시켰다가 조선군을 포위하고 후미를 공격해왔다. 이에 박진 등은 600여 명의 전사자를 내고 안강으로 후퇴했다. 이렇게 일본군이 조선군을 후미에서 기습 공격하면서 읍성 탈환을 위한 이날의 제1차 경주성 전투는 실패로 돌아갔다.

(제2차 경주성 전투)

제1차 경주성 전투에서 패한 박진은 재차 성 탈환에 나섰다. 제2차 경주성 전투는 1592년 9월 7일 밤부터 9월 8일 밤늦게까지 계속되었다. 이 전투는 박진이 결사대 1,000여 명을 성 밑에 잠복시키면서 시작되었다. 9월 7일 밤 박진은 경주판관 박의장을 선봉장으로 하여 병사들을 성 밑으로 보내 잠복시켰다가 비격진천뢰를 발사하여 포탄이 성 안에 있는 객사 뜰에 투하되도록 했다.[19]

일본군은 공격을 받자 조총을 발사하며 조선군의 접근을 저지했다. 그러나 계속 발사되는 포탄의 위력에 놀란 일본군은 그 이튿날 성을 버리고 울산의 바로 아래에 있는 포구인 서생포 쪽으로 도주했다. 의병들은 경주성에 입성하여 창고에 쌓여 있던 많은 양의 양곡을 노획했다. 조선군, 의병은 경주성을 탈환함으로써 영천에서 경주로 통하는 적의 후방 보급로를 차단할 수 있게 되었다.

이 전투에서 비격진천뢰가 처음으로 사용되었다. 비격진천뢰를 성중에 터뜨리니 무수한 일본군이 불에 타 죽었다는 관감록의 기록은 바로 제2차 경주성 전투 당시의 상황을 묘사한 것이다.

(비격진천뢰)

제2차 경주성 전투 때 박진, 박의장 등의 장수가 이끄는 조선군이 이장손(李長孫)이 발명한 비격진천뢰를 처음으로 사용하여 일본군을 물리치고 성을 탈환했다.

이장손은 선조 임금 때 군기시에 소속된 화포장으로 1592년 임진왜란이 발발하자 오늘날의 박격포와 비슷한 비격진천뢰를 제작해 일본군을 격퇴하는 데 공을 세웠다. 나중에는 비격진천뢰의 폭발 시간을 조절할 수 있는 목곡을 발명함으로써 더욱 강력한 공격무기로 개량했다.

비격진천뢰는 인마살상용 폭탄이며, 대완포구로 발사하는데 사정거리는 500~600보이다. 둥근 공 모양의 형태에 표면은 무쇠로 처리를 했으며, 내부는 화약과 철 조각(빙철) 등을 장전하도록 되어 있다. 적진에 떨어지면 잠시 시간이 흐른 뒤에 폭발하는데 이때 파편이 튀어나가 살상하도록 설계된 일종의 시한폭탄이다.[20]

---

19) 경주시사편찬위원회, 앞의 책.

20) 현재 남아 있는 비격진천뢰는 육군박물관에 보물로 지정되어 보관되고 있는 것과 하동군 고하리 고현성지에서 발굴된 것과 전라남도 장성군 삼서면 석마리에서 발굴되어 연세대 박물관에 소장되어 있는 것이 있다.

(제3차 경주성 전투)

일본군 92,000명은 1593년 6월 29일 진주성을 함락시키고(제2차 진주성 전투), 전라남도 곡성과 구례 지역까지 들어가 약탈을 한 후에 본거지인 경상도 연안으로 철수했다. 진주성뿐만 아니라 전라도를 점령하라는 도요토미 히데요시의 명령에 일본군은 총공세를 가하여 진주성을 함락시켰으나 전라도 방면으로는 본격적으로 진군하지 못하고 철수했다.

제2차 진주성 전투에서 일본군이 승리했지만 혈전으로 인해 일본군의 손실도 컸다. 또한 견내량 해협을 봉쇄하고 있는 조선 수군 때문에 병참보급이 부실해져 조선 내륙에서 장기간에 걸친 전쟁 지속에는 한계가 있었기에 일본군은 진주성을 점령한 후 성을 폐허로 만든 후 철수했다.

1593년 8월경에는 도요토미 히데요시가 남도연안에 주둔하고 있던 일본군을 철수시켰던 때이므로 경주성에는 명나라의 부총병 왕필적(王必迪)의 병사들이 수비하고 있었다. 그 무렵 가토 기요마사와 모리 요시나리 등의 군대는 서생포에 주둔하고 있었는데 그들은 여러 차례에 걸쳐 경주성 방면으로 공격해왔다.

8월 6일 당시 귀국명령을 받은 일본군은 이날 본대의 철수를 엄호하기 위해 경주 안강에 주둔하고 있던 명나라군 진영을 습격했다. 그곳에는 식량창고가 있었던 관계로 수백 명의 군사들이 지키고 있었다. 명나라군 병사들은 진투력이 떨이지는데다가 노약자가 대부분이어서 일본군의 기습에 쉽게 와해되어 200여 명이 사망했고, 식량창고에 있던 군량미 또한 탈취당했다.

경주 금오산에 주둔 중이던 조선군 700명이 긴급히 출동했고, 경주관아에 있던 경주부윤 박의장이 이끄는 조선군 500명도 서둘러 출정했다. 그리고 영천에서 산성 수리를 지켜보고 있던 고언백도 서둘러 별장 몇 명과 함께 서둘러 전투현장으로 갔다.

안강에 있던 식량창고를 습격하여 군량미를 약탈하고 인근 마을을 노략질하던 일본군은 기강도 무장도 해이해져 있었기에 조선군의 공격에 쉽게 무너졌다.

얼마간의 접전이 있었지만, 수십 명이 사망하자 일본군은 전투의욕을 상실한 채 도주하기 시작했고 이를 추격한 조선군은 다시 수십 명을 참살하고 군량미도 상당 부분 되찾았다. 일본군 다수는 울산 서생포 방면으로 퇴각했다. 이 전투에서 조선군은 일본군의 신무기인 조총을 사용하여 일본군을 격퇴했다.

조선군이 보유한 조총 숫자는 적었으며 그것도 대부분 일본군으로부터 노획한 것이다. 조총부대가 양성되기 시작한 것이 얼마 안 되었고, 그것도 경상도에 주둔한 소수의 병사들만이 항왜로부터 배운 것이 전부였다. 소규모의 전투였지만 조총을 사용하여 처음으로 일본군을 격퇴했다는 점에 의미를 둘 수 있다. 세 차례에 걸친 경주성 전투를 통해 2,000여 명의 조선 군사·의병이 희생되었다.

○ 경상북도 경주시 북부동 1

경주 김호 장군 고택

김호 장군 고택은 1592년 임진왜란 때 공을 세운 부산첨사 김호(金虎, ?~1592)가 거주했던 집으로 17세기 전후에 세운 것으로 추정되고 있다. 이 고택은 경주의 남산 서록(西麓)에 자리하고 있는데 옛날 신라시대의 절터였다고 한다.

고택 대문을 들어서면 정면에 안채, 왼쪽에 아래채, 안채 오른쪽 뒤편으로 가묘(家廟)가 배치되어 있다. 원래 사랑채가 동쪽에 있었다고 하는데 현재는 자리만 남아 있다.

안채는 앞면 5칸, 옆면 1칸 규모에 왼쪽부터 부엌, 방, 대청, 방으로 단순한 구성을 이루고 있다. 집을 처리한 기법들은 옛 법식을 따르고 있고 대청 앞에는 문짝을 달았다. 아래채는 앞면 3칸, 옆면 1칸이며 지붕은 초가지붕이다.

대문

안채

안채와 아래채(사진 왼쪽)

김호 장군 고택은 1976년 12월 31일 중요민속자료 제34호로 지정되었다. 문화재 지정 당시의 명칭은 '경주 탑동 김헌용 고가옥(慶州塔洞金憲容古家屋)'이었으나, 임진왜란 때 의병장으로 활약한 김호 장군의 고택임을 감안하여 2007년 1월 29일 '경주 김호 장군 고택'으로 명칭을 변경했다.

(경주 노곡전투)

관직생활을 마치고 향리 경수로 내려와 살고 있던 전 훈련원 봉사 김호는 왜란이 발발하자 의병을 일으켰다. 김호는 경주 부근을 돌면서 민심을 안정시키고 의병의 대오를 갖추어 훈련을 시키고 있었다.

노곡전투 당시 경상북도 일대에서는 의병장 권응수가 영천성을 이미 수복하여 지키고 있었으며, 경상좌병사 박진은 안강에 주둔하면서 치안회복에 힘쓰고 있었다. 일본군은 영천군, 의성군, 안동부를 잇는 보급선을 버리고 후퇴한 후 양산군, 밀양부, 청도군, 대구부를 통하는 전선만을 굳게 지키면서 경주에는 소수의 병력을 주둔시키고 있을 때이다.

이때 양산성을 지키고 있던 이시카와 야스카쓰(石川康勝) 등 장수들은 언양현에 군사를 보내 점령한 다음 더 북상하여 경주 부근까지 점령하기로 결의했다. 영천성을 탈환한 의병들이 경주성을 공격할 것에 대비하여 양산 주둔 일부 병력의 경주성 파견을 결정한 것이다. 양산에 주둔하던 병력 중 500명이 경주성을 지키고 있던 일본군을 지원하기 위해 출정하여 1592년 8월 1일 언양에 도착했다. 이들은 언양을 거쳐 바로 경주로 향했다.

이때 경주 부근에서 군사훈련을 하고 있던 의병대장 김호는 척후병으로부터 보고를 받고 이를 저지하기 위해 전 현감 주사호(朱士豪)를 선봉장으로 삼아 의병 1,400명을 거느리

고 8월 2일 이른 아침에 언양 쪽으로 출동했다.[21)]

의병부대 선봉이 경주 인근을 벗어나 노곡(奴谷, 현재의 경주시 내남면 이곡리 경부고속도로 경주휴게소 부근)에 이르렀을 때 일본군과 맞닥뜨리게 되었다. 의병 선봉대는 함성을 울리며 돌격했고 일본군은 갑작스런 공격을 당하여 계곡으로 퇴각했다.

김호는 노곡에서 군사 500여 명으로 적의 퇴로를 막았으며, 소모유사(召募有司) 최신린(崔臣隣)은 400여 명을 이끌고 반대쪽으로 가 적을 포위했다. 세 방면에서 포위당하고 있음을 알게 된 일본군은 포위망을 뚫고 나가기 위해 최신린이 지키고 있는 산비탈 쪽으로 기어 올라갔다. 의병들은 돌을 굴리고 활을 쏘아 적병 다수를 사살했다. 최신린은 기마에 능숙하지 못했는데 말이 넘어진 후에는 말을 타지 못하고 큰 나무 뒤에서 활을 당기기만 했다. 주사호는 백병전이 시작되자 곤장을 들고 닥치는 대로 적을 타살하니 다른 의병들도 모두 앞을 다투어 싸웠다.[22)]

한편 의병장 김호는 말을 몰아 수없이 적의 머리를 베었으나 그의 몸에도 화살 7~8대가 꽂혔다. 그 상태에서도 김호는 적진을 좌충우돌하면서 전투를 벌였다. 의병군은 도주하는 적군을 추격하여 다시 50여 급을 베었다. 8월 2일의 이 전투를 노곡전투라고 부른다.

김호는 전투가 끝나고 부대에 돌아와 전사했으며 나중에 공로를 인정받아 부산첨사로 추서되었다. 주사호는 노곡전투를 승리로 이끈 공로로 운량사(運糧使)가 되었으나 표창을 받은 날 퇴관하고 고향으로 돌아왔다.

○ 경상북도 경주시 식혜골길 35

경주 박의장 공적비

박의장 공적비는 임진왜란 당시 경주성 전투에서 이장손이 제작한 비격진천뢰(飛擊震天雷)를 사용하여 성을 탈환하는 데 공을 세운 박의장(朴毅長, 1555~1615)의 공적을 기리기 위해 1816년(철종 12)에 건립되었다. 높이 2.3미터, 폭 89센티미터, 두께 34센티미터 규모의 화강암 비석이다. 본래 경주시 인왕동에 있었으나 시내 황성공원 한쪽에 임란창의공원이 조성되면서 이곳으로 이전되었다. 공적비에는 '박무의공 수복 동도비(朴武毅公收復東都碑)'라 음각되어 있다.

21) 주규선, 『신안 주문 임란공신』(2007), 63쪽.

22) 주규선, 앞의 책, 64~65쪽.

무의공(武毅公) 박의장은 1577년 무과에 급제하여 1587년 무기 제조 부서인 군기시 참군을 지냈으며 왜란 1년 전인 1591년 경주판관에 임명됐다. 1592년 임진왜란 중 적을 무찌른 공로로 경주부윤으로 승진했으며 당시 경상좌도 병마절도사 박진과 함께 경주성 탈환 전투에서 비격진천뢰를 사용해 일본군을 무찔렀다.

비각

동도복성비 해설

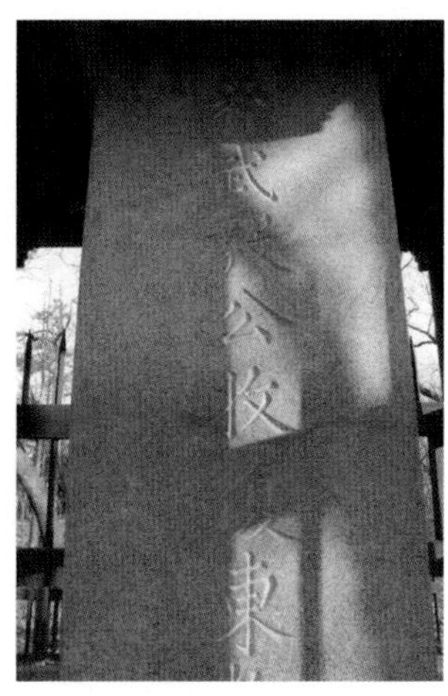

비석

박의장은 임진왜란 중 50여 회의 전투에 참여했으며, 특히 영천성 수복 전투, 경주성 전투, 대구 파잠전투, 울산전투에서 공을 세웠다. 그는 1598년에는 고향의 숙부로부터 양곡 700석을 받아 조선군과 명나라군의 군량미로 충당했으며, 아사 직전에 있는 경주 주민들을 구휼했다. 조정에서는 그의 공로를 인정하여 경상좌도 병마절도사로 승진시켰다. 나중에는 경상좌도 수군절도사로 임명했다.

박의장은 경주부 한 곳에서 9년(판관 2년, 부윤 7년)을 목민관으로 재임하면서 민생 안정에 힘썼다. 재임 중에 진중에서 병사했으며, 호조판서에 추증되고 영덕군 영해의 정충사에 배향되었다.

임진왜란과 정유재란 기간에 박의장은 시종일관 경주지역 관군을 지휘했기 때문에 그의 문집인 관감록(觀感錄)에는 임진왜란 당시 경상좌도, 특히 경주지역 일대의 조선 관군의 전투상황에 관한 자세한 정보가 담겨 있다. 관감록은 조선군과 의병이 일본군이 점령한 경주성을 공격하여 성을 수복할 때 성내의 정황을 다음과 같이 기술하고 있다.

1592년 9월 7일(제2차 경주성 탈환 전투 당시)
"9월 초 7일에 용감한 군사만을 뽑아 밤중에 성을 덮쳐 진천뢰를 성중에 터뜨리니 성 안에 있던 적병들이 불에 타서 죽은 자가 수없이 많았다."
"적이 넋을 잃고 소리 지르며 당황하더니 이튿날 밤에 부산으로 도망쳐 갔다. 추격해 적병 30여 명을 죽이고 그날로 성을 탈환했다. 성 안에는 아직도 창고에 곡식이 4만여 석이나 있었기 때문에 군사나 백성을 먹이는 데 넉넉했다."

이처럼 관감록은 경주성 탈환 전투 당시의 상황을 구체적으로 묘사하고 있다. 조선군이 지상전에서 전쟁 수행에 적지 않은 기여를 했다는 사실을 보여주는 자료 중의 하나이다.

관감록에는 이 밖에도 조정이나 상관에게 보고한 각종 상소문, 계문, 보고문 원본 등이 수록되어 있는데, 이들 장계에는 당시 경상좌도 지역의 전투상황과 백성들이 겪은 수난이 사실적으로 묘사되어 있다.

동도복성비(東都復城碑) 해설

1. 건립 경위

임진왜란 당시 무의공 박의장 장군은 경주판관으로서 왜군에게 빼앗겼던 경주성을 탈환하고 선조 25년(1592) 경주부윤으로 특승하여 향후 8년간 경주를 수호하고 선정을 베풀었으므로 그 은공을 잊을 수 없어 철종 12년(1861) 경주유림이 중심이 되어 건립하다.

2. 비문 요지

임진왜란 당시 영남에서 가장 큰 관문인 경주성을 박무의공이 회복 수호하였으므로 경주사람들이 그 공을 추모하고자 비를 세운다. 공은 무안 박씨이며 이름은 의장(毅長) 자는 사강(士剛) 호는 청진재이고 유일재 김언기(金彦璣) 선생에게 수학하였다. 일찍이 무과에 급제하여 선조 19년 신묘에 경주판관이 되고 다음 해인 임진년에 왜란이 일어남에 동래성에 원군차 나갔다 돌아오니 경주성은 위급상태에 있었고 부윤은 모든 것을 공에게 맡기었다.

사태가 불리하매 일단 죽장(竹長)에 들어가서 군사를 수습하여 후일을 도모하였다. 임금이 피난간 곳으로 갈 것을 권하는 사람들이 있었지만 지방을 맡은 사람은 지방을 위하여 싸워야 한다고 대의를 가르치며 용감한 군사로 하여 중요한 지점에 복병을 시키고 영천에 가서 의병들과 함께 적을 토벌하였다. 이때 좌병사 박진이 16군의 관병과 각 고을 의병과 함께 경주의 적을 치기로 했으나 실패하여 밖으로 후퇴하였지만 공은 홀로 남아 결사대를 조직하여 적을 공격하다가 9월 7일 밤에 비격진천포를 터뜨려 놀란 적들을 무찌르고 성에 들어가니 쌀 40,700여 석이 있는지라. 이 곡식으로 굶주린 백성들을 먹이고 그 후 경주에 주둔한 체찰사와 명나라 원군 10만여 명을 접대하는 데 차질 없게 하였으므로 명나라 장수들이 모든 것을 공에게 물어서 결정하였다.

경주성을 회복한 후에도 대구와 양산 영천과 자인 울산과 언양 그리고 임랑포 등에서 많은 적을 무찌르고 커다란 공을 세웠으므로 나라에서 통정대부 경주부윤으로 특진을 시켰다.

계사년(1593)에 아버지 상고를 당하였지만 경주사민 수백 명이 상소하여 기복(起復)의 특명을 내리었고 과만이 되었지만 역시 민원에 따라 여러 번 유임하였다.

병신년(1596)에 공의 아우인 목사공(牧使公) 홍장(弘長)이 사신으로 왜(倭)에 다녀와서 적(敵)이 다시 일어날 염려가 있다 하므로 방비를 더욱 튼튼히 하던 중 정유년에 재란이 일어나니 영천 창암 경주 안강 등지에서 적을 여지없이 쳐부수고 울산전투에서 패한 중국 대장을 도와 세 번 싸워 세 번 다 이겼다.

공이 경주를 지킨 지 9년 동안 전투에 참가한 것이 50여 회였지만 한 번도 패한 일이 없고 백성들을 사랑하고 옥산서원에서 선비들에게 공부할 것을 당부하고 유림의 기강을 바로잡고 부하 장졸을 적재적소에 배치하여 충성을 다하게 하였으므로 체찰사가 장계에 장수와 군사가 쓸 만한 사람은 경주가 제일이라 하였다.

성주부사 겸 방이사를 거치 세 번이나 경상좌도 병마절도사로 제수되었다가 마지막으로 좌노수사로 재임 중(1615) 을묘년에 수사(水使) 진영에서 고종(考終)하시었다.

임술년에 호조판서로 증직되고(1784) 갑진년에 무의공이란 시호가 내리었다. 영해사람들은 구봉사(九峯祠)를 세워 제향을 치루고 있으니 경주에서도 비를 세워 그 공적을 송축하지 않을 수 없다. 명(銘)하여 가로되 선조대왕이 신하를 알아보아 유림의 장수에 경이 있다 하였다.

바다의 도적이 일어나니 동래를 막으려 하였지만 적은 벌써 경주에 들어섰다. 병사(兵使)는 물러서고 의병들은 넘어지니 죽기로 맹서하고 돌격하고 습격하고 밤낮으로 싸우다가 진천포를 터뜨려 성을 도로 찾아 법도 있게 다스리니 나라에서 부윤을 맡겼더라. 추로 같은 영남이라. 충의를 숭상하니 신념으로 갑옷입고 외분으로 노를 지어 경주를 지키고 죽령길을 막았다.

전투에도 능하였고 경리에도 밝았지만 나라 위해 할 일이라 자랑하지 않았다. 임금이 알으시어 높은 벼슬 내리시고 영해고을 선비들이 구봉사에 제향하니 경주의 우리들은 우뚝한 비석 세워 산수처럼 기리리.

1860 경신년 6월

통정대부 승정원 동부승지겸 경연 참찬관 진성 이휘영 지음

3. 이건 연혁

(1861) 철종 12년 신유 경주관아에 세움

1차(1915) 을묘 일제(日帝)에 의하여 경주 황오리로 이건

2차(1959) 기해 도시발전에 따라 경주 인왕리로 이건

그의 동생 박홍장은 순천부사에 올랐으며, 임진왜란 당시 통신사로 바다를 건너가 일본을 방문했다. 형제 모두 공을 세워 구봉서원에 부조묘의 은전을 받았다.

○ 경상북도 경주시 황성동 황성공원 내

경주 삼괴정

삼괴정은 1592년 임진왜란 때 경주에서 의병을 일으킨 이방린(李芳隣), 이유린(李有隣, 1574~1624), 이광린(李光隣) 3형제를 추모하기 위해 1815년(순조 15)에 건립된 정자이다.

이방린은 경주판관 박의장, 의병장 권응수 등과 함께 영천성 전투에 참가했으며 경주성을 탈환하는 데 공을 세웠다. 경주 계연(鷄淵)전투에서도 공을 세워 안동대도호부 판관 겸 부사(安東大都護府判官兼府使)를 지냈다.

건물 정면에는 '삼괴정(三槐亭)' 현판과 대청 좌우 방문에 포죽헌(苞竹軒), 필경재(必敬齋) 현판이 걸려 있다. 가운데에 3칸 마루를 깔고 양 옆에 온돌방을 두었다. 가운데 칸 뒤쪽 필경재는 이방린을, 왼쪽의 화수당(花樹堂)과 오른쪽의 포죽헌은 두 동생을 기리기 위한 것이다.

건물의 정면에 대문이 있고, 왼쪽 담장에는 1칸이 안 되는 작은 일각문이 있다. 마루 밑에는 굵은 원기둥을 세우고 그 위에 작은 원기둥과 마루 위 중앙 3곳에 팔각기둥을 각각 세워 건물의 격을 높였다.

삼괴정

대문

삼괴정 현판

삼괴정

옆에서 본 삼괴정

삼괴정은 뒷산을 배경으로 정남쪽을 향하도록 터를 잡았다. 땅 모양에 순응하여 기단을 쌓은 뒤 다락집을 꾸민 독특한 구조를 하고 있다.

삼괴정은 1992년 7월 18일 경상북도 유형문화재 제268호로 지정되었다.

○ 경상북도 경주시 삼괴정길 14-19

경주 옥구 이씨 삼강묘비

옥구 이씨 삼강묘비는 임진왜란 때 순절한 이희룡(李希龍, ?-1592)과 그의 아들 이문진(李文軫) 및 자부(子婦) 김씨(金氏)에 대한 충·효·열의 행적을 후세에 길이 전하기 위해 1709년(숙종 35)에 건립했다.

이씨 삼강묘비 입구 표지

왼쪽은 이씨 삼강묘비, 오른쪽은 절효충렬 삼강구비지문

옥구이씨 삼강묘비

절효충렬 삼강구비지문

이희룡은 임진왜란 때 피난하는 선조 임금을 의주까지 호위했으며, 임금으로부터 영남지역의 일본군 동태를 정찰하라는 명을 받고 영남지역으로 내려갔다. 임무를 마치고 돌아오던 그는 충주에서 적에게 발각되어 저항하다가 전사했다. 그의 아들 이문진은 충주로 가서 아버지의 시신을 찾고자 했으나 경상북도 신녕(지금의 영천)에서 일본군에게 잡혀 살해되었다.

이 소식을 전해들은 이문진의 아내는 남편의 시신을 거두어 장사지내고, 시아버지의 유골을 수습하기 위해 전쟁터를 찾아다녔으나 찾을 수 없게 되자 스스로 목숨을 끊었다.

절효충렬 삼강구비지문(정면)

충신 증 통정대부 호조참의 이희룡지려

효자 증 선무랑 의금부도사 이문진지려

열부 증 의금부도사 이문진 처 단인 김씨지려

조정에서는 이희룡에게는 호조참의, 이문진에게는 금부도사, 이문진의 처에게는 단인을 추증하고 정려각을 내렸다. 정려각은 삼강묘비 옆에 세워져 있다. 절효(節孝)·충렬(忠烈)·삼강(三綱)을 구비한 문이다.

비석은 네모난 비 받침 위에 비 몸을 세우고 머릿돌을 올려놓은 모습이다. 1766년(영조 42)에 비를 세웠으며, 대제학 남유용이 비문을 짓고, 경주부윤 홍재(洪梓)가 글씨를 썼다. 비석 전면은 15행, 후면은 16행으로 1행의 글자는 36자이다. 비문 내용 일부분이 지워져 있다.

옥구 이씨 삼강묘비는 1986년 12월 11일 경상북도 유형문화재 제223호로 지정되었다.

○ 경상북도 경주시 강동면 다산리 산 58-1

경주 운암공 부조묘

운암공 부조묘(耘庵公不祧廟)는 의병장 운암 최봉천(崔奉天, 1564~1597)의 위패를 모시는 사당이다. 부조묘란 나라에 공훈이 있는 사람의 위패를 땅속에 묻지 않고 영원히 모시기 위해 세운 사당을 말한다.

최봉천의 본관은 경주이며, 정무공 최진립(崔震立)의 재종숙(再從叔)이다. 1588년(선조 21)에 무과에 급제한 최봉천은 임진왜란 때 조카 최진립, 육의당 최계종과 함께 의병을 일으켜 영천성 전투, 울산성 전투, 경주성 전투 때 공을 세웠다.

그는 1592년 6월 9일 경주 문천(蚊川)에서 회맹(會盟)하여 구국항쟁의 결의를 다짐하고 울산, 언양 등지에서 일본군을 격퇴했으며 특히 영천성 전투 때는 선봉에 서서 적을 섬멸하는 데 공을 세웠다. 이때의 공로로 훈련원정, 절충장군을 역임했다.

1596년에 경상좌도 수군 우후(慶尙左道水軍虞候)로 승진했으며, 1597년 정유재란이 일어나자 다시 의병을 일으켜 싸우다가 그 해 9월 29일 영천 창암전투에서 전사했다.

1605년(선조 38) 선무원종공신 1등에 책봉되고, 1821년(순조 21) 가선대부 병조참판의 직위가 내려졌다.

운암공 부조묘는 정면 3칸, 측면 1칸 반, 홑처마, 맞배지붕의 형식을 갖춘 1821년에 세워진 건물이다.

운암공 부조묘는 1998년 4월 13일 경상북도 문화재자료 제344호로 지정되었다.

부조묘 입구

부조묘

부조묘 내부

(성남서사)

성남서사(聲南書社)는 최봉천을 봉향하는 서사로 1984년에 창건되었으며 경내에는 상충사, 경의당, 신경재, 덕수재, 한탁헌, 탁충문 등의 건물이 있다. 향사는 매년 3월 하해일(下亥日)에 봉향하고 있다. 운암공 부조묘 옆에 자리하고 있으며 주소는 천북면 강정1길 5-5이다.

성남서사 입구

성남서사

○ 경상북도 경주시 천북면 강정1길 13-6

경주 육의당

육의당(六宜堂)은 임진왜란 때 의병을 일으켜 전공을 세우고 서생포 첨사를 지낸 육의당 최계종(崔繼宗, 1570~1647)이 1619년(광해군 11)에 세운 별장으로 그의 호를 따라 '육의당'이라 했다.

그는 임진왜란 때 숙부인 최봉천, 최진립과 함께 창의하여 공을 세웠다. 그 후 무과에 급제하여 서생포 첨사를 거쳐 남포현감에 승진되었으나 조정에서 내린 벼슬을 거부한 죄로 유배형에 처해졌다. 그는 유배지에서 돌아온 후 일생 벼슬을 멀리하고 이곳 육의당에서 은거했다.

건물의 정면은 4칸, 측면은 1칸이지만 측면 기둥 간격이 보통보다 다소 넓다. 안쪽 대청과 온돌방 사이의 경계 벽에는 사이 기둥을 두어 안에서는 마치 2칸처럼 보이도록 했다. 육의당은 1991년 5월 14일 경상북도 유형문화재 제263호로 지정되었다.

육의당

○ 경상북도 경주시 외동읍 제내길 245

경주 임란창의공원 문천회맹 기념비

임란창의공원은 황성공원의 언저리에 있는 자그마한 공원이다. 황성공원은 황성동, 동천동, 성건동에 걸쳐 자리 잡은 도심공원으로 소나무, 느티나무, 참나무가 무성한 숲을 이루고 있다. 공원 동쪽 입구에는 경주도서관이 자리 잡고 있으며, 도서관 광장 서쪽 언덕 위에는 김유신 장군 기마상이 있다.

문천회맹 기념비

문천(蚊川)은 반월성(半月城)을 끼고 도는 경주의 남천(南川)이다. 이곳은 지금부터 405년 전 임진왜란이 일어났을 때 위난(危難)에 처한 나라를 구하고 향토를 수호하기 위하여 창의의 기치를 높이 들고 일어선 의사들이 의동사생(義同死生)의 혈맹을 다짐한 문천회맹이 있었던 곳이다.

조선 선조 25년 4월 14일 왜(倭)는 20여 만의 대병을 동원하여 이 땅을 유린하기 시작했다. 조선 왕조는 건국 이래 유학에 바탕을 둔 도덕정치를 표방하고 학문과 예의를 숭상하며 200년 동안 별다른 외세의 침범 없이 태평에 젖어 있다가 졸지에 밀어닥친 적의 침공에 변변한 방어책 한번 세워보지 못한 채 관군은 여지없이 무너져 국토는 초토화되고 백성은 어육이 되고 말았으니 상상만 해도 분노가 치솟는 일이다. 당일 부산진에 상륙한 적은 일거에 동래성을 함락하고 언양을 거쳐 진주성으로 진입하니 이때 부윤 윤인함(尹仁涵)은 포망장(捕亡將)으로 성외에 나가 있었고 판관 박의장과 장기 현감 이수일이 휘하 장병을 거느리고 맞아 싸웠으나 승승장구하는 적의 예기를 당해내지 못하고 성은 힘없이 무너지고 말았다. 적의 주력부대는 영천을 거쳐 북진을 계속하고 경주에 유둔(留屯)한 잔당들이 후속되는 증원군과 함께 약탈 살상 등 갖은 만행을 자행하자 분기에 찬 의사들이 곳곳에서 일어나 충의일념으로 결사항쟁에 나섰다. 그리하여 관군과 함께 협력작전을 펴기로 하고 타 지방 의사들과도 드디어 6월 9일 이른 아침 반월성 문천가에서 경주진 관하 12읍 130 의사가 모여 부윤, 판관과 함께 일사보국(一死報國)의 결의를 다짐하니 이에 참가한 의사 방명을 경주읍지에 의거 열서(列書)하면 다음과 같다(생략).

의사들은 이를 전후하여 각지에서 창의한 제 의사(諸義士)와 더불어 험난한 전진(戰陣)을 누비며 모든 대열의 선봉에서 싸웠나. 동해안을 비롯 경주 주변에 수시로 침투하는 적을 방어하며 7월 27일에 있었던 영천성 복성전에도 참가 그곳 의사들과 합세하여 성을 회복하고 8월 21일 경주성 탈환을 위한 서천대전(西川大戰)을 치른 뒤 드디어 9월 8일 경주성을 수복하니 이때 의사들의 그 공로는 실로 지대한 바가 있었다. 뿐만 아니라 그 후 대구의 팔공산, 창녕의 화왕산 회맹 등에도 참가 의기를 드높였다.

정유재란이 일어나 남하하던 적이 다시 경주성을 점령하고 온갖 분탕을 저지른 뒤 울산으로 내려가 도산(島山)에 둔거하자 의사들은 이를 추적하여 조명연합군과 함께 혈전을 벌였다. 그리하여 적이 물러날 때까지 무려 7년 동안 가족의 안전과 신명의 보장을 돌보지 아니하고 국가와 향토를 위하여 끝까지 항쟁했다.

마침내 왜병이 철수하고 전란이 끝나자 다음 해 12월 27일 왕은 어사 이상신의 회계로 순찰사 한준겸을 보내 경주 의사 215인과 울산 의사 165인을 경주객사에 모아놓고 선유문과 제주를 내려 그간의 노고를 치하하니 모든 의사들이 이에 감격 눈물을 흘렸다고 한다. 그 후 의사들은 공적에 따라 혹 공신에 훈록되기도 하고 혹 직품을 받기도 했으나 대부분은 일체의 논공행상에 괘념치 아니하고 초야로 되돌아가 본연의 임무에 충실하며 한가한 여생을 보냈다.

아! 이 얼마나 천추에 빛날 위대한 행적이며 영원히 추모할 충의정신이 아니던가. 본 문천회맹에 있어서는 난초 교통 통신이 마비된 상황이라 장계가 부달(不達)하고 문징(文徵)이 루(漏)하여 비록 정사(正史)의 조명을 받지 못한 아쉬움 없지 아니하나 경주읍지 동경속지(東京續誌) 등 향토사의 기록이 소상할 뿐 아니라 당시 유사(儒士)이며 의사로서 시종 이를 직접 체험한 바 있는 손엽(孫曄)의 용사일기에서도 6월 초 9일 미상 여최계종, 권응생, 백이소, 이용갑, 이눌, 손시, 최봉천 등 여정병 삼백여인 회우문천(與崔繼宗權應生白以昭李龍甲李訥孫時崔奉天等與精兵三百餘人會于蚊川)이라 하여 이를 뒷받침해주고 있다.
어떻든 우리 경주는 창의의 진원지요 회맹의 시발지였다. 그럼에도 불구하고 우리는 이 사실을 너무나도 잊고 있다. 따라서 여기 그 사적을 소명하게 밝혀 후생들로 하여금 이러한 충의정신을 본받고 계승하여 장차 국가융흥에 큰 기여가 있기를 기대할 뿐이다.

1997년 10월

경주임란의사추모사업회장 창원 황재현 근찬 월성 손장호 근서

문천회맹 참여 의병장(문천회맹 기념비 속의 명단)

이태립(李台立) 이계수(李繼秀) 견천지(堅川至) 이삼한(李三韓) 김광복(金光福) 김몽화(金夢和) 김응생(金應生)
김득복(金得福) 김득상(金得祥) 황희안(黃希安) 김득추(金得秋) 최계종(崔繼宗) 권응생(權應生) 백이소(白以昭)
이용갑(李龍甲) 이여량(李汝良) 최해남(崔海南) 이팽수(李彭壽) 이눌(李訥) 손시(孫時) 최봉천(崔奉天)
손엽(孫曄) 이의잠(李宜潛) 김홍위(金弘葦) 김이관(金以寬) 권사악(權士姆) 김천석(金天錫) 김몽량(金夢良)
이원명(李元明) 서사적(徐思迪) 김춘룡(金春龍) 이승급(李承級) 김란서(金鸞瑞) 이방린(李芳隣) 김응복(金應福)
이몽룡(李夢龍) 박영립(朴榮立) 박인국(朴仁國) 황희철(黃希喆) 이창후(李昌後) 김만령(金萬齡) 김영수(金永壽)
오열(吳悅) 이상 43명(경주인)

백중립(白中立) 정승서(鄭承緖) 남경훈(南慶熏) 이상 3명(영해인)

유정(柳汀) 유영춘(柳榮春) 유백춘(柳伯春) 이경연(李景淵) 서인충(徐仁忠) 이응춘(李應春) 이우춘(李遇春)
이봉춘(李逢春) 이승금(李承金) 장희춘(蔣希春) 김흡(金洽) 윤홍명(尹弘鳴) 전응충(全應忠) 전개(全玠)
박손(朴孫) 박문(朴文) 이한남(李翰南) 전영방(田永芳) 박경열(朴慶悅) 박언복(朴彦福) 박인립(朴仁立)
김득례(金得禮) 고처겸(高處謙) 박봉수(朴鳳壽) 서몽호(徐夢虎) 이상 25명(울산인)

조이함(曺以咸) 조이절(曺以節) 조이항(曺以恒) 정사진(鄭四震) 정세아(鄭世雅) 정의번(鄭宜藩) 전삼익(全三益)
전삼달(全三達) 조시언(趙時彦) 조덕기(曺德驥) 조준기(曺俊驥) 조경(曺璥) 서도립(徐道立) 이지효(李止孝)
이상 14명(영천인)

최인(崔認) 최동보(崔東輔) 손처약(孫處約) 이상 3명(대구인)

김천목(金天穆) 김현룡(金見龍) 김원룡(金元龍) 김우정(金宇淨) 김우결(金宇潔) 김우호(金宇灝) 정대용(鄭大容)
안신명(安信命) 심희청(沈希清) 권여정(權汝精) 이상 10명(영일인)

서방경(徐方慶) 이대임(李大任) 서극인(徐克仁) 이상 3명(장기인)

박몽서(朴夢瑞) 정인헌(鄭仁獻) 호민수(扈民秀) 최흥국(崔興國) 이대립(李大立) 이대인(李大仁) 정삼외(鄭三畏)
정삼계(鄭三戒) 정삼고(鄭三顧) 이화(李華) 진봉호(陳奉扈) 이열(李說) 이상 12명(흥해인)

박희근(朴希根) 이인의(李仁宜) 양통한(梁通漢) 이상 3명(동래인)

이몽란(李夢鸞) 안근(安瑾) 정호인(鄭好仁) 정호의(鄭好義) 최기(崔沂) 이상 5명(양산인)

신전(辛筌) 이상 1명(언양인)

김우용(金遇鎔) 김우련(金遇鍊) 전극창(全克昌) 박몽량(朴夢亮) 안천민(安天民) 최희지(崔熙止) 최경지(崔敬止)
이춘암(李春醃) 이상 8명(자인인)

경주부윤 윤인함(尹仁涵) 경주판관 박의장(朴毅長) 이상 2명(현직 관료)

임란창의공원 입구

임란창의공원

왼쪽부터 임란순절의사위령비, 경주임란의사창의비,
문천회맹기념비

황성공원 안내도(① 경주도서관 ② 김유신 장군 기마상
③ 임란창의공원)

경주임란의사추모탑

○ 경상북도 경주시 원화로 431-12

경주 최진립 장군 신도비

최진립(崔震立, 1568~1636)은 조선시대 중기의 무신으로, 1592년 임진왜란이 일어나자 의병을 일으켰고, 정유재란 때 권율 장군을 도와 서생포전투에서 공을 세워 선무원종공신 2등에 올랐다. 그 후 1636년 병자호란 때 경기도 용인에서 싸우다가 순절했다.

경주 내남면 이조리는 경주 최씨의 세거지이다. 이조리 남산 기슭에는 최진립 장군 신위를 모신 용산서원(龍山書院)이 있다. 서원 입구에 있는 최진립 신도비는 1740년(영조 16)에 세웠으며 신도비각은 1742년(영조 18)에 건립했다.

신도비는 비신의 높이 218센티미터, 너비 114센티미터, 두께 39.5센티미터에 이를 만큼 규모가 크다. 거북의 머리 길이는 70센티미터이다. 신도비의 서원기는 이익이 추서했고, 묘액은 서예가 이서가 썼다. 비문은 남인 조경, 발문은 노론파의 관찰사 조명겸, 비의 음기는 서인 윤심지가 썼다.

최진립 신도비각

신도비

(의병활동)

최진립은 3세 때 모친과 사별했다. 9세 때인 1576년에 경주 내남면 이조리로 이사했으며 1년 후인 10세에 부친과도 사별했다. 16세인 1583년에 서산 유씨(柳氏)와 혼인했다.

그의 나이 25세 때인 1592년 4월에 왜란을 당했다. 동래읍성을 점령한 일본군은 거침없이 북상했으며 며칠 후에는 100여 명이 이조리 일대에 들어와 진을 쳤다. 일본군은 현지에서 식량 등 군수품을 조달하느라 수시로 민가에 나타나 노략질을 했다. 이를 목격한 최진립은 아우 최계종과 함께 의병활동을 하기로 다짐했다. 먼저 피신 중인 경주부윤 윤인함(尹仁涵)을 찾아가 뜻을 전하고 허락을 받은 다음 마을 청년 수십 명을 모아 주둔하고 있는 일본군을 야간에 기습하기로 했다.

어느 날 저녁, 일본군은 지금의 이조리 가암마을 어느 큰 집에서 수면을 취하고 있었다. 의병들은 우선 출입문을 봉쇄한 다음 기름을 뿌리고 불을 질렀다. 불길이 순식간에 온 집을 덮자 적병들은 일부는 타 죽었고 일부는 뛰쳐나왔다. 미리 활을 준비하고 있던 의병들은 뛰쳐나오는 일본군을 차례로 처리했다. 살아남아 도주한 적병은 얼마 되지 않았다. 이때 노획한 조총과 창검은 모두 관청에 바쳤다.

그는 27세 되던 1594년에 무과에 급제하여 군자감 부정(副正, 군수물자를 관장하는 벼슬)에 임명되었다.

1597년 봄에 정유재란을 맞았다. 일본군 주력부대는 남하하여 서생포에 왜성(倭城)을 쌓고 진을 치고 있었다. 이때 최진립은 수백 명의 결사대를 이끌고 서생포에 주둔하는 적군에 타격을 가했다. 높은 고지를 차지하고 난 후 적을 유인하여 많은 전과를 올렸으나 전투 도중에 조총에 맞아 부상을 입었다.

일본군은 서울을 점령하려고 계속 북상하다가 9월 5일 새벽 직산(稷山) 북방 소사평에서 경리(經理) 양호(楊鎬)가 이끄는 명나라군을 맞아 접전을 벌였다. 여기에서 기세가 꺾인 일본군은 후퇴하기 시작하여 10월에는 양산까지 밀려 내려갔다. 일본군은 남해안 일대에 왜성을 쌓고 버티며 장기전에 돌입했다. 울산 태화강 하류에 있는 도산(島山)에도 왜성(지금의 울산왜성)을 쌓고 버티고 있었다.

조명연합군은 12월 22일부터 이듬해인 1598년 1월 4일까지 공격을 거듭했다. 이 전투에 경주부윤 박의장이 참전하게 되어 최진립도 전투에 참가했다. 최진립은 의병을 일으킨 공로로 선무원종공신 2등에 오르고 공조참판, 전라도 수군절도사를 역임했다. 최진립은 63세 때 공조참판 겸 오위도총부부총관으로 임명되었다.

○ 경상북도 경주시 내남면 이조3길 28-17

3. 고령

고령 김면 장군 유적

김면 장군 유적은 임진왜란 때 의병장으로 활약하다가 순국한 송암(松庵) 김면(金沔, 1541~1593) 장군의 묘소, 신도비, 사당 도암사, 도암재, 그리고 도암서당으로 이루어진 사적지이다.

김면은 1541년 4월 1일 경상도 고령 양전동(현재의 고령군 개진면 양전리)에서 경원부사(慶源府使)를 지낸 김세문(金世文)과 부인 김해 김씨 사이에서 3형제 중 장남으로 태어났다. 김면은 어려서부터 학문에 남다른 재질을 보였다. 6세 때 공부를 시작하여 9세 때까지 대학, 중용 등을 다 읽었으며, 11세 때는 퇴계 이황을 찾아가 대학연의(大學衍義)를 배우기도 했다. 그는 일찍이 성리학의 대가인 남명 조식을 스승으로 모셨다. 조식은 '송암(松庵)'이라는 현판을 자필로 써주었으며, 김면은 이를 자신의 호로 삼았다. 그의 나이 49세 때는 기축옥사에 연루되어 17일간 조사를 받고 풀려났다.

임진왜란이 발발하자 김면은 고령, 거창 우척현(牛脊峴) 등지에서 일본군을 격퇴했으며 그 공로로 합천군수가 되고 의병대장의 칭호를 받았다. 그는 1593년에 경상우도 병마절도사가 되어 충청도, 전라도 의병과 함께 적을 격퇴시킬 준비에 만전을 기했다. 여러 달 동안 의갑(衣甲)을 풀지 않은 채 근무하던 그는 누적된 피로로 인해 그해 진중에서 병사했다.

장군의 무덤 앞에는 망주석 2기와 그의 생애를 적은 신도비가 있다. 1667년(현종 7) 유림에서 고령읍에 추모사당을 건립했다. 1789년(정조 13)에 사당을 현재의 위치로 옮기면서 신도비를 세웠다.

김면 장군 유적은 1988년 9월 23일 경상북도 기념물 제76호로 지정되었다.

김면 장군 유적

상평루

도암서원

사당 도암사 입구

사당 내 위패

김면 장군 묘

묘소에서 내려다 본 유적지 전경

(김면의 의병활동)

김면의 본관은 고령이며, 조부는 문과에 급제하여 경상좌병사를 지냈고, 부친 김세문은 경원도호부사로 오랑캐의 침입을 격퇴하여 공을 세웠다.

벼슬에 뜻을 두지 않고 학문에 전념하던 김면은 여러 차례 천거되어 벼슬을 제수받았지만 사양하고 나아가지 않았다. 37세 때 공조좌랑의 벼슬을 받았으나 궁궐에 나가 모친의 병환으로 인해 직을 받을 수 없다고 고하고 곧 낙향했다. 그의 나이 40세에 모친상을 당했다.

김면이 동문들과 학문탐구에 열중하던 중 임진왜란이 일어났다. 이때 김면의 나이 52세였다. 당시로서는 노령임에도 김면은 의병을 모집하여 일본군이 부산에 상륙한 지 1개월이 채 안 된 1592년 5월 11일 정식으로 기병했다.

선조 임금이 서쪽으로 피난했다는 소식을 듣고 즉시 달려가 문안하고자 했으나 내암 정인홍이 함께 의병을 일으키자고 하므로 고령에서 의병을 일으키게 되었다.

김면은 고령은 군세가 작다고 여겨 거창으로 달려갔는데 그때 거창의 선비와 백성들이 이미 약간의 군사를 모아 가지고 있다가 합세했다. 김면은 곽준(郭䞭), 문위(文緯), 윤경남(尹景男), 박정번(朴廷璠), 유중룡(柳仲龍) 등을 참모로 삼고 박성(朴惺)에게는 군량을 모으게 했다. 4~5일 동안에 의병 2,000여 명이 모였다. 이때 김면은 집안에서 부리던 종 700명을 이끌고 창의했는데 만석의 거부였던 그의 집안이 재정 지원을 해 주었다.

의병대장이 된 김면은 1592년 6월 9일 고령 개산포전투에서 첫 승리를 거두었다. 일본군이 낙동강을 따라 내려온다는 정보를 듣고 군사를 대장산성(현재의 고령군 우곡면 소재)과 무계산성(현재의 고령군 성산면 무계동)에 나누어 배치하여 우현(牛峴), 마령(馬嶺) 등을 지키게 하고 스스로 군사를 이끌고 고령에 나가 진을 쳤다. 그는 기습작전을 전개하여 일본군선 2척을 격파하고 적군 80여 명의 목을 베었다. 6월 10일에는 적선 1척을 포착했는데 이때 선박에 실려 있던 것은 궁궐 내탕고(內帑庫)에서 약탈한 진귀한 보물, 제복, 신발 등이었다. 개산포전투(현재의 개진면 개포동에서 있었던 전투)에서 승리한 김면은 합천군수에 제수되었다.

김면은 이어 무계, 우척현, 지례 등지에 주둔한 일본군을 때로는 단독으로 때로는 정인홍, 곽재우, 김시민 등과 연합하여 크게 무찔렀다. 이 같은 전공으로 선조 임금은 1592년 11월 김면을 경상우도의 의병을 총지휘할 수 있도록 경상우도 의병도대장(義兵都大將)에 임명했다.

김면은 1593년 정월 경상우도 병마절도사 겸 진주목사에 임명되었다. 이어 선산에 집결한 일본군을 격퇴할 '선산대전'을 앞두고 충청도와 전라도 의병과 함께 개령에 주둔하고 있을 당시 병을 얻었다. 작전계획을 수립하던 중 3월 11일 지병으로 세상을 떠나니 향년 53세였다. 조정에서는 그에게 병조판서를 추증했다. 김면은 운명 직전 호국충절의 시를 남겼다.

只知有國 不知有身 지지유국 부지유신	오직 나라가 있음을 알았지 이 한 몸 있음은 알지 못했노라

김면은 가산을 남김없이 의병활동에 사용했고 그의 사후 처자식은 문전걸식을 해야 하는 처지로 전락하기도 했다. 1607년(선조 40) 조정에서는 그에게 다시 이조판서를 추증하고 선무원종공신 1등으로 녹훈했다.

(김면의 의병조직)

1592년부터 김면이 세상을 떠날 때까지 구성되었던 의병 군진은 다음과 같다.[23)]

의병장 김면의 후기 의병조직

직책	성명	지역
의병도대장	김면	고령
의병 좌장	곽재우	의령
의병 우장	정인홍	합천
초유사(순찰사)	김성일	안동
초모유사(招募有司)	김응성, 정이례	고령
참모장 서기	문위, 곽준(郭䞭), 윤경남, 박정번, 유중룡	거창, 현풍, 고령
조군(調軍)	조종도, 김회(金澮)	함안, 고령
전향(典餉)	박성	현풍
왕래모획(往來謀劃)	이승	고령
선봉장	변휘(卞煇), 김홍한	거창, 청도
복병장	김선(金瑄), 이형(李亨)	
상도위장(거제부사)	김준민	
하도위장(곤양군수)	이광악	
좌부장(제포만호)	황응남, 민척(閔惕)	
중위장(김해부사)	서예원	
주부	권세훈	단성
사사	이죽	
별장	정국상	
위장	한응린, 이후경, 이도고(李道攷)	영산
가장	권응성, 손인갑, 손승의	거창, 진주
성주 모병관	이홍우	고령
단성 소모관	권위(權煒)	
고령 가장	곽대성	해남
초계 가장	정언충, 진한언	초계
소모관(지례현감)	여대로	금산
영주 위장	우도남	
풍기 의병유사	안두	
안동 의병	김송	

23) 고령 김씨 대종회 자료(http://cafe.daum.net/kss6336/).

종사관	한명윤, 박이룡, 강절, 신수을, 문홍유	황간, 회덕, 한성
외방장(外防將)	전치원	성주
군관	장응린 외 28명	
의사(義士)	김영남 외 57명	
친족 의사	김회 외 7명	

(고령 무계전투)

경기도 용인에서 남도 근왕군이 대패할 무렵 경상북도 고령에서 의병을 일으킨 김면은 거창 의병장 정인홍과 합류하여 무계진을 공격했다. 당시 고령지역은 합천－거창－성주를 연결하는 교통 요충지로서 파발의 운영을 위해 역참이 설치된 곳이고, 무계나루 또한 수로교통의 거점지역이었다.

당시 일본군 제7군 모리 테루모토의 군대가 개령현(현재의 김천)에 주둔 중이었는데 이들은 낙동강 보급로를 보호하기 위해 무계 선착장을 확보하고 보루를 설치했다.

현풍과 성주 사이에 위치한 수륙의 요충지였던 무계는 일본군의 주요 군수품 보급로였다. 일본군이 본국에서 오는 군수물자와 조선에서 약탈한 전리품을 낙동강을 통해 수송을 했는데 그 요충지가 무계였다.

무계전투는 이곳 고령군 성산면 무계리 낙동강교 부근에서 1592년 6월 초 정인홍이 이끄는 의병이 전 첨사 손인갑을 중위장(中衛將)으로 삼아 싸운 전투이다. 고령지역의 영병장(領兵將) 김응성(金應星), 기군장(起軍將) 이승(李承)이 합세하여 6월 4일 밤을 틈타 공격을 개시했으나 실패하고 6월 5일 여명에 일본군 주둔지를 공격하여 군막을 불태우고 일본군을 압박했는데 현풍에 주둔하던 일본군이 진격해와 후퇴한 전투이기에 큰 성과는 없었다.

(정인홍)

남명 조식의 문인인 내암 정인홍(鄭仁弘, 1535～1623)은 홍문관 정자를 지낸 김우옹의 천거로 처음으로 관직에 나아가 1573년 황간현감이 되었다. 이후 사헌부 지평에 임명되고, 1581년에는 장령이 되었다. 동인으로 분류되는 그는 정철(鄭澈), 윤두수(尹斗壽)를 축으로 한 서인 세력에 밀려 1584년 낙향했다. 1589년 기축옥사로 최영경, 이발 등 조식학파가 탄압을 받으면서 이황학파와 결별하고 북인을 형성했다.

1592년 4월 임진왜란이 일어나자 정인홍은 동문수학한 김면, 곽재우 등과 함께 성주, 고령, 합천에서 의병을 일으켜 경상우도를 방어했다. 정인홍은 5월 10일 현재의 합천군 가야면 숭산동에서 동문인 예곡 곽율, 송암 김면과 회동하고 곽준, 박성과 그의 제자 문인들과 함께 창의하여 의병 3,000명으로 의병활동을 시작했다.

정인홍 휘하의 의병부대는 현재의 합천군 야로면에 본진을 두고 합천, 초계, 성주, 고령, 거창 등지에서 일본군을 상대로 싸웠다.

합천 의병군단의 주요한 군사적 역할은 의령의 곽재우, 거창의 김면, 초계의 전치원・이대기 등과 고령의 김응성, 성주의 문려・이홍우 등의 사이를 왕래하면서 위급한 곳을 지원하는 일이었다.[24]

그는 성주, 합천, 함안 등을 방어하는 데 기여했으며, 고령 성산면의 무계전투, 성주 사원동 복병작전, 성주성 전투 등을 승리로 이끌었다. 그는 또 초계현 적포 등지에 출몰하는 일본군 전함을 격침시키는 등 낙동강 수로를 장악하여 일본군의 호남지역 진격을 저지하여 '영남의병대장'의 칭호를 받기도 했다.

1593년 9월에는 당시 체찰사 이원익(李元翼)의 청으로 영남의병대장에 임명되었으나, 나아가지 않고 장문의 상소를 올려 나라가 전쟁에 휘말려 혼란을 겪어야 했던 원인을 분석하고 앞으로 전쟁을 극복하고 전란 후 국가를 재건하기 위한 방안을 제시하기도 했다.

정유년 1597년에 일본이 재침하자 도원수 권율과 도체찰사 이원익이 정인홍에게 병사를 모집할 것을 권고했다. 정인홍은 이미 61살의 고령이었지만 국난을 당하여 다시 의병을 일으켰다.

왜란이 종료되기 4개월 전인 1598년 7월 전투가 소강상태에 빠져들고 있을 때, 정인홍은 경상우도 조도사(調度使)를 맡았다. 당시 정인홍은 해인사와 성주 일원에 주둔하고 있던 명나라 총병 조승훈, 장수 모국기와 협력하고 있었는데 성주에 주둔해 있던 명나라 군사들이 굶주리는 것을 보고는 군량을 마련해주고 사직했다.

일본이 약탈하려 했던 고려대장경판을 7년의 전란 속에서도 보존할 수 있었던 것은 정인홍을 비롯한 의병들 덕분이다. 정인홍이 이끄는 의병부대가 합천군 야로면에 본진을 두고, 합천 초계, 성주, 고령, 거창 등지에서 의병활동을 전개하여 대장경을 수호하는 데 크게 기여했다고 평가되고 있다.[25] 정인홍은 임진왜란 때의 공을 인정받아 진주목사, 제용감정(濟用監正), 성주가목(星州假牧) 등의 벼슬을 제수받았다.

정인홍은 1604년 8월 해인사에서 스승인 남명 조식의 '남명집'을 간행하고, 서문을 짓

24) 합천 임란창의기념관 자료.

25) 〈경남일보〉 2009년 7월 15일자 참조.

기도 했다. 그는 1608년 영창대군과 광해군을 둘러싼 왕위 계승문제로 북인이 대북·소북으로 나뉘어 대립할 때 영창대군을 지지하던 소북파 유영경을 탄핵했는데 이것이 빌미가 되어 이듬해 영변으로 유배형에 처해졌다. 나중에 광해군이 즉위하면서 유배가 풀렸으며, 그 후 정인홍은 대북파의 전권 주도를 지원하며 영향력을 발휘했다. 1623년 인조반정으로 정권이 서인에게 넘어간 후 광해군 정권의 모든 책임을 지고 그해 4월에 처형당했다.

○ 경상북도 고령군 쌍림면 고곡리 16

고령 죽유종택

죽유종택은 학자이자 의병장으로 활약한 죽유 오운(吳澐, 1540~1617)의 고택이다. 영남 유림의 대표 인물 가운데 한 사람인 오운의 학문적 자취와 임진왜란 당시 그의 구국정신이 깃들어 있는 곳이다.

오운의 호는 죽유이며, 증 가선대부 이조참판 겸 동지의금부사 오수정(吳守貞)의 아들이다. 퇴계 이황과 남명 조식 문하에서 공부했고, 1561년(명종 16) 사마시에 합격하여 생원이 되었다. 1566년 문과에 급제했으며, 성균관의 여러 관직을 역임하다가 1589년 광주목사에 제수되었다. 광주목사로 재임 중에 해직되었다.

오운은 1592년 임진왜란 때 경상남도 의령에서 의병을 일으켜 곽재우의 휘하에서 수병장(收兵將)으로 활약하다가 이듬해 상주목사, 합천군수가 되었으며 정유재란 때 다시 공을 세워 통정대부에 오르고 명나라 장수 진린의 접반사로 활약했다. 전란 중의 공을 인정받아 선무원종공신 1등에 오르고 성균관박사, 충주목사를 지냈으며 사후에 병조참판의 직위가 내려졌다.

죽유종택은 오운의 후손이 1700년대 말에 오운을 기리고자 건축한 살림집으로 당시 집의 이름을 '죽유구택'이라 했다. 본래 고령군 쌍림면 매촌리에 소재하고 있었으나, 1906년에 고쳐 지었고, 1920년의 경신년 대홍수 때 훼손된 것을 쌍림면 송림리로 옮겨 세워 오늘에 이르고 있다. 이때 사랑채만 그대로 옮겨 왔고 안채를 비롯한 나머지 건물들은 새로 지은 것인데 특히 오운의 위패를 모신 사당은 1953년경에 새로 지었다.

송림리 마을 안쪽의 야트막한 야산 어귀에 남향하고 있는 종택 건물의 배치는 크게 안채를 비롯한 정침공간과 사당이 있는 제사공간으로 나뉜다. 정침공간에는 사랑채와 중사랑채, 유물관, 안채가 있다.

죽유종택 안채

운양각(유물관)

사당

종택안채(왼쪽), 운양각(중앙 흰색 벽), 사당(오른쪽)

(죽유종택 유물관)

유물관인 운양각에는 고문서류 7종 110매와 전적류 7종 12책(보물 제1203호)이 보관되어 있다.

고문서로는 재산과 노비의 분배기록인 분재기 18매와 관청에서 발급하는 문서로 개인이 요청할 경우 어떤 사실을 확인해 인정하는 문서인 입안문서 1매, 호구 관련 기록인 호적단자 21점, 오운과 후손들의 교지 85점, 오운이 별세한 후 광해군이 그의 죽음을 기리며 내린 제문 1점 등이 있다. 고창 오씨 죽유공파 문중에서 관리하고 있다.

○ 경상북도 고령군 쌍림면 송림2길 70

4. 구미

구미 김종무 충신 정려비

김종무 충신 정려비는 임진왜란 때 경상북도 상주지역에서 의병장으로 활약하다가 전사한 김종무(金宗武, 1548~1592)의 충절을 기리기 위해 세운 것이다.

김종무는 대사간 김취문(金就文)의 장남으로 출생했으며, 1591년 오수도찰방에 임명되었다가 곧 경상남도 함양지역의 사근도찰방으로 옮겼다. 그는 1592년 임진왜란 발발 후 퇴각하다가 상주지역에서 순변사 이일의 예하에 들어가 상주판관 권길(權吉)과 함께 일본군에 맞서 싸우다가 북천전투에서 전사했다.

조정은 1675년(숙종 1) 김종무를 충신으로 정려했으며, 그의 공적을 기리기 위해 그의 향리인 이곳에 비석을 세웠다. 비문은 '충신 김종무지려(忠臣金宗武之閭)'이다. 1721년(경종 1)에는 상주 충렬사에 제향되었다. 1790년(정조 14) 이조참의에 증직되었고 남강서원(南岡書院)에 제향되었으며, 1871년(고종 8)에는 다시 이조판서에 증직되었다.

정려각은 1896년(고종 33)에 중건되어 오늘에 이르고 있다. 정려비가 위치한 고아읍 원호리는 과거에는 선산 김씨의 세거지였다.

정려비각

충신 김종무지려

상주전투와 출생 등 이력 소개(정려비각 내부)

현판에는 김종무의 공적과 1675년 이래의 정표와 1721년 상주 충렬사에 위패를 모신 일, 그가 죽은 후 벼슬이 높아진 내용 등이 기록되어 있다. 김종무 충신 정려비는 1999년 8월 9일 경상북도 기념물 제132호로 지정되었다.

○ 경상북도 구미시 강정4길 63-6

5. 군위

군위 장사진 의병장 유적

장사진 의병장 유적은 의병활동을 한 장사진의 행적을 기리기 위해 세운 충렬사와 화강암으로 만들어진 유허비 그리고 고리비로 구성된다.

(장사진)

장사진(張士珍, ?~1592)은 구미 인동에서 출생했으며, 어릴 때 군위군 효령면 오천리로 이주해왔다.

1592년 9월 경상북도 지방에 주둔한 일본군은 제2차 경주성 전투에서 패한 후 경주성을 버리고 서생포로 퇴각하고 있었다.

이 무렵 대구에 본영을 두고 있던 일본군의 일부가 인동 부근에도 주둔하고 있었는데 군위 경계까지 침범하여 약탈과 살인 등의 만행을 저지를 때 장사진은 의병을 일으켜 복수군(復讐軍)이라 칭하고 일본군을 물리쳤다. 그 후 전투에서 일본군 복병에게 공격을 받고 전사했다. 선조 임금은 그의 충성을 찬양하여 수군절도사의 벼슬을 내렸다.

의병장 장사진 유허비(뒤쪽에 보이는 건물이 충렬사)

사당 충렬사

충렬사

충렬사 뒤 계단을 오르면 제단비와 묘소가 보인다

수군절도사 장사진 제단비와 묘소

(사당 충렬사)

군위군 효령면 오천리에는 장사진 장군이 조성했다는 장군천(將軍泉)이 흐르고 있다. 오천리 인근의 주민들은 장군의 넋을 기리기 위해 사당 충렬사(忠烈祠)를 세우고 매년 한식일에 제사를 지내고 있다.

충렬사를 언제 세웠는지 정확히 알 수는 없지만 1868년(고종 5) 서원철폐령으로 철거되었던 것을 1889년에 충렬사 터 뒤편에 제단을 만들고 초가삼간을 지었다.

의병장 장사진 유허비

宣祖大王修正實錄
　軍威縣校生張士珍討賊見敗死之士珍有材勇自變初聚兵擊手賊前後射殺甚衆倭稱爲張將軍不敢入其界一日賊設伏誘之士珍窮追陷伏中猶大呼力戰失盡手博賊斫一臂猶不什以一臂奮擊未已遂死事聞
贈水軍節度使

우(右) 기문은 선조대왕 수정실록 권지 26 임진 37항에 기재된 사항으로 당시의 군위군민이 피해 없이 지냈음은 장장군의 덕택이었음을 증언함이니 이를 번역하면 다음과 같다.

군위현 유생인 장사진은 왜적이 침입해오자 치열한 토벌을 하다가 순국한 사진은 본래 날래고 용맹스러웠고 결심이 굳건한 성격과 재주가 남달리 뛰어난 분으로 국난을 보고 있지만 아니하고 의로운 사람을 모아 훈련을 시켜 곧 적병을 쳐 공적을 세우고 세우는 일을 전후 수차에 걸쳐 많은 적병을 사살하여 분접을 못하게 하니 왜적들은 장 장군이라고 부르며 현 경계 일대에 접근을 감히 하지 못하였다 한다.
하루는 군위경계에 적이 복병을 배치하고 일부 공격부대가 싸움을 돋우니 적진 관찰을 초소에서 잘못하였음에도 관용하고 적을 일제 공격하여 들어가니 많은 적을 베어 들어가는 중 함정에 빠짐을 알고도 공격하여 더욱 큰 호령을 하여 지휘하는바 어느덧 무기인 화살이 다 떨어져서 육박전에 이르게 되는데 첩첩 둘러싸인 적들 중 뒤편에서 불시의 공격에 그만 한 팔을 잃게 되자 다른 한 팔로 분전하며 자신을 돌보지 않고 공격하시다 순국하시었다. 이 사실을 조정에서 듣고 추후 수군절도사를 내리시었다.

(병수리 고리비)

1753년(영조 29)에 당시 현감 남태보가 지은 '국상증수사 장사진 고리비'의 비문에 의하면 장사진은 인동 장씨로 죽정(竹亭) 장잠(張潛)의 손자이며 담략과 무용을 갖추어 임진왜란 때 군위에서 많은 전공을 세웠다고 기록되어 있다. 고리비(故里碑)는 높이 110센티미터, 폭 88센티미터의 규모이다.

오천리에 있는 사당 충렬사와 병수리 1032-7에 있는 고리비 등 장사진 의병장 유적은 1997년 3월 17일 경상북도 기념물 제122호로 지정되었다.

○ 경상북도 군위군 효령면 오천1길 5-20

군위 홍천뢰 장군 추모비

홍천뢰는 1564년(명종 19) 3월 23일 군위군 부계면 대율리 한밤마을에서 통정공 홍덕기의 장남으로 태어났다. 한밤마을에는 왜란 당시 의병활동을 한 홍천뢰를 추모하는 비석이 세워져 있는데 그 내용은 다음과 같다.

1592년 4월 13일 일본군 20만 명이 대거 조선에 침입하여 부산과 동래를 함락시키고 북상하기 시작했다. 국토수호의 중책을 지닌 수령들은 대부분 임지를 버리고 도주한 가운데 나라의 위급함이 진실로 풍전등화와 다를 바가 없었다.

당시 29세이던 홍천뢰는 부모봉양을 두 동생 홍몽뢰, 홍명뢰에게 부탁한 다음 조카뻘되는 족질 홍경승과 더불어 의병을 일으켰다. 처음에는 불과 100여 명으로 구성된 소부대였으나 나중에는 그의 뒤를 따라 모여드는 의병의 수가 1,300명을 넘게 되었다.

홍천뢰 장군은 영천 신녕(新寧)의 권응수 및 인근 각지에서 온 의병장들과 더불어 영양(永陽)에서 단을 쌓고 하늘에 맹서하고 '창의정용군'을 편성한 다음 스스로 그 선봉대장이 되었다. 그는 도처에서 일본군을 격파했으며 특히 그해 7월에 일본군 부대가 집결하여 준동하고 있던 영천성을 공격함에 있어 돌격전의 선두를 맡았다.

당시 일본군은 그를 가리켜 '천강홍장군(天降洪將軍)', 즉 하늘이 내린 홍천뢰 장군이라 일컬었다고 한다. 그의 활약 덕분에 자인, 경주, 군위 등지의 적병을 격퇴할 수 있었고 영천과 경주 사이의 교통망도 복구될 수 있었다.

그러나 치열한 전투를 계속해온 홍천뢰는 마침내 중병에 걸려 지금까지 생사고락을 같이해 온 의진 동지(義陣同志)들과 작별하고 한두 차례 귀가요양을 부득이 한 적이 있었다. 이 때문인지 조정에서 논공하고 행상할 때 그는 소외되었다.

정유재란을 맞이하여 홍천뢰 장군은 또 일본군을 격파했으며 그 공로로 '훈련원정'이라는 관직에 올랐다. 그러나 불과 3년 만에 사직하고 귀향하여 은거하다가 51세에 생애를 마쳤다.

(홍경승 기적비)

홍천뢰 장군 추모비 바로 옆에 선무원종공신 홍경승 기적비가 있는데 기적비의 주요내용은 다음과 같다.

일본군이 침공해오자 홍경승은 아저씨뻘 되는 족숙 홍천뢰와 더불어 100여 명의 장정을 모아 의병장 권응수의 진중으로 달려갔다. 권응수는 홍천뢰에게 선봉을 맡기고 홍경승에게는 군량조달, 문서처리, 작전책략 등의 임무를 맡겼다. 임무를 부여받은 홍경승은 백성들을 설득하여 곡식 등 식량을 스스로 납부하게 했으며 적을 격파하여 군량미 확보 및 공급에 만전을 기했다.

마침 북상 중인 일본군이 영천을 지난다는 첩보를 접한 홍경승은 적을 격퇴하려면 영천에서 공격해야 한다고 판단하고 먼저 일본군의 눈과 귀가 되어 암약하는 간자(間者)와 혹민 사칭하는 가어사(假御使)를 잡아 처형했다.

그 후 영천의 정대임・정세아・정담・조성, 하양의 신해, 경주의 최문병・김응택・최진립・손시・권사악, 경산의 최대기, 신녕의 최인제・전삼익 등 여러 의병장이 기일을 정하여 회동하고 단합을 결의했다. 홍경승이 주도하여 영천을 포위한 후 급수로를 끊고 화공으로 일본군을 격퇴했다. 또한 창속(倉粟)으로 군사를 먹이고 포로가 된 향민 남녀 수천명에게 식량을 주고 귀가시켜 농사일에 전념케 했다.

그 후 서울에 주둔하던 일본군 본진이 남하할 때 홍경승은 권응수 장군을 따라 안동과 상주에서 싸우고 진주로 향하던 중 성현에 이르렀는데 마침 군량이 떨어졌다. 홍경승은 일본군이 관창곡(官倉穀)을 숨긴 곳을 탐지해내고 의병을 인솔하여 적을 격퇴하고 양곡을 탈취하는 성과를 거두기도 했다.

권응수, 이여송 등의 장수들이 홍경승의 지략을 칭찬하고 포상하려 했으나 적을 직접 참한 공로도 없이 상을 받는 것은 부당하다 하고 고사했다.

정유년에 적이 다시 침입하자 조정에서는 홍경승을 양료관(糧料官)으로 임명했다. 이는 그가 군량조달 책임을 잘 수행한 것을 알고 있기 때문이다. 홍경승은 그의 나이 26세에 출전하여 33세에 고향에 돌아왔다.

홍천뢰 장군 추모비(1972년 5월 건립)

홍경승 선생 기적비

홍천뢰 장군 추모비(왼쪽)와 홍경승 선생 기적비(오른쪽)

한밤마을 입구

○ 경상북도 군위군 부계면 대율리 한밤마을(풀머리 성안 숲)

6. 김천

김천 김천역 전투 전적지

김천시 남산동에 소재하는 김천문화원과 그 뒤쪽의 김천초등학교 자리가 예전에는 김천역이 있던 곳이다.

1592년 4월 14일 일본군 제1군 18,000명은 고니시 유키나가를 대장으로 하여 부산포에 상륙한 다음 부산성과 동래성을 차례로 함락시켰다. 이들은 조선군의 별다른 저항 없이 양산, 밀양, 대구, 상주, 문경을 거쳐 충주에 도달했고, 며칠 후에는 가토 기요마사가 지휘하는 제2군이 부산포에 상륙하고 울산, 경주, 영천, 신녕, 의흥, 군위, 문경, 충주를 거쳐 서울을 향해 진격했다.

연이어 구로다 나가마사를 대장으로 하는 제3군 11,000명은 김해 죽도에 상륙하여 김해성을 함락시키고 창원, 영산, 창녕을 점령한 다음 창녕에서 좌종대와 우종대로 나누어 북상했다.

좌종대는 무계, 성주, 개령을 거쳐 4월 25일 김천역에 도착했다.[26] 우종대는 초계, 합천, 거창을 차례로 공략하고 신창(거창군 웅양면)에서 정기룡 부대와 일전을 벌이면서 진군하여 4월 25일 김천에서 좌종대와 합류했다.

이에 앞서 조정에서는 4월 17일이 되어서야 뒤늦게 일본군 침입 급보에 접하고 조령에는 이일, 죽령에는 함응길을 좌방어사로, 추풍령에는 조경을 우방어사로 급파했다. 조

---

26) 김천시사편찬위원회, 앞의 책, 162~163쪽.

경에게는 이수광을 종사관으로, 양사준을 조방장으로 수행토록 하고 군사 100명을 함께 보냈다.

조경은 추풍령에 당도하자마자 김천역을 지키려고 그곳으로 내려갔다. 마침 진주성 훈련봉사인 30세의 무사 정기룡이 상주 고향에서 변보를 듣고 진주 임지로 가다가 조경 군진으로 찾아와 종군을 자청하자 조경은 그의 뜻을 가상히 여겨 돌격장으로 임명했다.

조경은 정기룡에게 기병 10기를 주어 경상남도 거창 방면으로 보냈다. 이때가 4월 23일인데 정기룡이 거창에 당도하기 전에 신창(지금의 거창군 운양면)에서 일본군 선봉 500여 명과 맞부딪쳤다. 경험 없는 조선 기병들이 공격을 하지 못하고 주저하자 정기룡이 먼저 말을 타고 적에게 돌진하면서 10여 명을 베자 나머지 기병들도 힘을 내어 분발하여 전과를 올렸다. 그러나 적의 수가 많아 정기룡은 적을 견제하면서 김천으로 후퇴했다.

이 무렵 경상도 관찰사 김수가 지례로 피신하면서 모병한 군사 400명을 김천으로 보내니 조경 휘하의 군대는 500명이 되었다. 조경은 황간에서 창의하여 군사를 이끌고 김천에 온 장지현, 장효현(장지현의 종제)을 비장으로 삼았다.

우방어사 조경은 김천역(지금의 김천시 남산동)에서 적을 기다렸다. 조경과 조방장 양사준은 적을 맞아 싸웠으나 조총의 위력에 놀란 군사들이 도주하면서 대열이 흩어졌고 조경은 일부 군사들과 함께 상좌원(지금의 구성면)으로 피신했는데 이때가 4월 25일이다.[27]

김천역이 있던 김천초등학교(김천문화원 뒤편)

김천초등학교 입구의 선정비

27) 김천시사편찬위원회, 『김천시사(상)』(1999), 162~163쪽.

당시 김천지방에서는 기동(현재의 구성면 광명리)에서 여대로가 처음에는 가동(家童)과 마을 장정 30여 명을 의병으로 모집했다. 그가 곡간에서 양곡을 풀면서 의병의 수는 500명으로 증가했다. 사돈지간인 권응성도 참여했고, 황간에서 창의한 박이룡 또한 김천에 500여명으로 구성된 군진을 설치하여 활동했다.

5월 12일 여대로가 거창에 가서 곽준, 문위와 함께 각 읍에 의병을 일으킬 것을 촉구하는 격문을 보냈다. 격문에는 "거창에 이미 900여 명의 의병이 성주와 초계의 적을 격퇴하려고 하는데 각 고을도 시기를 잃지 말고 일어나 합세하라"고 했다.

한편 김천 일대를 장악한 일본군은 김천역에서 군장을 풀고 휴식을 취했다.

이렇게 수많은 일본군 병사들이 김천에 주둔했거나 경유하여 북상했다. 시기별로 주둔 병력의 수가 달라지는데 왜란 초기에는 3,400명이 주둔하다가 정세의 변화에 따라 3만 명에서 4만 명까지 주둔했다.

○ 경상북도 김천시 남산공원 3길 12 김천초등학교 부근

김천 영천 이씨 정려비

영천 이씨 정려비(永川李氏旌閭碑)는 김천 신리 사람인 정유한(鄭維翰)의 부인 영천 이씨의 순절과 절개를 기리는 비석이다.

영천 이씨는 1570년(선조 3)에 경상도 영천에서 찰방 이대유(李大有)의 딸로 태어나 성장한 후 이곳 김천 신리(당시의 김산 봉계마을)의 정유한과 혼인했다.

1597년 정유재란이 일어나자 정유한은 임진왜란 때와 같이 의병을 모집하여 관군과 합세한 후 일본군 토벌에 나섰다. 남편이 의병으로 전쟁에 나아가 공을 세울 때 부인 영천 이씨는 시부모를 봉양하며 가사를 맡아 하고 있었다. 그해 9월 18일 일본군이 이곳으로 진격해오자 영천 이씨는 시부모를 모시고 이웃 주민들과 함께 뒷산으로 피난을 가게 되었다. 그러나 곧 추격해온 일본군에게 잡혀 희롱을 당하며 강제로 후미진 곳으로 끌려가게 되었다.

이씨 부인은 일본군에게 성폭행 당할 위기에 처하자 품속에 있던 은장도로 자신의 가슴을 찔러 자결했다. 28세의 꽃다운 나이였다.

사적비와 영천 이씨지려

영천 이씨지려

비석

비각

이씨가 숨진 뒤 36년이 지난 1633년(인조 11) 나라에서 그녀의 절개를 기려 정려를 내리고 이듬해에는 그녀가 순절한 자리에 비석을 세웠다. 또 1892년(고종 29) 12월 조정은 정유한에게 통정대부 이조참의의 직위를 내렸고, 부인 영천 이씨에게는 '숙부인(淑夫人)'의 칭호를 내렸다. 그리고 정려비 앞에 우물을 파서 동네 아낙네들에게 절부(節婦) 이씨 부인의 정신을 본받도록 했다. 그 우물은 지금까지 남아 있으며 '빗지거리 샘'이라고 불리고 있다.

문중 내에 전해오는 영천 이씨의 행적과 자결에 대한 이야기의 요지는 다음과 같다.

영천 이씨 부인 행적 요지

이씨 부인은 정유한(鄭維翰)에게 시집와서 토반(土班)의 아낙네로서 일찍이 갈고 닦은 부덕(婦德)을 잘 실천하여 남편 섬김과 시부모 봉양에 정성을 다했고 그래서 향촌사회의 선망을 받았다. 또한 동기간에 우애가 두터웠으며, 헐벗고 굶주리는 이웃과 과객에게 음식과 의복을 후하게 나누어 구휼의 은혜를 베풀어 온 마을의 의표가 되고 모든 사람들의 본보기가 되는 효부로서 칭송을 받았다.

1592년 임진왜란이 발발하자 부군 통덕랑(通德郞) 정유한은 선전관(宣傳官)을 제수받고 고을을 순회하면서 의병을 모집, 관군과 합종하여 일본군을 토멸하는 창의군으로서 큰 공을 세웠다.

1597년 정유재란이 일어나자 정유한은 임진왜란 때와 마찬가지로 선전관으로서 의병을 모집, 관군과 합세하여 일본군 토벌을 위해 출정 중이었기 때문에 이씨 부인은 부군을 대신하여 시부모를 모시며 가사를 도맡고 있었다. 그해 9월 18일에 일본군이 이곳 봉계마을(지금의 신리)에 쳐들어와 살인과 약탈을 자행함으로써 이씨 부인은 이웃 사람들과 함께 뒷산으로 피난을 가다가 지금의 비각이 있는 근처에서 일본군에게 납치되었다.

일본군이 강제로 이씨 부인의 손목을 잡고 희롱하며 후미진 곳으로 끌고 가자 이에 항거하다가 몸을 더럽힐까봐 두려움과 공포에 사로잡혔다. 이에 더 버티거나 탈출할 가능성이 없자 품속에 있던 은장도로 자신의 가슴을 찔러 스스로 목숨을 끊었다. 28세의 젊은 나이에 이씨 부인은 일본군의 능욕으로부터 지조와 절개를 지키기 위해 자결했다. 일본군은 야욕을 채우지 못한 분풀이로 활을 쏘고 검(劍)으로 육신을 난자하고 사지를 찢었다.

정려비는 자연석 화강암을 거칠게 다듬어 다소 울퉁불퉁한 상태이며, 비신과 좌대가 하나의 돌로 이루어져 있다.

비신의 전면에는 우측 상단에서부터 '절부 정유한 처(節婦鄭維翰妻) 유인 영천 이씨지려(孺人永川李氏之閭) 숭정 칠년 갑술 삼월 일(崇禎七年甲戌三月 日)'이라고 3행의 종서로 음각되어 있다.

비신의 높이는 84센티미터, 너비는 44센티미터, 두께는 22센티미터이며, 상단의 모서리는 둥그스름하게 깎았다. 영천 이씨 정려비는 2000년 9월 4일 경상북도 문화재자료 제387호로 지정되었다.

정유한의 전공

정유한은 25세에 임진왜란이 일어나자 선전관으로 나아가 봉산면에서 100명, 대항면에서 150명의 의병을 모아 그해 9월에 대항면으로 원정 온 진주목사 김시민 관군 2천 명과 김산군수 이우빈 관군과 합세하여 입석 판교에서 왜적과 접전을 벌인 끝에 3전 3승을 거두고 이어서 김천 직지사 어귀에서 2차 접전 끝에 20여 명의 적을 사살하고 100여 명에게 치명상을 입혔다. 그 후 의병을 김산군수에게 인계하고 다시 50명의 의병을 모아 태평산에 진을 치고 있던 중 일본군이 대거 내습하자 중과부적으로 의병을 해산했다.

그로부터 4년 뒤 정유재란 때도 의병을 모아 관군에게 인도하는 등 공을 세웠고, 전란이 종료되어 굶주린 백성과 군사가 많은지라 공은 사재를 털어 구휼미를 만들어 황간과 용산군영에 보급하며 백성을 구휼하는 데 헌신했다.

또한 인조 임금 때 이괄의 난과 병자호란 때도 의병을 모아 병기와 군량을 남한산성과 문경 군영에 호송하는 중책을 수행한 공로로 훗날 통정대부 이조참의를 추증받았다.

증 숙부인 영천 이씨 정렬부(貞烈婦) 사액비 내용 일부

○ 경상북도 김천시 봉산면 봉계1길 19-2

김천 일본군 사령부 터

임진왜란 당시 일본군 사령부는 현재의 김천시 개령면 동부 1리와 동부 2리 지역 일대에 전개되어 있었다.[28] 일본군 사령부는 여러 곳에 설치되어 있었지만 김천 사령부는 대규모로 목책을 설치하고 수많은 백성 포로들을 노역에 이용한 후 살해했다는 점에서 주목을 받는다.

1592년 6월 12일 장수 모리 요시나리(毛利吉成)가 이끄는 일본군 제7군 30,000명이 성주성에서 개령으로 옮겨왔다. 당시 일본군은 성주성을 후방 사령부로 삼을 예정이었으나 의병의 저항이 심해지자 안전한 곳을 찾게 되었는데 그곳이 개령이었다.

일본군은 포로로 잡힌 개령주민을 진영 설치에 동원했다. 일본군 진영은 지금의 동부 1리와 동부 2리를 중심으로 산과 평지에 걸쳐 주위 2킬로미터에 걸쳐 있었는데 경계에는

28) 김천문화원 송기동 국장으로부터 일본군 후방 사령부 터와 관련하여 현지 안내 및 관련 자료를 제공받았다.

이중으로 목책을 둘러치고 목책과 목책 사이에는 참호를 파 물이 흐르게 하여 안전을 도모했다.

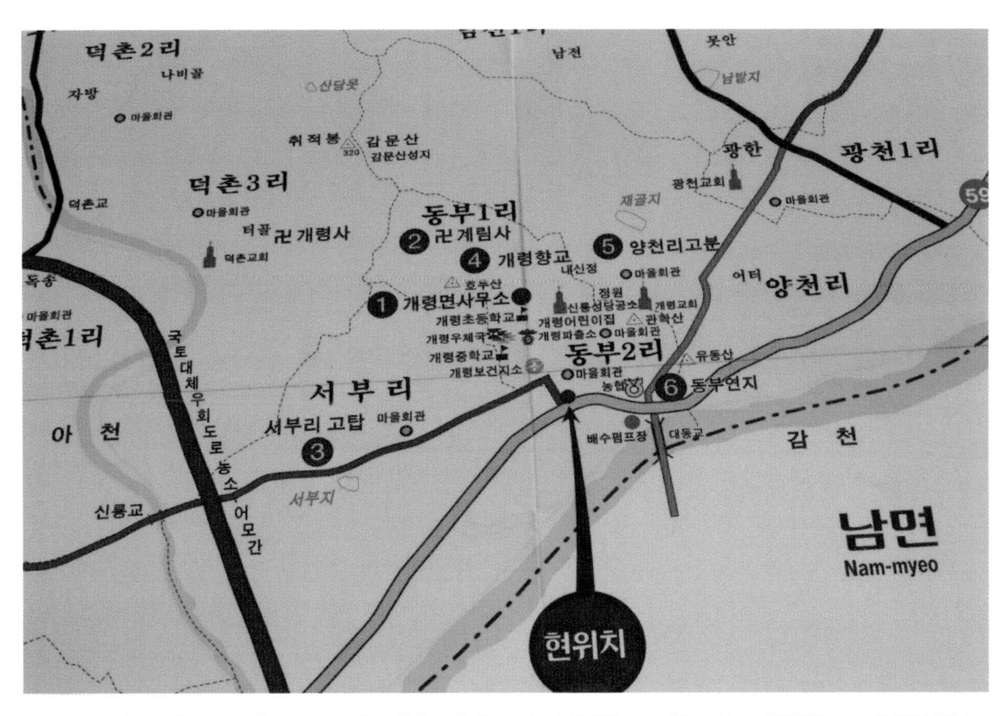

일본군 사령부 터(동부 1리, 동부 2리): 안내도에서 보면 시계방향으로 현 위치, 개령중학교, 개령면사무소, 개령향교, 개령교회, 유동산, 동부연지로 이어지는 구역이 사령부 터이다

일본군 사령부 터

개령향교

목책 안은 판자로 구획하여 동쪽 산(유동산) 봉우리 아래쪽에는 다시 목책을 둘렀다고 전한다. 목책 내 한쪽에는 개령지역 백성 남녀 약 800명을 포로로 가두어 두고 온갖 사역에 동원했다.[29]

사령부 부지 및 목책은 지금의 개령초등학교, 개령면사무소, 유동산, 개령향교 일대에 전개되어 있었다. 주둔하는 일본군의 수는 많을 때는 40,000명에 달했다. 개령에 사령부를 설치한 일본군은 경상도 일원의 치안을 담당하면서 군정(軍政)을 실시하고 곡식 등 현물로 세금을 징수했다. 자연히 사령부는 병참기지의 역할도 수행하게 되었다.

1592년 7월에는 다음과 같은 요지의 포고문을 거리에 내걸어 백성들을 회유했다.[30]

포고문

당사지(當事地) 일본국 재상(宰相)은 어명을 받들어 세상을 교화하고 백성을 다스리는 것이 목적이다. 향내(鄕內) 사람 중 산중이나 해외로 피난간 자는 집으로 돌아와 전과 같이 편안히 살라.

일본인이 조선인의 처자를 빼앗는 자는 포박해서 처형할 것이며, 농업에 종사하는 자들은 부지런히 밭을 갈고 물을 대며 풀을 뽑아 가을 수확을 기다려라.

만약 무기를 가지고 일본군의 내왕을 방해하는 자들이 있다면 전원 체포하여 처벌할 것이다. 또한 도망한 백성이 하소연할 일이 있으면 기록해서 개령에 있는 일본군 장수의 진영으로 와서 아뢰도록 하라.

이상의 조목에 대하여 혹시 의심할지 모르나 신(神)이 밝게 내려다보니 절대 허언(虛言)하지 않는다.

天正 20년 7월 일 安井 宰相 代理 完戶二次三室, 元忠

경상도 지역에서 의병들이 창의하여 항전을 벌이고, 그해 12월에 명나라의 이여송 장군이 43,000명의 군대를 이끌고 조선으로 들어왔다. 이에 일본군은 한편에서 명나라군과

29) 김천시전자문화대전 임진왜란 편 참조.

30) 김천시사편찬위원회, 『김천시사(상)』(1999), 163~164쪽. 이 포고문은 지금의 군위군 비안면 지역에서 입수된 것이다.

강화협상을 시도하고 다른 한편으로는 병력을 남해안으로 철수하기 시작했다.

1593년 2월 12일 김천 개령에 주둔하던 일본군도 남쪽으로 철수했다. 일본군은 철수하면서 목책 안에 수용하여 사역에 동원했던 개령읍민 다수를 살해했다. 목책에 갇혀 있던 백성 중 400여 명은 석방되었으나 나머지 300여 명은 노역을 제공하고도 살해당했으며 그 시신으로 산을 이루었다.

일본군 사령부 터에서 바라본 유동산

유동산 밑의 동부연당

○ 경상북도 김천시 개령면 동부 1리, 동부 2리 지역

김천 지례향교

1592년 5월 2일 서울에 입성한 일본군 중 일부는 각 도(道)의 행정을 담당하기 위해 서울을 떠나 임지로 향했다. 고바야카와 다카카게 부대는 배정받은 전라도를 향해 남하했다. 이 부대는 처음 창원에서 남원으로 직행하려다가 경상남도 의령에서 곽재우 의병부대에 의해 진로가 막히자 경상북도 성주에서 김천지역으로 들어와 지례, 김산, 선산, 개령 등지에 산개하여 주둔하면서 전라도 침공 기회를 엿보고 있었다.

7월 10일 김천지역 개령에 있던 고바야카와 휘하 1,500의 병사들이 다시 우두령 고개를 넘어가려다가 김면과 김시민이 이끄는 의병에게 쫓겨 김천지역 지례로 되돌아왔고, 다른 일본군 부대는 황간, 순양, 무주, 금산을 거쳐 전라북도 전주로 가려다가 권율 장군에게 금산에서 패하고 무주를 거쳐 대덕, 지례로 퇴각했다. 이들이 후퇴할 때 약탈한 양곡과 재화를 실은 우마차의 행렬이 길게 뻗쳤고, 장수들은 찬란한 갑옷과 투구로 위엄을 갖추었으며, 군사들의 기치와 창검으로 길이 메워졌다고 한다. 조선의 젊은 여인 50여 명도 끌려갔다.[31]

퇴각하던 일본군은 7월 29일 지례향교 창고에서 숙영했다. 의병대장 김면 휘하의 중위장 황응남, 중위장 서예원, 지례현감 여대로, 의병장 권응성, 종사관 강절, 의병장 박이룡(김면 휘하 종사관)은 지례향교를 포위하고 때를 기다렸다. 일본군이 누적된 피로로 인해 깊은 잠에 빠지자 의병 연합군은 창고 담장을 에워싸고 담장 안으로 장작을 쌓아 불을 질렀다. 창고는 순식간에 불바다가 되었고 의병들은 사방에서 창고를 향해 화살을 퍼부어 일본군을 거의 전멸시켰다. 일본군 10여 명은 화상을 입고 도주했으나 상처 때문에 멀리 가지 못하고 잡혀 처형되었다.[32]

지례향교

31) 김천시사편찬위원회, 『김천시사(상)』(1999), 168쪽.

32) 김천시사편찬위원회, 같은책

사반루

○ 경상북도 김천시 지례면 향교길 84

7. 대구

대구 남지장사

가창면 우록리에 소재하는 사찰 남지장사(南地藏寺)는 684년(통일신라 신문왕 4) 양개조사(良介祖師)가 왕명을 받아 창건했다. 창건 당시에는 대웅전, 극락전, 명부전, 만세루, 사천왕문과 8동의 암자가 있어 규모가 컸다고 전한다. 고려시대 충숙왕 때인 1333년 왕사인 보각국사가 중수했다. 조선시대에는 고승 무학대사가 이곳에 와 수도 하기도 했나.

임진왜란 때 사명대사는 이곳을 승병 훈련장으로 사용했으며, 대사가 거느린 승병과 의병들은 우록동 계곡에서 일본군과 전투를 벌였다. 다수의 승병, 의병들이 이때 전사했다.

사찰 건물은 임진왜란 때 불에 타 폐허가 된 것을 1653년(효종 4) 인혜대사가 세웠으나, 1806년(순조 6)에 또 화재가 발생하여 2년 뒤에 다시 건립했다.

남지장사(왼쪽부터 극락보전, 대웅전)

남지장사 입구 광명루

(청련암)

남지장사 청련암(靑蓮庵)은 강당과 생활공간의 기능을 겸한 건물로 정면 3칸, 옆면 2칸 규모이다. 부분적으로 옛 건축수법을 간직하고 있는 소박한 구조의 건물이다.

청련암은 1995년 5월 12일 대구광역시 유형문화재 제34호로 지정되었다.

○ 대구시 달성군 가창면 남지장사길 127

대구 녹동서원 · 김충선 사적비

녹동서원은 충절보국의 삶을 산 사야가(沙也可) 김충선(金忠善, 1571~1642)의 위패를 봉안하고 봄과 가을에 제향하는 서원이다. 영조 임금(재위: 1724~1776) 말기부터 삼도(三道) 유림이 뜻을 모아 상소했으며, 1789년(정조 13)에 다시 유림에서 공의를 모아 상소한 결과 1794년(정조 18)에 서원을 준공하고 위패를 봉안하게 되었다.

서원은 1864년(고종 1) 대원군의 서원철폐령에 의해 훼철되었다가 1885년(고종 22)에 영남 유림과 김씨 문중이 합심하여 재건했다. 1971년 국가의 지원을 받아 현재의 위치로 이전했다. 녹동서원에는 사당 녹동사, 숭의당, 향양문, 충절관, 유적비, 신도비, 한일우호관 등의 건물이 있다.

(사야가 김충선)

사야가는 본래 일본군 장수로서 1592년 도요토미 히데요시가 조선을 침략하기 위해 20만 명에 달하는 대군을 출병시켰을 때 가토 기요마사의 선봉장이 되어 바다를 건너왔다.

부산에 상륙한 그는 곧바로 부하들에게 약탈을 금지하는 군령을 내고 1592년 4월 15일 조선에 대한 공격 의지가 없음을 알리는 효유서(曉諭書)를 적어 길거리에 붙였다.

모하당문집에는 4월 15일이라 적고 있으나 이는 4월 18일 또는 4월 19일의 오기인 것으로 보인다. 사야가가 속했던 가토 기요마사 부대의 부산 상륙일이 4월 18일이기 때문이다.

효유서(백성들에게 타일러 깨우치는 글)

아아, 이 나라 모든 백성들은 나의 이 글을 보고 안심하고 직업을 지킬 것이며 절대로 동요하거나 떨어져 흩어지지 말라. 지금 나는 비록 다른 나라 사람이고 비록 선봉장이지마는 일본을 떠나기 전부터 벌써 마음으로 맹세한 바 있었으니, 그것은 나는 너희의 나라를 치지 않을 것과 너희들을 괴롭히지 않겠다는 것이다. 그 까닭은 내 일찍이 조선이 예의의 나라라는 것을 듣고 오랫동안 조선의 문물을 사모하면서 한번 와서 보기가 소원이었고, 이 나라의 교화에 젖고 싶은 한결같은 나의 사모와 동경의 정은 잠시도 떠나본 적이 없었기 때문이다.

마침 청정(淸正)의 선봉으로 뽑혀서 창을 메고 군사를 거느려서 이 땅에 오기는 하였지마는, 나는 차마 예의의 나라를 침노할 수 없으며 중화다운 민족을 해칠 수가 없다. 만약 한 사람이라도 해친다면 나의 평소의 뜻을 저버림이 될 뿐 아니라 하늘에 죄를 얻을 것만 같으니 내 그런 일을 차마 어이하리오.

너희들은 나를 침범하러 온 외국 사람으로 생각하지 말고, 늙은이를 안심시키고 어린이를 보호하고, 밭갈이 할 사람은 밭에 가고 저자 볼 사람은 저자에 가라. 나를 이 나라 사람과 같이 보고 숨거나 피하지 말 것이며, 일손을 멈추지 말고 안심하고 농사짓고 안심하고 글 읽어서, 위로는 임금과 어버이를 섬기고 아래로는 처자를 보호하라. 그리고 한 사람의 군인이라도 횡포하거나 노략질하거나 난잡한 일이 있거든 곧 나에게 고발하라. 만일 그런 자가 있다면 군율에 처하여 죽일 것이다. 안심하고 동요하지 말고 나의 이 참뜻을 알아주기 바란다.

『모하당문집』(2009), 35~36쪽

효유서를 붙인 지 5일이 지난 4월 20일 사야가는 경상도 병마절도사 박진(朴晉)에게 강화서를 보내 투항, 귀순했다.[33]

강화서(귀순하기를 청하는 글)

임진년 사월 일에 일본국 우선봉장 사야가는 삼가 목욕재계하고 머리 숙여 조선국 절도사 합하에게 글을 올리나이다. 엎드려 생각하옵건대 저는 섬 오랑캐의 천한 사람이요 바닷가의 보잘것없는 사나이입니다. 어려서부터 강개한 뜻이 있어서 오랑캐의 풍습과 습관을 싫어하였너니 철이 들자 소문으로 듣기를, 조선이란 나라는 모든 것이 중국의 제도를 닮아 의관문물은 삼대(三代)와 같고 예악형정은 당우(唐虞)와 다름이 없어서 삼강(三綱) 오상(五常)과 팔정(八政) 구경(九經)이 성인의 경전(經傳)과 어김이 없고, 인의예지(仁義禮智)와 효제충신(孝悌忠信)이 어진 이의 전통을 이어받았다 하더이다. 저는 강개한 마음이 더욱 벅차서 스스로 말하기를, 사람이 사나이로 태어난 것은 다행한 일이나 불행하게도 문화의 땅에 태어나지 못하고 오랑캐 나라에 나서 끝내 오랑캐로 죽게 된다면 어찌 영웅의 한 되는 일이 아니랴 하고 때로는 눈물짓기도 하고 때로는 침식을 잊고 번민하기도 하였습니다.

금번에 청정(淸正)이 이유 없이 군사를 일으킬 제, 저를 용력(勇力)이 남다르고 담기(膽氣)가 뛰어나다 하여 선봉장을 삼으매, 저는 청정이 하늘 뜻을 거스르는 것을 미워한지라, 청정의 손에 죽을지언정 선봉이 되고 싶지는 않았지마는 저의 평소의 소원인 조선나라를 한번 나가보고 싶은 생각으로 본의 아닌 선봉이 되어서 삼천 명의 군사를 이끌고 본국에까지 나온 것입니다. 처음으로 민심과 물정을 둘러보니 비록 전란 중이나 의관문물이 과연 평소에 듣던 바와 같이 삼대(三代)의 예의가 여기에 있는 듯하였습니다. 저는 문득 중화의 족이 되어 보고 싶은 생각이 간절하여 차마 인의의 나라를 해칠 수가 없다고 보고 차마 삼대의 유민을 잔혹하게 할 수가 없어 싸움에 뜻이 없어졌습니다.

아아, 저는 어떻게 하여야 하겠습니까? 청정의 지휘를 받지 않고서는 청정을 대할 수가 없고, 이 땅의 문물을 보고는 대인군자의 나라에 붙이고만 싶으니 저의 진퇴가 실로 곤란하옵니다. 지금 제가 귀화하려 함은 지혜가 모자라서도 아니요, 힘이 모자라서도 아니며 용기가 없어서도 아니고 무기가 날카롭지 않아서도 아닙니다. 저의 병사와 무기의 튼튼함은 백만의 군사를 당할 수 있고, 계획의 치밀함은 천 길의 성곽을 무너뜨릴 만합니다. 아직 한 번의 싸움도 없었고 승부가 없었으니 어찌 강약에 못 이겨 화(和)를 청하는 것이겠습니까? 다만 저의 소원은 이 나라의 예의문물과 의관풍속을 아름다이 여겨서 예의의 나라에서 성인의 백성이 되고자 할 뿐입니다.

합하께서 허락하시어 휘하에 두신다면 저는 마땅히 죽기를 맹세하고 충성을 다하겠나이다. 제가 거느린 군사 삼천 명은 다 용맹스럽고 사납고 칼 잘 쓰는 군사들이라, 이들이 모두 합하의 전위대가 된다면 넉넉히 한 지역을 맡을 것이오니 합하께옵서

33) 『역사스페셜 6: 전술과 전략 그리고 전쟁, 베일을 벗다』(서울: 효형출판, 2003), 290~291쪽. 참고로 『모하당문집』 3쪽에는 김응서, 박진에게 서신을 보내 귀순할 뜻을 밝혔다고 되어 있다. 경상좌도와 경상우도의 병마절도사에게 각각 강화서를 보내 자신의 뜻을 밝혔다.

맞아 들이시와 더불어 계책을 세우신다면 큰 공을 이룰 것이며, 나라와 백성을 안전하게 하여, 임금님으로 하여금 잠 못 이루는 근심을 덜게 하고 합하로서는 역사에 이름을 남길 것이니, 저는 가지를 가려서 앉는 새가 되고 합하는 나라를 붙드는 기둥이 될 것입니다. 이는 저만의 다행이 아니라 합하 또한 다행한 일이 아니겠습니까? 황공하고 부끄러워 고개를 들지 못하겠나이다.

『모하당문집』(2009), 37~40쪽

강화서를 보면 사야가가 출생한 곳은 일본의 바닷가임을 알 수 있다. 그리고 그의 무력이 약해서가 아니라 조선의 문물을 흠모하여 귀순한다는 점과 귀순 후 조선의 처분을 기다리겠다는 것이 아니라 조선군 장수, 지휘관을 도와 일본군을 무찌르고 지역을 방어하는데 힘쓰겠다고 했다. 귀순 이유와 자신의 거취문제를 분명하게 표명했다.

사야가는 조선에 투항한 후 박진 등 경상도의 지상 병력과 힘을 합쳐 동래, 양산, 기장 등지에서 일본군과 전투를 벌였고, 곽재우 의병부대와 연합하여 경상도 연안의 일본군을 격퇴하기도 했다.

사야가는 투항 후에 조선군에 조총과 화약 제조기술을 전수했으며, 자체적으로 조총부대를 조직하여 전투에 참가해 공을 세우기도 했다.[34] 사야가의 기술전수로 조선은 1593년 3월 조총 제조기술을 확보하게 되었다. 그는 조총으로 무장한 철포부대의 지휘관이면서 동시에 조총 제작기술의 소유자였다.

임진왜란 초기에 일본의 조선 침략은 명분이 없다며 조선에 귀순한 그는 조선의 자주국방을 강화하기 위해 조총을 만들어야 한다고 조정에 건의해 조총기술을 전수하는 등 국방력 강화에 기여했다.

정유재란이 발발하자 손시로(孫時老) 등 항왜 장수들과 함께 의령전투에서 공을 세웠고 무관 3품 당상에 올랐다. 1597년 울산왜성에서 전개된 조명연합군과 일본군 간의 전투에 참가한 사야가는 경상도 우병사 김응서 장군의 선봉장을 맡아 병사를 이끌고 성안에서 농성 중인 가토 기요마사의 부대에 큰 타격을 가했다. 이 공로로 사야가는 선조 임금으로부터 무관 정3품 자선대부의 지위를 받았다.

당시 사야가는 김응서 장군과 함께 명나라장수 마귀 제독의 휘하에 들어가 울산에서 싸웠는데, 명나라 군대의 기강이 해이해져 전과를 올리지 못하자 그 책임이 김응서에게 돌아와 참수당할 처지에 놓이게 되었다. 이에 사야가가 군령장을 제출하여 김응서의 억울한 죽음을 막아주기도 했다.

34) 『역사스페셜 6』(서울: 효형출판, 2003), 290~291쪽.

조총 제조기술을 조선군에 전수하여 전황을 반전시키는 데 공을 세운 사야가는 도원수 권율, 어사 한준겸의 주청으로 선조 임금으로부터 '김충선(金忠善)'이라는 성과 이름을 하사 받았다. 임금이 하사한 김해 김씨라 하여 사성 김해 김씨라고 부른다. 김충선은 임진왜란 이후에도 여러 차례 공을 세워 조정으로부터 가선대부, 자헌대부를 제수받았다. 자헌대부에 오른 후에는 임금을 호위하는 수어부대에 편입되어 임금을 측근에서 보위하기도 했다.

왜란 후인 1600년 사야가는 진주목사 장춘점(張春點)의 딸 장숙혜(당시 16세)와 혼인하여 이곳 달성군 가창면 우록리에 자리를 잡았다. 이때 그의 나이 30세였다.

그 뒤 오랑캐의 침입으로 북방 국경지대가 소란해지자 1603년 압록강을 방어하라는 명을 받고 임지에 부임하여 임무를 수행하고 10년 후인 1613년 우록리로 돌아왔다.

사야가는 1617년(광해군 10)에는 정2품 정헌대부에 봉해졌다. 1643년에는 외괴권관(外怪權管)으로 국경수비를 맡고 있던 중 청나라 칙사의 항의로 해직되어 다시 우록리로 돌아왔다. 노후에는 가훈과 향약을 지어 자손을 훈도하고 좋은 마을 만들기에 전념했다. 그의 문집으로는 후손들이 정리한 『모하당문집(慕夏堂文集)』이 있다.

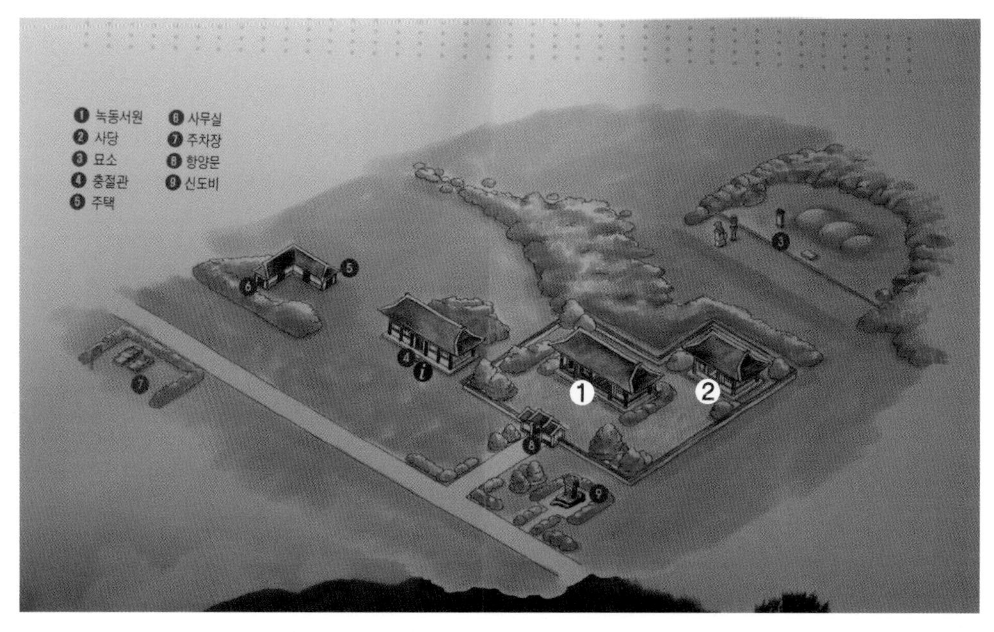

안내도(① 녹동서원 ② 사당)

녹동서원

모하당 김공 유허비

김충선 신도비

(이괄의 난과 병자호란)

김충선은 임진왜란 이후 북방 야인들의 국경 침입이 빈번해지자 10년에 걸친 북방 방어 임무를 수행하고 돌아왔으며 그 공로로 정헌대부의 직위에 올랐다.

그는 1624년(인조 2) '이괄의 난' 때는 이괄의 부장(副將) 서아지를 체포하여 처형한 공로로 사패지를 받았으나 사양하고, 수어청(守禦廳)에 반납하여 둔전으로 만들기도 했다.

병자호란 때는 조정으로부터의 명을 기다리지 않고 스스로 경기도 광주 쌍령전투에 출전하여 청나라 병사 500여 명을 베었다. 김충선은 인조 임금을 구원하기 위해 남한산성으로 가던 중 강화가 성립되었다는 소식을 듣고는 칼을 던지며 대성통곡했다. 그 길로 대구 우록리(友鹿里)로 돌아갔다.

70평생을 나라에 충성한 그는 어명을 기다리기 전에 스스로 의병을 일으켜 충렬을 다한 삼란공신(三亂功臣)이다. 삼란공신이란 임진왜란, 이괄의 난, 병자호란에서 공을 세운 무관에게 주는 칭호이다.

사당 녹동사

김충선 영정과 위패

녹동서원 현판

한일우호관

(사당 녹동사)

김충선은 1642년(인조 20) 72세를 일기로 우록동에서 별세했다. 사후 녹동서원에 배향되었다. 조정에서는 그에게 장관급에 해당하는 정2품 정헌대부의 벼슬을 내렸다(광해군 10). 김충선의 위패를 모신 녹동사에서는 매년 3월 유림과 후손들이 모여 제례를 지낸다.

(녹동서원 신도비)

임진왜란 발발 400주년을 기념하여 1992년 5월 녹동서원에 김충선 신도비가 건립되었다. 신도비에는 "그는 문과 예를 공경했고, 그것과 여생을 같이 하고 싶어 했다. 하지만 그는 불의 앞에서는 그토록 경멸하던 칼을 들고 맞서 싸웠다. 이괄의 난에 나가 공을 세우고 병자호란 때는 늙은 몸을 이끌고 나가 적과 맞섰다."고 적혀 있다.

(충절관)

김충선의 후손, 일본인 및 대구시의 후원으로 1998년 6월에 건립한 유물전시관이다. 왜란 당시 사용된 조총을 비롯하여 유물, 유품과 한일 양국의 역사, 문화, 왜란 관련 전문도서가 전시되어 있다.

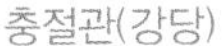
충절관(강당)

사당 입구 향양문

녹동서원 뒷산에 있는 김충선의 묘

김충선의 묘 앞에 자리한 차남 공조참판 김경신의 묘

(김경신 묘비명)

김충선의 차남 김경신 묘비명에서는 김충선의 가계도를 읽을 수 있으며 자손들 또한 나라에 충성했고 그 가문이 번성했음을 알 수 있다.

김경신 묘비명

공의 휘는 경신이며 자는 의백이니 모하당의 차자(次子)이시다. 부(父)께서는 본래 일본인으로 본성은 사씨(沙氏)이며 휘는 야가(也加)이니 임진왜란 시 가등청정 우선봉장이 되어 선조 25년 4월 부산에 상륙했다. 동국의 문물이 소중하(小中夏)임을 보고 평소 소원하던 모하(慕夏)의 꿈을 실현하시고자 침략전쟁은 대의에 어긋난다 판단하시고 영병(領兵) 3천과 함께 경상병사 박진에게 강화서를 보내고 명군(明軍)과 협력하여 많은 전공을 세우니 선조께서 가선대부의 위계를 제수하시고 그 후 영남지방에서 대파적병하니 도원수 권율 장군과 어사 한준겸이 함께 치계를 올리니 선조께서 특사성명하시고 자헌대부로 가자(加資) 후 왕(王)을 호위하는 수어부대(守禦部隊)에 편입되어 병기의 불리함을 상소하고 훈련청을 설립하여 김응서 장군, 통제사 이순신 장군 등과 연영유진(連營留陣)하며 조총과 화약제조법을 교련케 하고 부장 김계수로 하여금 각 진에 대량 생산케 하여 연승 적병이 퇴진케 된 것이니 위대한 모하정신에 의한 충성이 아니었으면 위운(危運)을 난면하기가 어려웠을 것이니라.

선조 36년에는 자진 10년 잉방(仍防)으로 북방의 여진족 침략을 방어하시고 인조 2년 이괄의 난 시에는 평정한 공으로 사패지를 내렸으나 굳이 사양하여 수어청에 둔전으로 사용케 하였고 인조 14년에 병자호란 시에는 노구로 참전하시어 호병(胡兵) 수천을 사(死)하며 남한산성에 도착하였으나 이미 화의가 맺어져 어찌 할 바가 없었다.

삼란을 정벌하시어 활약하신 공로로 정헌대부 행룡양위대호군(行龍驤衛大護軍) 증 정헌대부 병조판서 겸 지의금부 훈련원(訓練院事) 정헌대부 지중추부사에 증직되셨으며 이는 조선왕조실록 승정원일기 여지승람 징비록 등에 등재되어 있다. 공의 모(母)는 정부인(貞夫人) 인동 장씨로 목사 춘점의 여식이며 생 5남 1녀 장자 경원, 차자 경신, 우상, 계인, 경인, 여(女)는 장달문에게 출가하였다.

공은 광해 10년 정사년에 충의세가에 태어나서 인품이 고결하고 효제충신으로 당세에 존경을 받았으며 증 공조참판을 제수받으시고 신미에 졸하시었다. 선조의 덕행과 음덕으로 가문이 번창하여 오늘에 이르렀으며 배(配)에 숙부인(淑夫人) 청도 김씨였으며 생 5남 2녀 장자 진홍, 차자 진발, 진봉, 진문, 진기, 여(女)는 김선탁, 전선업에게 출가하였다.

공의 학문과 덕행을 후세에 전하고자 여러 세전된 기록들을 참고로 후손이 근찬하였으나 빠짐이 많을 것 같아 두려움이 금할 길 없으며 충효 청검(淸儉)을 숭상하여 몸소 실천하신 그 덕행을 후손들이 본받으며 길이 추모하리라.

○ 대구시 달성군 가창면 우록리 585

대구 동화사 사명당 대장 진영

동화사는 임진왜란 때 사명대사가 승병군 사령부로 삼아 지휘한 곳이다. 동화사는 팔공산 남쪽 기슭에 493년(신라 소지왕 15)에 극달화상이 세운 사찰로 창건 당시 이름은 '유가사'였으나, 832년(신라 흥덕왕 7)에 심지대사가 다시 세울 때 겨울철인데도 경내에 오동나무가 활짝 피었다고 해서 '동화사(桐華寺)'라고 고쳐 부르게 되었다. 절 입구에는 수목이 우거져 있고 사철 맑은 물이 폭포를 이루며 흐른다. 경내에는 1727년에 중건한 대웅전, 염불암을 비롯한 6개의 암자가 있다.

(봉서루)

'봉황이 깃든 누각'이라는 뜻을 갖는 봉서루(鳳棲樓)는 동화사를 대표하는 누각이다. 네모난 돌기둥을 세워 누문을 만들고, 그 위에 정면 5칸의 목조 누각을 세운 독특한 건축양식이다.

봉서루 건물 뒤편에는 '영남치영아문(嶺南緇營雅文)' 현판이 걸려 있다. 임진왜란 때 사명대사가 영남도총섭으로 동화사에 승군사령부를 두고 승병을 훈련시키고 지휘했음을 알려주는 흔적이다.

(봉황알)

봉서루로 오르는 계단 앞에 자연석이 하나 놓여 있는데 이곳이 봉황의 꼬리 부분이다. 그 앞에 둥근 모양의 돌 3개가 놓여 있는데 이는 봉황의 알을 상징한다. 동화사 터는 풍수지리상 '봉소포란형(鳳巢抱卵形)', 즉 봉황이 알을 품는 모습을 한 지세이며, 832년 사찰을 중창할 때 오동나무 꽃이 한겨울에 상서롭게 피었다 하여 동화사로 불리게 된 것과 관련이 있다.

(사명당 대장 진영)

흔히 사명대사라고 불리는 사명당(泗溟堂)은 임진왜란 때 승군을 통솔하여 크게 공을 세운 승군 지도자이다.

사명당 대장 진영은 의자에 앉아 가부좌한 모습이며 손은 불자(拂子)를 잡은 채 무릎 위에 가볍게 올려두고 있으며 의습(衣褶)은 흰색 장삼에 붉은 가사를 걸치고 있다. 초상 제작시기는 1796년부터 1820년 사이이다. 2006년 12월 29일 보물 제1505호로 지정되었으며, 동화사 경내 성보박물관에 보관, 전시되고 있다.

대웅전

봉서루

봉황알 형상

현판 영남치영아문

사명당 대장 진영(성보박물관)

영남도총섭 사명대사가 동화사에서 승군을 지휘할 때 사용하던 인장(성보박물관)

임진왜란 때 사용하던 구유. 전체길이 695센티미터, 최대 폭 92센티미터. 동화사에는 2점의 구유가 있는데 1점은 성보박물관 안에 전시되어 있다

통일약사여래대불(1992년 11월 완공). 높이 33미터, 둘레 16.5미터.
석불 몸체에 미얀마 정부가 기증한 부처님 진신사리 2과를 모셨다

(초유사 김성일)

선조 임금은 1592년 4월 26일 학봉 김성일을 경상도 초유사(국가 위급 시에 백성을 초유하는 일을 맡은 임시 관직)로 임명했다.

김성일은 동화사에 머물면서 관군과 의병의 협력을 조정, 지휘하여 의병활동을 격려했다. 그는 5월 초 경상남도 함양에서 초유문을 지어 포고하여 산중에 피신해 있던 백성들을 의병의 대열에 합류하게 했다.

○ 대구시 동구 팔공산로 201길 41(도학동)

대구 모명재

모명재(慕明齋)는 임진왜란 때 조선에 원병으로 왔던 명나라 장수 복야공(僕射公) 두사충(杜師忠)의 후손들이 그의 덕과 뜻을 기리기 위해 1912년에 건립한 재실이다. 두사충을 포

함하여 임진왜란 때 조선에 귀화한 5인의 선조를 기리고 있다.

두사충의 호는 모명(慕明)으로 중국 두릉(杜陵)이 고향이다. 그는 1592년 임진왜란이 일어나자 그해 12월 명나라군 장수 이여송(李如松)의 참모로 조선에 왔다. 그의 직무는 주위의 지형을 살펴서 진지를 구축하기에 적합한 터를 잡아주는 수륙지획주사(水陸地劃主事)였다.

풍수전략가인 그는 1592년 임진년에는 수륙지획주사로, 또 1597년 정유년에는 비장(裨將)이라는 각기 다른 직함을 가지고 전란에 참여했다. 그는 주로 병영 터를 고르고 군진을 전개할 때 조언하는 임무를 수행했으며, 명나라군이 조선군과 합동작전을 할 때에도 조선 측과 전략·전술상 긴밀한 협의를 했다.

(조선 정착)

두사충은 정유재란 때는 명나라 수군 도독 진린과 함께 비장복야 문하주부(裨將僕射門下主簿)로 활약하며 공을 세웠다. 그는 두 아들과 함께 원병으로 와서 공을 세웠는데 난이 평정되고 난 후 귀국하지 않았다. 명나라가 점차 쇠퇴하는 것을 보고 조선에 귀화할 것을 결심한 그는 대구에 정착하여 두릉 두씨의 시조가 되었다.

귀화한 두사충은 조선 조정으로부터 현재의 중앙공원 일대를 하사받았다. 두사충은 경상감영을 대구로 옮기기를 주장했던 체찰사 이덕형과 가까웠는데 나중에 자신이 하사받은 땅이 감영을 설치하는 데 있어 최적지임을 알고 그곳을 국가에 헌납하고 주거지를 계산동 일대로 옮겼다. 이때부터 계산동 일대가 두씨의 세거지가 되었다.

명나라에 두고 온 부인과 형제들이 생각나는 것은 어쩔 수 없어 최정산(最頂山, 현재의 대덕산) 밑으로 거주지를 옮긴 그는 동네 이름을 대명동(大明洞)이라 칭했다. 대명단(大明壇)을 쌓아 매월 초하루가 되면 관복을 입고 명나라 황제가 있는 곳을 향해 배례를 올렸다. 그의 사후에 자손들은 유언에 따라 형제봉 기슭에 묘소를 쓰게 되었다.

두사충은 조선에 귀화한 뒤에 조선의 사대부들에게 명당을 잡아준 것으로 잘 알려져 있다.

(신도비)

현재의 모명재는 1912년 경산객사(慶山客舍)가 철거될 때 그 재목을 사다가 두사충의 묘소 앞에 지은 건물이다. 세월이 흐르면서 건물이 퇴락하자 1966년 2월에 중수했다.[35] 모

35) 〈영남일보〉 2009년 8월 18일자.

명재(慕明齋)라고 한 것은 고국인 명나라를 그리워한다는 뜻이다.

모명재는 네모반듯한 대지에 남향으로 배치되었으며, 정면 4칸, 측면 2칸 규모의 겹처마 팔작 기와집이다.

후손들은 두사충의 묘소 앞에 있는 비문을 별도로 다시 새겨 모명재 마당에 '두사충 신도비'를 세웠다. 비문은 충무공 이순신의 7대손인 삼도 수군통제사 이인수(李仁秀)가 지은 것인데, 왜란 당시 이순신과 두사충의 교류가 후손들에게까지 이어지고 있음을 알 수 있는 비석이다. 신도비 왼쪽에 서 있는 작은 석인상이 인상적이다.

모명재

두사충 신도비

현판

모명재

이순신 장군이 두사충에게 써준 '봉정두복야(奉呈杜僕射)'라는 한시가 모명재 건물 전면 다섯 개의 기둥에 적혀 있다.

奉呈杜僕射	봉정두복야
北去同甘苦	북으로 가서는 고락을 같이하고
東來共死生	동으로 와서는 생사를 함께했네
城南他夜月	성 남쪽 타향의 달빛 아래에서
今日一盃情	오늘 한 잔 술로 정을 나누네

대문 만동문(萬東門)

두사충신도비

두사충 묘소

○ 대구시 수성구 달구벌대로 525길 14-21

대구 송계당

송계당(松溪堂)은 고려시대 말기의 충신 송은(松隱) 구홍(具鴻)과 임진왜란 때 대구에서 의병을 일으킨 구홍의 8대손 계암(溪岩) 구회신(具懷愼)의 절개와 위업을 기리기 위해 1659년(효종 10)에 후손들이 세운 재실이다. 두 사람의 아호인 송은과 계암의 첫 머리를 따서 '송계당'이라고 건물 이름을 지었다. 1960년에 중건한 이 건물은 일자형 4칸 규모의 팔작지붕이다.

고려시대 공민왕 대에 밀직부사(密直副使)를 거쳐 문하좌시중 면성부원군을 지낸 구홍은 고려말기 이성계가 역성혁명을 일으키자 두 명의 주군을 모실 수 없음을 내세워 관직에서 물러나와 이름 '구성두(具成斗)'를 '구홍(具鴻)'으로 개명하고 만수산 두문동에 들어가 충절을 지킨 이른바 두문동 72현의 한 사람이다. 두문동에 들어가 있을 때 태조 이성계가 3번이나 좌정승을 권유했으나 취임하지 않았다.

1564년에 출생한 구회신은 임진왜란 때 의병군을 조직하여 팔공산에 거점을 두고 일본군 토벌작전을 행하여 공을 세웠다. 정유재란 때는 권율 장군 밑에서 활약했으며 1597년 12월 12일부터 이듬해인 1598년 초에 걸친 울산전투에 참여했다.

구회신은 1599년 무과에 급제했으며 훈련원 첨정을 지냈다. 선조 임금으로부터 국가 수난을 물리친 장수라 하여 장군 칭호를 받았다.

옆에서 본 송계당

송계당

송계당 현판

송계당 중건 상량문

○ 대구시 북구 서변로 3길 47-19

대구 송담서원 박성 신도비

송담서원은 임진왜란 때 종군하여 공을 세우고, 정유재란 때는 의병대장으로 활약한 대암(大菴) 박성(朴惺, 1549~1606)을 추모하고, 그의 덕을 기리기 위해 영남유림에서 건립한 서원이다.

현풍 솔례(率禮)마을에서 출생한 박성은 어린 시절 배신(裵紳, 1520-1573)에게 수학했으며 24세부터는 한강 정구(鄭逑)와 깊이 있는 학문적 교류를 했고 최영경, 김면, 장현광 등과 교우했다.

1592년 임진왜란 때 경상도 초유사 김성일의 참모로 의병활동에 참여하여 군무를 담당했으며, 정유재란 때는 조목(趙穆)과 함께 의병을 일으켜 체찰사 이원익의 막하로 들어갔다. 주왕산성 의병부대의 대장으로 활약했고, 왕자사부(王子師傅)에 임명되었으나 부임하지는 않았다.

뒤에 사포(司圃)가 되고 이어 공조좌랑, 안음현감을 지낸 후 모든 벼슬을 사퇴했다. 저서로는 임진왜란 때의 활약을 기록한 '대암유사(大菴遺事)'가 있다. 그의 사후 28년 만에 장현광이 발의하여 1634년 비슬산 기슭에 서원을 건립했으나 화재가 발생하여 위패를 봉안하지는 못했다. 1693년 유림에서 다시 발의하여 그의 묘역 아래에 서원을 건립하고 '송담서원'이라 했다. 대원군의 서원철폐령으로 훼철되었다가 1993년에 복원되었다. 정면 5칸, 측면 2칸의 팔작지붕 건물이다.

(신도비)

박성 신도비는 1700년(인조 18) 유림 75명이 모여 건립했다. 비문의 크기는 길이 220센티미터, 구판에서 비두까지 350센티미터, 폭 90센티미터이다.

송담서원 덕양문

송담서원

송담서원

박성 신도비

박성 신도비각

(박성의 이순신 참수 주장)

정유재란 발발 무렵인 1597년 고니시 유키나가는 요시라를 통해 거짓 정보를 조선 측에 흘려 이순신을 최대의 위기로 몰아넣었다. 고니시는 그의 병졸이자 이중첩자인 요시라(要時羅)를 경상우병사 김응서의 진영에 자주 드나들게 함으로써 경상도 조선군 수뇌부와의 연락망을 구축해놓고 있었다.

고니시는 요시라를 통해 김응서에게 일본에 가 있는 가토 기요마사가 다시 바다를 건너 조선으로 올 것이니 해전에 능한 조선 수군이 바다에서 기다리고 있다가 공격하면 가토를 제거할 수 있을 것이라고 했다.

고니시와 가토가 서로 경쟁관계에 있는 사이임을 아는 김응서는 이 사실을 조정에 고했고, 조정은 이를 믿었다. 조정에서는 수군을 이끌고 있는 이순신으로 하여금 가토를 공격하라고 했지만 고니시를 믿지 않은 이순신은 주저했다.

그러자 요시라가 다시 김응서에게 와 가토가 이미 조선에 상륙했다고 말하니 이 사실이 조정에 전해지고 조정대신들은 명을 거역한 이순신에게 대역죄를 물어야 한다고 성토하기 시작했다.

이때 현풍사람 박성은 이순신을 참수해야 한다는 내용의 상소를 올렸다.[36] 이에 선조 임금은 성균관 사성(司成) 남이신(南以信)을 한산도로 보내 사실관계를 파악하라고 지시했다.

남이신이 전라도에 들어가자 군사들과 백성들이 길을 막고 이순신의 억울함을 호소했다. 남이신은 현지에서 정황을 파악했지만 서울로 돌아와서는 조정에 사실대로 보고하지 않았다. 대신 가토 기요마사가 바다 섬에 7일이나 머물러 있을 때 조선 수군이 공격했더

36) 유성룡(이재호 옮김), 『징비록』(서울: 역사의 아침, 2007), 287쪽.

라면 제거할 수 있었을 것인데 이순신이 머뭇거려 기회를 놓쳤다고 보고했다.[37]

이순신은 체포되고 서울로 압송되어 투옥되었다. 선조 임금은 대신들로 하여금 이순신의 죄를 논하게 했다. 다수의 대신들은 이순신의 죄가 크다 했으나 유독 판중추부사 정탁(鄭琢)은 "이순신은 명장이니 죽여서는 안 되며, 군사상 기밀의 이롭고 해로운 것은 먼 곳에서는 미루어 헤아릴 수 없으니 그가 출전하지 않은 것은 반드시 무슨 짐작이 있었을 것이니 너그럽게 용서하여 훗날 공을 세울 수 있도록 해달라"는 요지의 청을 올렸다.[38]

선조 임금은 그에게 한 차례 고문을 가하게 한 후 사형을 면하고 관직을 삭탈했다. 백의종군하라는 명을 받은 이순신은 1597년 4월 1일 옥문을 나와 경상남도 합천에 있는 권율 도원수 진영을 향해 출발했다.

○ 대구시 달성군 구지면 구지서로 530-47

대구 예연서원

예연서원(禮淵書院)은 임진왜란 때 의병장으로 활동한 곽재우(郭再祐, 1552~1617)의 충절을 추모하기 위해 세운 서원이다.

곽재우는 임진왜란이 일어나자 의병을 조직하여 경상도 일대에서 활약하여 공을 세운 인물로 붉은 옷을 입은 장군이라는 뜻의 '홍의장군(紅衣將軍)'으로 널리 알려져 있다.

예연서원(안쪽에 경의당 현판이 보인다)

37) 유성룡, 앞의 책, 288쪽.

38) 유성룡, 앞의 책.

예연서원

사당 충현사

경내 건물로는 사당 충현사, 강당 경의당, 제물을 준비해두던 고사, 학생들의 숙소로 사용되던 동재와 서재가 있다. 사당에는 곽재우와 곽준의 위패를 모시고 있다. 강당은 지역 유림의 회합장소와 교육공간으로 사용하던 건물로 중앙에는 마루를 구성하고 양 옆으로 온돌방을 배치했다. 해마다 3월과 9월에 제사를 지낸다.

예연서원은 1618년(광해군 10) 임진왜란 때 선무원종공신 1등으로 서훈된 의병대장 충익공 곽재우의 위패를 봉안하기 위해 현풍면 대리(大里)에 사당 충현사를 건립한 것에서 비롯한다. 1674년(현종 15)에 당시 유천지 현감이 서원의 규모를 확장했다.

정유재란 때 안음현감(安陰縣監)으로 황석산성의 수성장(守城將)을 제수받고 최후를 마친 존재(存齋) 곽준(郭䞭)과 망우당 곽재우의 위패를 같이 봉안했는데 1677년(숙종 3)에 '예연서원'이라 사액되었다. 1715년(숙종 41) 현재의 위치로 이전했다.

예연서원은 흥선대원군의 서원철폐령으로 1868년(고종 5)에 폐쇄되고, 1950년 6・25전쟁 때 완전히 소실되었다.

1977년에는 소실된 강당과 삼문(三門)을, 1984년에는 사당을 복원하여 옛 모습을 찾아 오늘에 이르고 있다. 예연서원은 1995년 5월 12일 대구광역시 기념물 제11호로 지정되었다.

충익공 곽재우 신도비와 충렬공 곽준 신도비

비각

(곽재우 · 곽준 신도비)

곽재우 신도비와 곽준 신도비는 예연서원 입구에 있는 하나의 신도비각 안에 자리하고 있다. 충익공 곽재우 신도비는 1592년 임진왜란 때 의병을 일으켜 국난극복에 공을 세운 곽재우의 업적을 기록한 비석으로 1761년(영조 37) 이곳에 건립되었다.

충렬공 곽준 신도비는 1597년 정유재란 때 안음현감으로 재직하면서 황석산성을 사수하다가 순절한 곽준의 업적을 기록한 비이다.[39] 곽준 신도비는 1634년(인조 12) 4월에 현풍 대리(솔례마을)에 세웠는데, 1761년 곽재우 신도비를 이곳에 세우면서 옮겨왔다. 높이 2.5미터, 폭 40센티미터의 오석으로 간략한 양식의 귀부와 이수를 갖추고 있다.

곽준은 곽재우의 당숙으로 임진왜란이 일어나자 정인홍, 김면 등과 함께 의병을 일으켜 주로 합천, 거창 등지에서 일본군을 격퇴하여 공을 세웠다. 그는 왜란 당시의 공로가 인정되어 1594년 안음현감으로 임명되어 재직하던 중 1597년에 정유재란이 일어나자 황석산성을 지키다가 두 아들과 딸 등 가족과 함께 순절했다. 조정에서는 그에게 병조참의의 직위를 내리고, 나중에 '충렬'이라는 시호를 내렸다.

1950년 6 · 25 전쟁 때 신도비각이 소실되면서 신도비도 함께 전화를 입어 손상되었다. 손상된 신도비는 1957년 탁본, 집자 등을 통해 원형에 충실하게 복원되었다. 유림에서는 이때 비각을 재건했는데 그 비각마저 노후화하여 근년 신도비와 함께 서쪽으로 6미터 정도 옮겨 새로 지었다.

○ 대구시 달성군 유가면 구례길 123

대구 용호서원

1708년(숙종 34)에 건립된 용호서원(龍湖書院)은 도성유, 도여유, 도신수 3인의 신위를 모시고 있다. 정면 5칸, 측면 1칸 반의 팔작지붕이다. 치경당(致敬堂)뒤에 용호서원이 있다.

도성유(都聖兪)의 호는 양직당이다. 그는 임진왜란이 일어나자 스승 서사원을 따라 의병을 일으켰으며 군량을 모아 수송, 공급하는 일을 맡았다.

도여유(都汝兪)의 본관은 성주(星州), 호는 서재(鋤齋)이다. 도원결(都元結)의 아들이자 도

39) 황석산성은 경상남도 함양군 서하면 봉전리에 있는 삼국시대의 산성으로 1987년에 사적 제322호로 지정되었다. 소백산맥을 가로지르는 육십령으로 통하는 관방(關防)의 요새지에 축조된 산성이다.

성유의 종제이다. 한강(寒岡) 정구(鄭逑)의 문하에서 학문을 배웠다. 1623년(인조 2) 이괄의 난 때에는 손처눌과 함께 향병을 모집하여 난을 평정하는 데 공을 세웠으며, 병자호란 이후에는 세상과 단절한 채 산중에서 오로지 후학 양성에 힘을 쏟았다.

치경당 건립기념비와 용산서원

성주 도씨 재실 치경당

용호서원 유적비

도신수(都愼修, 1598~1650)는 도여유의 장남으로 호는 지암이다. 1626년(인조 4) 때 문과에 급제하여 영해부사를 역임하면서 많은 업적을 올려 왕으로부터 내구마를 하사받았다.

○ 대구시 달성군 다사읍 서재본4길 18-27

대구 우배선 창의유적비

1592년 임진왜란이 일어나자 24세의 나이에 대구에서 서사원 등과 의병을 규합하여 일본군 격퇴에 공을 세운 의병장 우배선(禹拜善, 1569~1621)의 정신과 공적을 추모하기 위해 그의 후손들이 1992년에 우배선 창의유적비(倡義遺跡碑)를 세웠다.

우배선은 1569년 2월 2일 당시 성주목 화원현(지금의 대구시 달서구 상인동)에서 출생했다. 우현보의 후손으로 본관은 단양, 호는 월곡이다.

생후 1년에 부모를 여의고 조모 영일 정씨의 슬하에 있다가 6세에 청도 외가로 가 취학했으며 16세에 월촌 본가로 돌아와 성장했다.

우배선은 임진왜란 당시 화원, 달성 등지에서 세운 공로로 김성일의 천거를 받아 예빈시 참봉에 기용되었다. 그 후 군기시 판관, 합천군수, 금산군수, 낙안군수를 역임했으며 1604년 선무원종공신 1등에 책봉되었다.

월곡역사공원 내에 있는 우배선 창의유적비는 오석으로 된 높이 303센티미터, 폭 106센티미터, 두께 76센티미터 규모의 비석이다.

(우배선의 의병활동)

우배선은 1592년 5월에 창의한 화원지역 의병장이다. 휘하의 의병이 100여 명 내외의 소규모 의병부대이나 그 구성원은 오장(伍將), 대장(隊將), 궁인(弓人), 시인(矢人), 야장(冶匠), 궁수(弓手), 창수(槍手), 포수(砲手), 산척(山尺) 등 다양했다.

의병활동은 주로 낙동강과 금호강 달천과 감물천, 비슬산과 최정산(지금의 대덕산)을 무대로 행해졌다. 그의 의병부대는 기습, 추격, 야작(夜斫), 미격(尾擊), 요격(腰擊) 등 유격전술을 동원하여 일본군을 타격했고 그 결과 '군공책'에 기록된 것처럼 1592년 10월부터 1593년 5월까지 사살 604명, 척살 110명이라는 전과를 거두었다.[40] 최정산전투 때에는 산정상에 100여 개의 아궁이를 만들어 불을 지펴 피난민이 많음을 가장하여 적을 유인해 섬멸했으며, 적의 우마(牛馬)와 군기(軍器)를 노획하기도 했다.

40) 우배선, 『창의유록』, 충의단보존회, 23쪽. 창의유록은 1804년에 참봉 우재악에 의해 만들어졌다.

월곡 우배선 장군상

의병장 우배선 창의유적비

열락당(우배선의 강학소)

최정산 전투 그림

월곡역사박물관

우배선의 통솔 지휘 아래 오장 대장과 같은 분대장, 소대장급의 중간 간부가 있고, 궁인・시인・야장과 같은 무기제조자, 사수・창수・포수와 같은 전투요원, 병참물자 조달자 그리고 기병과 보병이 있었다. 비슬산과 최정산을 무대로 전개한 산악전에는 산척이 동원되었으며, 낙동강이나 금호강을 끼고 접전하는 수상전에는 격군이나 사공이 활약했다.[41)]

41) 이수건, 「월곡 우배선의 임진왜란 의병활동: 그의 『창의유록』을 중심으로」, 우종묵 편(김홍영 국역), 『월곡 우배선선생의 생애와 의병활동』 (대구: 월곡선생창의기념사업회, 1994), 74쪽.

우배선의 생애

장군은 단양 우씨 판서공파 파조 우홍명의 제6대 종손으로 임진왜란이 일어나자 창의하여 생명과 재산을 돌보지 않고 의병을 모아 싸워 그때마다 승리했다. 이 소식을 들은 초유사 김성일은 그 공적을 찬양하여 조정에 표창해줄 것을 청원했고 선조 임금도 승전소식에 기뻐했다.

명나라 증원군 장수 이여송의 참모인 여응종은 그가 쓴 '조선기'에서 우배선은 24세의 약관 서생임에도 불구하고 싸울 때마다 이기고 많은 적을 무찔렀다고 했다.

우배선은 선무원종공신 1등으로 녹훈되었으며 그와 관련된 34건의 문헌은 보물 제1334호로 지정되었다.

장군은 합천 금산 및 낙안군수를 역임했으며 종2품 관직인 겸사복장을 봉직한 것을 끝으로 고향에 돌아와 정사를 세우고 후배 양성에 힘쓰다가 1621년 11월 20일 세상을 떠났다. 묘소는 경상북도 고령군 다사면 나정리 벌지마을 뒷산에 모셔져 있다.

(의병진 군공책)

단양 우씨 열락당 종중에서 관리하고 있는 유물 중에는 '화원 우배선 의병진 군공책(花園禹拜善義兵陣軍功册) 및 관련 자료'라는 것이 있는데 여기에는 우배선의 의병활동 자료인 군공책을 비롯하여 첩, 소지, 전령 등 12종 20건의 문서가 수록되어 있다.

'의병진 군공책'에는 우배선 휘하 의병 88명 전원의 신분과 전투 참가기록, 개인별 전과 등이 구체적으로 명시되어 있다. 일반 양민 출신뿐만 아니라 양반신분으로 추정되는 정로위 도언수부터 향리 석백, 보인(保人) 진오을미, 관노(官奴) 충수, 사노(私奴) 기총, 사노(寺奴) 백천수까지 등장하는 등 당시 양반, 중인, 양인, 노비 등 신분에 상관없이 의병활동에 참여했음을 알 수 있다.[42)]

우배선의 『창의유록』에 나타난 의병부대 구성원의 직역과 군공(軍功)은 다음과 같다. 1592년 개전부터 1593년 5월 13일까지의 전과를 기록한 것이다.

42) 김병륜, 〈국방일보〉 2006년 11월 29일자.

우배선 의병부대 소속 개인별 전과

직역	이름	군공(단위: 인수)				직역	이름	군공(단위: 인수)			
		참급	사살	작살	합계			참급	사살	작살	합계
의병장・가장	우배선	9	26	11	46	기관(記官, 鄕吏)	석백	-	21	1	22
정로위	도언수	5	15	10	30	〃	석기운	-	14	-	14
별시위	김암회	2	10	-	12	수(水軍)	김명원	-	2	-	2
〃	도덕웅	-	5	-	5	〃	손다음사리	-	5	-	5
〃	허몽수	4	14	2	20	〃	신수인	-	2	-	2
〃	허응성	1	12	3	16	〃	최관	-	6	-	6
〃	손경로	-	5	3	8	〃	장일천	-	4	1	5
〃	허진	1	3	3	7	〃	김말응덕	1	3	1	5
〃	갈덕부	-	12	-	12	〃	빙동	-	5	-	5
〃	전응로	-	5	-	5	〃	최어질개	1	6	-	7
〃	이운건	-	13	1	14	〃	반운세	1	3	-	4
〃	조억수	-	3	-	3	〃	강오을미	-	2	-	2
〃	박두무	3	2	2	7	〃	신은축	-	3	-	3
정병(正兵)	진애사	2	3	7	12	〃	조언심	-	3	-	3
〃	송학년	-	27	6	33	〃	박순경	-	3	3	6
〃	배연상	-	3	-	3	〃	김언몽	-	5	-	5
〃	진광인	1	9	-	10	〃	도세원	-	3	-	3
〃	김억수	-	4	-	4	〃	최금동	1	7	10	18
〃	장가미	-	5	-	5	〃	이명계	-	8	-	8
〃	이궁경	-	2	-	2	〃	김국세	-	14	-	14
〃	허응수	-	13	1	14	〃	장몽기	5	33	13	51
〃	박득	-	10	-	10	〃	김언몽	-	5	-	5
〃	송후복	-	3	-	3	〃	강하수	2	-	-	2
〃	조모로산	3	3	1	7	중군(中軍)	송호림	-	3	-	3
〃	전응내	-	2	-	2	보인(保人)	진오을미	3	-	4	7
〃	이언춘	-	3	-	3	〃	이득춘	-	3	-	3
〃	이희창	-	5	1	6	〃	조사충	1	4	2	7
〃	성란	-	6	-	6	〃	백운기	1	1	-	2
〃	이철매	3	9	2	14	〃	김희원	-	1	1	2
〃	손기	2	15	4	21	〃	박송	4	4	7	15
〃	손홍지	-	3	1	4	사노(私奴)	기총	-	18	3	21
〃	김순천	-	5	-	5	〃	근부	-	5	-	5
〃	김한○	-	2	-	2	〃	몽득	-	-	2	2
〃	김언경	-	5	1	6	〃	기수	-	3	-	3
〃	공덕	-	4	1	5	〃	광일	-	2	-	2
〃	허도랑	1	7	2	10	〃	문을이동	-	3	-	3
〃	허유문	-	4	-	4	〃	말질산	1	4	-	5
〃	서응기	-	20	3	23	〃	귀상	1	7	-	8
〃	허춘우	-	3	-	3	〃	원좌	-	5	-	5
〃	박응부	-	4	1	5	〃	언수	-	3	1	4

〃	서애산	-	3	-	3	사노(寺奴)	백천수	-	3	-	3
〃	허응부	-	4	-	4	관노(官奴)	충수	-	12	-	12
〃	송태수	-	2	-	2						
〃	도봉	-	1	-	1						
〃	도수부	3	17	2	22						
〃	손봉수	-	6	-	6						
〃	도부인	-	2	1	3						

출처: 이수건(1994), 72~73쪽.

위의 표에서 보는 것처럼 우배선의 전과는 참살 9건, 사살 26건, 작살 11건으로 총 46건이다. 적의 목을 벤 사례는 참급(斬級), 활로 쏘아 죽인 것은 사살(射殺), 도끼나 몽둥이 등의 무기를 이용한 것은 작살(斫殺)로 구분했다

우배선 휘하 의병 중 최고 전과를 거둔 사람은 장몽기로 그는 본래 바다에서 근무하는 수군병사였지만 지상군 의병진에 합류한 인물이다. 그는 참살 5건, 사살 33건, 작살 13건으로 전체 전과가 51건에 달한다. 전체적으로 보았을 때 사살이 압도적으로 많은 것은 의병의 주된 무기가 활이기 때문이다.

우배선의 의병활동

연도	내용
1592	5월 비슬산 장수동으로 피신한 후 50여 명을 모집하여 의병진 편성. 궁인, 야인, 철야장을 모집하여 산중 막사에서 병기제작. 의복과 군량준비. 5월 23일 화원현에 나가 격문을 인근지역에 배포하고 비슬산 밑에 진을 폄. 6월 비슬산 밑 요로에 매복해 있다가 일본군 수십 명 참살. 7월 낙동강 변에서 적을 추격하여 수십 명 참살·사살. 8월 원월산 밑에서 적과 접전하여 수십 명 사살하고 우마 노획. 9월 하빈현에서 초유사 김성일을 만나 화원현 가장(假將)에 임명되고, 합천·성주지역의 의병대장 정인홍의 지휘하에 들어감. 10월 5일 대구에서 매복. 10월 19일 화원현 조암·감물천에서 접전, 추격(도체찰사 강덕령과의 합동작전). 10월 23일 화원현 성평곡에서 적을 추격. 10월 의병 60여 명과 함께 심천사·달천 등지에서 접전. 이어 기병을 거느리고 하빈현, 마천현, 이천 뒷산, 북면, 서면 등지에서 접전. 다수의 의병 사상자 발생. 11월 4일 대구에서 적을 야작. 11월 5일 화원에서 적과 접전. 11월 6일 화원에서 적과 접전. 11월 9일 화원에서 적과 접전, 추격. 11월 22일 현풍현에서 적과 접전. 11월 23일 화원현 성평동에서 적을 대파. 11월 28일 대구에서 적을 야근. 12월 2일 송림리에서 매복. 12월 4일 대구에서 매복, 접전, 야근. 12월 10일 화원현 감물천에서 적과 접전. 12월 18일 대구에서 적을 추격, 야근. 12월 19일 화원현에서 적과 접전, 추격. 대구에서 야근. (12월의 전투는 대구에 주둔한 일본군이 화원현의 감물천·율지 등지의 민가에서 양곡, 취사도구 등 물품을 약탈하자 이를 추격하여 달성에서 격파하고 약탈해간 물품 탈환)
1593	1월 5일 오동원에서 매복, 접전. 1월 14일 화원현에서 적과 접전, 추격, 야근. 1월 중 순찰사영에 긴 화살과 군량 요청. 화원현에서 곽재우와 회동, 일본군 토벌 논의. 2월 10일 화원에서 적과 접전. 2월 10일 조모상을 당함. 의병활동 일시 중단. 휘하 별장으로 하여금 군사를 장악케 함. 2월 19일 화원현에서 적과 접전. 2월 21일 경상우도 감사, 우배선에게 명나라군의 남하에 대비하여 군량과 마초를 준비하라고 지시. 우배선, 파종을 위한 곡물 종자 요청. 2월 28일 대구에서 적을 추격, 야근. 3월 10일 화원현 월배에서 적을 추격. 3월 11일 화원현 조암에서 적과 대접전, 추격. 3월 14일 조암에서 접전. 3월 20일 화원, 대구에서 접전. 4월 14일 대구에서 적을 추격. 4월 23일 대구에서 적을 추격, 야근. 4월 중 김성일과 김면 등의 권유로 의병활동 재개. 감물천에서 적 대파. 달성에서 적 격파하고 대구향교에 주둔해 있던 적 축출. 향리인 월촌 앞에서 적 격파. 명나라군의 남하에 대비하여 최정산에서 마초를 베는 등 군량과 사료 준비. 5월 5일 대구에서 매복, 야근. 오동원에서 매복. 5월 11일 대구에서 적을 야근. 5월 13일 대구에서 적을 추격. 5월 28일 군자감정 겸 합천군수에 임명됨. 6월 중 제2차 진주성 전투에 참여하려 했으나 곽재우의 만류로 중지함

1595	7월 중 합천군수 부임
1597	9월 중 정유재란으로 일본군 침입. 관찰사 이용순, 의병장 권응수 등과 달성에서 적을 격파
1598	1월 중 성산에서 적 20명 참살. 2월 중 금호진에서 별장 도세원·김경언·이득춘 등과 적을 격파. 해인사로 가 명나라 장수 마귀·이여백 등을 만남. 10월 24일 명나라군 접제사 이충원·정경세 등이 명나라군 접제를 위한 군수품을 요청하자 이에 응함. 10월 중 성천유와 함께 후퇴하는 적을 강탄에서 격파

출처: 장동익(1994), 185~191쪽.

우배선이 남긴 의병진 군공책(4종류 15점)은 사료로서의 가치를 인정받아 2002년 1월 2일 보물 제1334호로 지정되었다.

성주화원 의병진 군공책

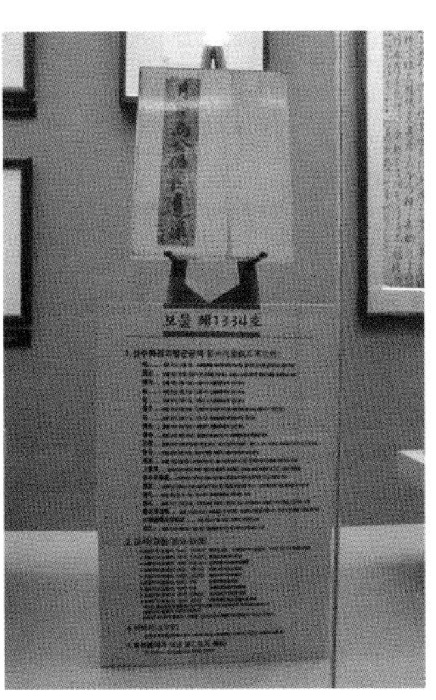

월곡 우공 창의유록
보물 제1334호

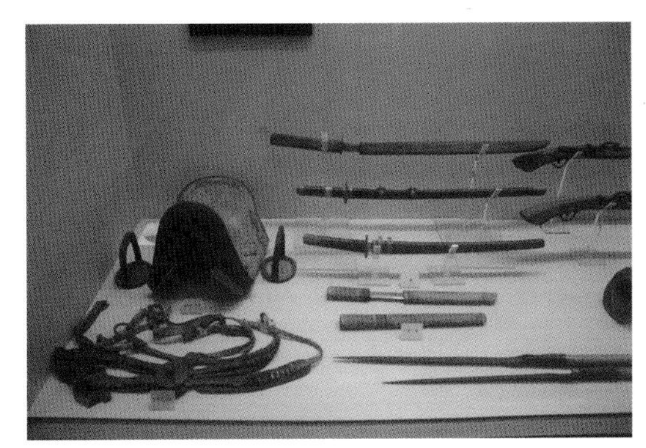

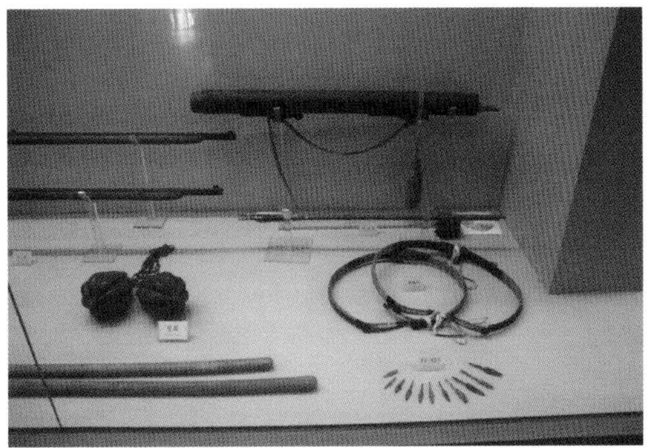

우배선이 사용한 무기

(월곡역사박물관)

월곡역사공원 내에 월곡역사박물관이 자리하고 있다. 박물관은 의병장 우배선의 공적을 추모하기 위해 우씨 종중에서 건립하여 2002년 5월에 개관했다.

1층 전시실 '농경시대 생활관'에는 우씨 문중에서 수집한 500여 점의 각종 생활용품과 농기구들이 전시되어 있다. 2층 전시실은 '월곡공자료실'과 '역대 선조 자료실', '장서실', '현대 자료실'로 나뉘어 있다. 특히 월곡공자료실에는 '성주화원우배선의병군공책', '창의유록' 등 귀중한 자료들이 전시되어 있다.

(낙동서원)

월곡역사박물관 바로 옆에 낙동서원(洛東書院)이 자리하고 있다. 낙동서원은 단양 우씨 판서공의 17대손인 우종식, 우종묵 형제가 사비로 건립하여 1965년 4월 28일 향내 유림에 헌납한 건물이다. 이곳에는 임진왜란 당시 의병장으로 활약한 우배선 외에 네 분(우탁, 우현, 우길생, 우현보)의 위패를 모시고 있다. 매년 4월에 제례를 봉행하며 단양 우씨 월촌 종중에서 관리하고 있다.

낙동서원 전경

낙동서원

○ 대구시 달서구 송현로 7길 38 월곡역사공원 경내

대구 임란호국 영남충의단

1998년 4월 21일 영남지역 의병의 후손들이 뜻을 모아 '충의단건립추진위원회'를 결성하여 이곳 망우당공원에 '임란호국 영남충의단'을 창건했다. 영남충의단에는 곽재우, 김면, 서사원, 정세아, 정대임 등 영남의병 315위의 영령을 봉안하고 그들의 충절을 기리고 있다.[43]

영남충의단은 금호강이 흐르는 언덕 위에 있으며, 멀리 팔공산의 봉우리를 바라보고 있다. 충의단 내에는 망우당기념관, 곽재우 장군 동상 등이 있다. 2006년에는 충의단 전시관(임란의병관)을 개관하여 역사교육의 공간으로 활용하고 있다.

망우당기념관

곽재우 선생상

충의단 전시관(임란의병관)

43) 임란호국영남충의단보존회, 『임진왜란과 영남의병』(대구, 2009), 28쪽.

임란호국 영남충의단

곽재우가 처음 의병을 일으킨 날은 1592z 년 4월 22일이다. 양력으로는 6월 1일이다.

의병활동의 역사적 의미를 선양하고 국가가 위기에 처해 있을 때 분연히 창의한 숭고한 의병정신을 계승한다는 차원에서 정부는 6월 1일을 '호국의병의 날'로 지정했다.

○ 대구시 동구 효목동 산 234-35 망우당공원

곽재우 유품

대구 현풍 곽씨 십이정려각

정려각은 충신, 효자, 열녀 등을 기리고자 정문(旌門)을 세우고 표창하기 위해 건립한 상징적인 건물이다. 그 내부에 정려비나 현판처럼 만든 정려기(旌閭記)를 모신다.

현풍 곽씨 십이정려각(玄風郭氏十二旌閭閣)은 유교 도덕의 기본이 되는 삼강(三綱)을 지킨 곽씨 집안 12인을 기리는 정려비이다. 정려각에는 1598년(선조 31)부터 영조 임금(재위 1724~1776) 때까지 곽씨 일문에 포상된 12인의 정려가 모셔져 있다.

정려가 내릴 때마다 정려각을 세우던 것을 1725년 이후 이들 정려를 현재의 자리에 모아 세웠다. 정려각 안에는 2개의 비석과 12개의 현판이 있다. 건물과 현판은 최근의 것이나 정려각 자체는 그 유례가 흔치 않은 문화유산이다. 건물은 정면 12칸, 옆면 2칸 규모이며 지붕은 팔작지붕이다.

6·25전쟁 때 건물 일부와 비석 1기가 파괴되었는데 1963년에 이를 복원했다. 십이정려각은 1995년 5월 12일 대구광역시 문화재자료 제29호로 지정되었다.

하나의 가문에서 12명의 포상자가 나왔다는 것은 흔치 않은 일인데 정려를 받게 된 사유는 다음과 같다.

현풍 곽씨 12정려

12정려

충신 곽준 정려

일문삼강

○ 임진왜란 때 안음현감 곽준이 황석산성에서 두 아들 곽이상, 곽이후와 함께 전사하자 그의 며느리와 출가한 딸이 남편을 따라 자결하였기에 선조 임금이 정려했다. 곽준의 딸은 유문호와 결혼했는데, 남편이 일본군에게 사로잡히자 이미 성 밖에 나와 있던 그 딸은 그 소식을 듣고 목메어 자결했다(5인).

포산 곽씨 삼강행실도

숭모비와 행적비

○ 곽재훈(郭再勳)의 아들 4형제가 임진왜란 때 비슬산 자락의 사효자굴에서 병환 중에 있는 아버지를 일본군으로부터 죽음으로 지켜드렸기에 선조 임금이 정려했다. 곽결, 곽청, 곽형, 곽호 4형제가 효자사공(孝子四公)으로 정려되었다(4인).

○ 곽재기(郭再祺)의 부인 광주 이씨(廣州李氏)는 임진왜란 때 일본군에 쫓기게 되자 순결을 지키기 위해 물에 투신, 자결했기에 선조 임금이 정려했다(1인).

○ 곽홍원(郭弘垣)의 부인 밀양 박씨는 강도가 들어와 남편을 해치려 하자 죽음으로써 남편을 보호하였기에 현종 임금이 정려했다(1인).

○ 곽수영의 부인 안동 권씨는 결혼 후 1년이 채 되지 않은 시점에서 남편이 지병으로 인하여 위독하게 되자 자신이 대신 죽기를 원했으나, 남편이 사망하자 식음을 전폐하고 따라 죽었다. 현종 임금이 정려했다(1인).

○ 대구시 달성군 현풍면 지동길 3

대구 환성정

환성정(喚惺亭)은 임진왜란 때 대구지방에서 의병장으로 활약한 태암(苔岩) 이주(李輈, 1556~?)가 지은 정각이다. 이 건물은 왜란 전인 1582년에 대구의 북쪽 금호강가에 건립된 것이나 임진왜란 때 소실되었다. 왜란 평정 후에 이주가 중건하여 강학했으나 그가 타계한 후에는 일정기간 유지되다가 세월을 이기지 못하고 무너져 내렸다. 정면 3칸, 측면 2칸의 홑처마 건물이다.

환성정(왼쪽)과 서계서원

환성정기

환성정 현판

서계서원

이주는 정경세 등과 교유하고 성리학을 연구하던 문인이다. 임진왜란이 일어나자 서사원과 함께 의병모집, 군량조달 등의 업무를 맡았으며, 초유사 김성일의 휘하에서 소모관(召募官)으로 일했다. 이주는 체찰사 이덕형의 추천으로 조정의 부름을 받았으나 이를 사양하고 향리에 묻혀 학문에 전념했다. 1902년 이주의 9대손인 이억상이 환성정을 중수했다.

(대구지역 전투)

대구지역 의병장 서사원은 1592년 7월 초집향병문(招集鄕兵文)을 지어 의병을 모집하는 한편 쌀, 콩 등 곡물을 조달하여 청도의 예산성(禮山城)에 군량을 보급했다.

서사원은 그해 8월 29일 팔공산에 피난 중이던 조모가 타계하자 주상(主喪)이 되어야 하는 몸이라 손처눌에게 의병대장을 승계한 후 상을 치뤘다. 의병들은 각자 맡은 지역에서 전투를 벌였는데 9월 12일 달지리장(達只里將) 서득겸이 낙동강 변 아금암에서 일본군과 싸우다 전사했다.

1593년 2월 19일 손처눌이 부친상을 당하여 이주가 다시 의병대장을 승계했다. 2년 후인 1595년 2월, 이주가 부친상을 당하여 서재겸, 홍한, 손처약, 박충윤, 최인, 최동보, 채봉

연, 채선수 등이 의병활동을 계승했다.

팔공산은 임진왜란 때 각지의 여러 의병들이 모여들어 창의한 곳이다. 1592년 대구지역 향병 결성은 물론 1593년에 86명의 공산(公山) 의진군(義陣軍)이 좌부(左部), 우부(右部), 전부(前部), 후부(後部), 동부(東部), 남부(南部), 유진(留陣) 지휘부로 편성되어 일본군과 전투를 벌였다. 1596년과 1597년에도 의병장들이 팔공산에 모여 일본군 토벌을 결의했다(팔공산회맹).

창의한 인사로는 서사원・정사철・최인・손처눌・채선수・이종문・채몽연・최계・곽재겸・박충후・이주・유요신・손처약・최동보・박충윤・홍간・정여강(이상 대구), 이준(상주), 권응수(신녕), 손계양(밀양), 조경・정사진・정세아(이상 영천), 곽재우(현풍), 황경림・김처(하양), 박형(청도), 최현(선산), 권사악・이의찬・권응생・이응벽・김응하・이계수・이세호・최해남・이눌・김응택・최문병(이상 경주), 이함・백인경(영해), 조형도(청송), 김천목・김현룡(영일), 김흡(울산), 권사민・박협・권흡・권우직・박태회・유복기・유득잠(이상 안동), 강극유・이대임・신경일(이상 경기) 등이 있다.[44]

○ 대구시 북구 호국로 51길 45-17

44) 『대구시사』 참조

8. 문경

문경 모산굴

모산굴(茅山窟)은 문경시 가은읍 성저리 마을의 북쪽 뒷산인 모산에 위치하고 있는 동굴이다.

모산굴은 노년기에 속하는 석회암으로 형성된 자연동굴이다. 동굴 내부는 높이 5~7미터, 폭 5~15미터, 전체길이 170미터 정도로 비교적 넓은 편에 속한다.

이 굴은 옛날부터 신성한 곳으로 간주되어 마을 사람들이 소원을 비는 장소였다. 임진왜란(1592) 때는 마을 사람들이 난을 피해 숨었는데 굴 밖에 아기 기저귀가 널려 있는 것을 본 일본군이 굴 안에 고추 태운 연기를 들여보내 사람들을 질식시켜 죽였다. 이들의 원한을 위로하기 위해 해마다 정월 대보름에 흥겨운 농악과 함께 별신제를 지냈는데, 별신제 행사는 6·25전쟁을 겪으면서 사라졌다고 한다.

모산굴

굴 입구

소재지 주소를 찾아가면 굴까지의 접근 경로를 알려주는 안내판이 없기 때문에 약간 낮은 곳에 위치한 흰색 벽면에 주황색 지붕을 한 단층건물을 찾는 것이 빠른 길이다. 모산굴은 그 건물을 약 100미터 정도 지나가면 왼쪽 언덕에 있다. 모산굴은 1979년 12월 18일 경상북도 기념물 제27호로 지정되었다.

○ 경상북도 문경시 가은읍 성저리 산 66-2

문경 문경관문

영남지방과 서울 간의 관문이자 군사적 요새지인 문경관문(聞慶關門)은 고려시대 초기부터 '조령(鳥嶺)'이라 불리면서 수도 서울로 가는 중요한 교통로로 이용되었다.

1592년 임진왜란 때 상주에서 이일 장군이 이끄는 조선군을 격파하고 북상해온 일본군 제1군은 문경으로 향했다. 일본군이 서울로 가려면 조령, 죽령, 추풍령 세 곳 중 한 곳을 지나야 했는데 제1군은 조령, 즉 문경새재를 택했다.

한편 경주에서 북상해온 일본군 제2군은 이곳에서 제1군과 합류했다. 군사적으로 중요한 지점인 이곳 문경관문에서 합류한 고니시 부대(제1군)와 가토 부대(제2군)는 모두 이 관문을 거쳐 조령을 넘어 충주로 진격했다.

신립 장군은 당시 조정의 기대와는 다르게 조령에서 일본군을 막지 않고 주력부대를 충주 탄금대로 후진 배치하여 일본군에 맞서 싸우다가 참패했다.

그 후 조정에서는 조령의 중요성을 인식하게 되어 관문 설치를 논의했으나 결론을 내리지는 못했다. 1593년 12월 영의정 유성룡이 조령에 관문을 설치할 것을 다시 주장하니 임금도 조령 설관의 필요성을 절감하게 되었다.[45]

유성룡은 충주사람 신충원(辛忠元)으로부터 조령의 지세와 설관 및 설관 후의 파수 계책에 관한 설명을 듣고 1594년 2월에 임금에게 보고했다. 임금의 윤허를 받은 신충원은 곧 사람을 모아 축성을 시작했는데 이때가 1594년 10월의 일이다.

신충원이 조령에 성을 쌓고 난 후 죽령에도 축성하면 좋을 것이라는 상계가 있었으나 물자가 부족하여 공사를 시작하지는 못했다.

신충원은 훈련원 주부로 승진하고 조령은 중요 관방으로 인식되었다. 이곳의 군사적 중요성이 재확인되어 조정은 관방시설 설치를 서둘렀으나 임진왜란이 종결된 후라 조령 방어에 대한 관심이 적어지면서 공사의 진척은 더딜 수밖에 없었다.

문경관문 안내도

45) 『문경새재』(문경새재관리사무소).

제1관문 주흘관

문경에서 충주로 통하는 제1관문을 주흘관, 제2관문을 조곡관 혹은 조동관(鳥東關), 제3관문을 조령관이라고 부른다.

조정에서는 임진왜란 당시 조령에서의 실책을 크게 후회하고 조령에 대대적으로 관문을 설치할 것을 논의하다가 왜란이 종료된 지 근 110년이 경과한 1708년(숙종 34)에야 3개의 관문을 완성할 수 있었는데 그것이 제1관문, 제2관문, 제3관문 및 부속 성벽이다. 제1관문, 제2관문, 제3관문 및 부속 성벽은 1966년 3월 22일 사적 제147호로 지정되었다.

(제1관문)

제1관문인 주흘관은 성벽에 홍예문, 총안(銃眼)이 있는 성가퀴를 설치했고, 관문 앞면에는 주흘관(主屹關), 뒷면에는 영남제일관(嶺南第一關)이라는 현판을 걸었다. 주흘관은 여러 차례의 보수공사로 옛 모습을 유지하고 있다. 주흘관 앞에는 작은 다리 관문교(關門橋)가 놓여 있다.

(제2관문)

임진왜란 발발 이듬해인 1593년 6월, 조정에서는 이곳에 관문을 설치하자는 논의가 있었으나 전란 중의 어려운 재정형편과 조정내부의 논란으로 설치가 지연되다가 그 이듬해에 조곡관에 관문을 설치하게 되었다.

1594년 신충원이 파수관(把守官)으로 임명되어 응암 근처에 일자성(一字城)을 축조했는데 이 성이 지금의 조곡관이다. 조곡관은 세 개의 관문 중 가장 먼저 설치되었지만 명칭상으로는 제2관문이 된다.

제2관문 조곡관 앞의 다리 조곡교

조곡관

조곡관 뒷면

1708년에 조령산성을 쌓을 때 옛 성을 고쳐 쌓고, 중성(中城)을 삼아 이 관문을 조곡관이라 했다. 현재의 시설은 그 후 폐허가 된 것을 복원한 것이다. 조곡관 뒷면에는 영남제이관(嶺南第二關)이라는 현판이 걸려 있다.

(제3관문)

1708년에 제2관문을 중창하고 이보다 남쪽에 있는 주흘관에 제1관문을, 또 북쪽에 위치한 조령관에 제3관문을 축조했다. 조령관은 고개 정상에 위치하고 있는데 이곳은 충청도와 경상도의 경계를 이루는 지점이다.

제2관문과 제3관문은 성곽만 남은 채 홍예문이 불에 타버린 것을 1974년에 공사를 시작하여 1977년에 복원했다. 조령관 뒷면에는 영남제삼관(嶺南第三關)이라는 현판이 걸려 있다.

제3관문 조령관

제1관문과 제2관문 사이에 위치하는 조령원은 공무로 출장하는 관리들에게 숙식 편의를 제공하던 공익시설이다

조령원(鳥嶺院) 입구

관문 명칭 및 설치		
명칭	설치 연도	복원 연도
제2관문(조곡관)	1594년 신설, 1708년 중창	1974~1977
제1관문(주흘관)	1708년 신설	1974~1977
제3관문(조령관)	1708년 신설	1974~1977

(문경관문 이진 터)

문경관문이 군사적으로 중요했던 만큼 군사들이 주둔했던 흔적을 볼 수 있다. 제1관문과 제2관문 사이에 '이진(二陣) 터'가 있고 제3관문 옆에는 '군막 터'가 있다.

1592년 고니시 유키나가가 군사를 이끌고 문경새재를 넘기 전에 먼저 진안리에서 진을 치고 숨고르기를 하고 있었다. 그가 천혜의 요새인 새재를 정탐할 때 선조 임금의 명을 받은 신립 장군이 농민 모병군(募兵軍)을 이끌고 일본군과 대치하고자 제1진을 지금의 제1관문 부근에 배치하고, 제2진의 본부를 이곳에 설치했다. 제2진이 진을 쳤던 곳이라 하여 '이진 터'라고 한다.

그러나 신립은 문경새재에서 일본군을 막자는 김여물 부장 등 부하들의 건의를 무시했다. 대신 이곳 조령산 능선에 허수아비를 세워 초병으로 위장하고 충주 탄금대로 이동하여 배수진을 쳤다.

한편 이곳에 있던 허수아비 조선군 머리 위에 까마귀가 앉아 울고 가는 것을 본 일본군은 조선군이 이곳에 매복하고 있지 않음을 알게 되었고 확인 결과 조선군이 보이지 않으므로 저항 없이 새재를 넘어 충주로 진군할 수 있었다.

이진 터

이진 터

○ 경상북도 문경시 문경읍 상초리 555

문경 신길원 현감 충렬비

신길원(申吉元, 1548~1592)은 사헌부 지평을 지낸 신국량의 아들로 45세에 사마시에 급제하여 진사가 된 후에 태학의 추천으로 참봉을 거쳐 1590년에 문경현감이 되었다.

그가 문경현감으로 재직 중에 임진왜란이 일어나 고니시 유키나가가 이끄는 일본군 제1군이 1592년 4월 27일 상주를 거쳐 문경으로 공격해오자, 그는 관군 수십 명을 거느리고 항거하다가 부상을 입고 포로가 되었다. 일본군 장수가 그에게 항복을 권유했으나 신길원은 굴복하지 않고 꾸짖으며 항거하다가 사지를 절단당하여 순절했다.

조정에서는 신길원에게 좌승지를 증직하여 그의 충렬을 기렸으며 1706년(숙종 32) 3월 충렬비를 세워 충절을 표창했다. 또한 '삼강행실록'에 그 충절을 실어 널리 선양토록 했다.

원래 이 비는 문경읍내 문경초등학교 옆에 있던 것을 1976년에 문경 제1관문 안의 비석군(碑石群)으로 옮겼다가 1981년 문경 유림의 진정에 의해 다시 이곳으로 옮겼다.

충렬비각

충렬비

현감 신길원 충렬비

충신은 반드시 효자 집안에서 구한다더니 신길원(申吉元) 현감의 경우가 바로 그 좋은 예이다. 공은 어려서 이미 효성이 지극하여 자기 손가락을 자른 피를 약에 섞어 어머니를 연명케 하였고 열네 살에 아버지 상을 당하여 슬피 울며 삼년상을 마치니 보는 이가 눈물을 흘리었다. 이러한 효행이 알려져 선조(宣祖)가 효자 정문을 세우도록 명하였다.

병자년에 사마시에 합격한 뒤 태학의 추천으로 참봉 벼슬 등을 거쳐 문경현감이 되어 백성을 정성으로 다스리고 항상 성리학의 책을 읽어 규범으로 삼았다.

임진왜란이 일어나 문경으로 왜적이 다가오자 모두 형세 불리함을 들어 피하기를 권하였으나 공은 소리 높여 말하되 내가 맡은 고을이 곧 내가 죽을 곳인데 어찌 피하리오 하고 적은 군사를 독려하더니 적병이 이르자 달아나지 않은 이가 없고 홀로 종 하나만이 가지 않고 있거늘 의관을 바로 하고 관인을 차고 앉으니 적병이 칼을 빼어 들고 속히 항복하여 길을 가리키라고 협박하였다.

공은 손을 들어 목을 가리키며 내가 너를 동강내어 죽이지 못함을 한탄하니 빨리 죽여서 나를 더럽히지 말라 하니 적병이 성내어 먼저 한 팔을 자르고 계속 위협하였으나 공은 얼굴빛도 바꾸지 않은 채 꾸짖기를 마지않으니 마침내 살을 발라내는 모진 죽음을 당하였다. 때는 4월 27일이요, 나이는 마흔다섯이었다.

사람이란 조그마한 이해가 있어도 지킬 바를 바꾸지 않는 이가 드물거늘 하물며 시퍼런 칼날 밑에서이랴. 공이야말로 충렬의 선비이다. 좌승지로 추증된 공의 자는 경초(慶初)요, 본관은 평산(平山)인데 장절공 숭겸(壯節公崇謙)의 후예이며 아버지는 사헌부 지평 국량(國樑)이다.

원비 조선 숙종 32년(1706)
글 전 사간원 정언 채팽윤(蔡彭胤) 글씨 전 성균관 전적 남도익(南圖翼)
1982년 3월 일
김영하(金英夏) 요역 이상복(李相馥) 씀

비는 사각 받침돌 위에 비 몸을 세우고 지붕돌을 올린 모습이다. 비신은 높이 190센티미터, 너비 89센티미터, 두께 27센티미터이다. 비신의 정면에는 해서체로 '현감 신후길원 충렬비(縣監申侯吉元忠烈碑)'라고 새겨져 있고, 뒷면에는 작은 글자로 행장이 기록되어 있다. 비문은 1692년에 정언 채팽윤이 짓고 글씨는 성균 전적 남도익이 썼다.

현감 충렬비는 문경새재 관리사무소 옆에 있으며, 현재는 보호각을 세워 비석을 보존하고 있다. 현감 충렬비는 1981년 4월 25일 경상북도 유형문화재 제145호로 지정되었다.

제1관문에서 오른쪽 주흘산 방향으로 1.2킬로미터 되는 지점(문경향교 부근)에 신길원 현감의 충절을 기리는 사당 충렬사가 있다. 충렬사는 1826년(순조 26)에 현감 홍노연과 유림이 문경읍 교촌리에 소재하는 문경향교 앞에 건립했다. 1857년과 1981년에 중수했으며 1999년에 현재의 위치인 문경향교 앞으로 옮겨지었다.

○ 경상북도 문경시 문경읍 상초리 340-1

9. 봉화

봉화 두릉서당

두릉서당(杜稜書堂)은 퇴계 이황 문하에서 수학한 물암(勿巖) 김륭(金隆, 1549~1594)이 강학 공간으로 삼기 위해 1569년(선조 2)에 건립했다. 서당현판은 퇴계 이황의 친필이다.

김륭은 임진왜란이 일어나자 이곳에서 상주(喪主)의 몸으로 의병을 일으키기 위한 격문을 지었으며, 체찰사 유성룡에게 일본군을 토벌하고 백성을 구할 방책을 건의하기도 했다. 1592년에 집현전 참봉, 1651년에 통정대부, 승정원 좌승지를 지냈다.

두릉서당은 1991년 11월 23일 경상북도 문화재자료 제253호로 지정되었다.

두릉서당

○ 경상북도 봉화군 봉화읍 두릉골길 171

봉화 류종개 충신각

봉화군 소천면과 법전면의 경계에 있는 화장산 주변은 임진왜란 때 지역의 청년들과 일본군 간에 일대 혈전이 전개되었던 곳이다.

성균관 전적으로 있다가 부친상을 당하여 상운면 문촌에 와 있던 류종개(柳宗介, 1558~1592)는 일본군이 부산 상륙 20일 만에 서울을 점령하고 40일 만에 평양성을 함락하는 등 파죽지세로 나라를 유린하는 것을 보고 김중청과 힘을 합쳐 의병을 모집했다.

6백 명의 의병이 모인 후 창의대장 류종개, 부장 임흘, 참모 김인상·윤흠신·윤흠도를 결정하고 무장을 갖춘 후 훈련을 하면서 때를 기다리고 있었다.

가토 기요마사가 이끄는 일본군 제2군은 1592년 평안도와 함경도를 유린했다. 그리고 그의 부하 모리 요시나리는 3천 명의 병사를 이끌고 남하하여 강원도 삼척을 점령했다.

삼척에 주둔하던 모리 요시나리 휘하의 일본군 3천여 명이 봉화를 거쳐 안동을 향해 진격할 것이라는 첩보를 입수한 류종개는 적이 통과할 소천면 화장산의 전피현(前皮峴, 현재의 노루재)에 의병 6백 명을 매복시켰다.

1592년 7월 26일 일본군 선발대가 이곳을 통과할 때 의병들이 일제히 공격하여 적을 사살했으나 이틀 후 일본군 본진을 만나 의병들은 거의 전멸했다.[46] 이때 류종개는 적에게 사로잡혔다. 일본군 병사들은 칼날을 세워 머리끝 정수리부터 하나하나 살가죽을 벗겼다. 흐르는 피가 몸을 적시고 땅바닥에 떨어져 고였고 류종개는 사망했다.

충신각

옆에서 본 충신각

46) 법전면 어지리에는 일본군의 목을 벤 곳이라 하여 '목비골', 일본군의 목을 나무에 달았던 곳이라 하여 '달래골'이라는 지명이 있다.

류종개지려

상운면 분촌 주민들은 전사한 류종개의 장사를 의관장(衣冠葬)으로 지냈다. 조정에서는 류종개에게 예조참의의 관직을 추서하고 그의 고향에 정려각을 내렸다. 그리고 6백 의사의 넋을 위로하고 성역을 지키기 위해 이 화장산에 감관(監官) 1인과 산지기 2명을 배치했으며 이들이 사용할 토지도 함께 하사했다.

1703년(숙종 29) 봉화 현감 박태적이 류종개의 후손이 없어 묘가 황폐화되자 자신의 봉급으로 비석을 세웠다. 상운면 문촌리 마장평(馬場坪)에 있는 류종개 장군의 묘소에 비를 건립하고 충신각을 보수했다.[47] 의병장 류종개의 위패는 봉화 문계서원(文溪書院)에 배향되었으며, 봉화 경현사우(景賢祠宇)에 제향되었다.

○ 경상북도 봉화군 상운면 문촌리

봉화 쌍절려

쌍절려(雙節閭)는 임진왜란이 일어나자 의병을 일으켜 일본군과 싸우다 젊은 나이에 전사한 의병 배인길(裵寅吉, 1571~1592)과 그 비보를 듣고 자결한 부인 월성 이씨(月城李氏)의 충렬을 기리기 위해 1817년(순조 17)에 나라에서 내려준 한 쌍의 정려문이다.

정려(旌閭)란 나라에서 충신, 효자, 열녀를 표창하여 그들이 거주하던 마을에 세워 주는

47) 『안동시사』(안동시사편찬위원회, 1999); 디지털안동문화대전(http://andong.grandculture.net/).

문을 말하는데, 배인길은 충신, 월성 이씨 부인은 열녀로서 표창을 받아 정려가 세워졌다.

배인길은 어려서부터 학문과 무예를 익혔다. 그의 나이 22세 때 임진왜란이 일어나자 당시 예안현감 신지제의 휘하로 들어가 예천 용궁전투에 참전했다가 전사했다. 이 소식을 들은 그의 부인은 흰 수건에 혈서로 '군신의혜기중(君臣義兮旣重)' 하니 '부부은혜환경(夫婦恩兮環輕)'이라 쓰고 목을 매어 자결했다.[48] 나라에서는 이들 부부를 '충신열녀'로 정하여 쌍절려를 건립했다.

이곳에는 1817년 그들의 충렬을 인정하여 나라에서 내린 '쌍정교지'와 '상량문', 참판을 지낸 김희주가 쓴 글과 정려기 등이 남아 있다. 쌍절려는 2000년 4월 10일 경상북도 문화재자료 제386호로 지정되었다.

쌍절려

충신 배인길 및 열녀 월성 이씨지려

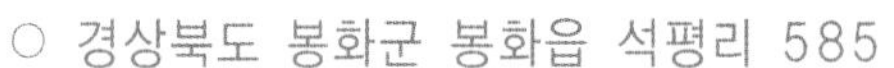

○ 경상북도 봉화군 봉화읍 석평리 585

48) 봉화군청 자료(http://culture.bonghwa.go.kr/).

봉화 임란의병 전적지

봉화군 소천면 화장산 일대의 임란의병 전적지는 창의대장 류종개가 이끄는 의병 600여 명이 강원도 일대를 유린하고 이곳 화장산 노루재를 거쳐 영남내륙으로 침투하려는 일본군 선발대를 살상하는 전과를 올렸으나, 곧이어 조총 등 신식무기로 무장한 일본군 본대를 맞아 혈투 끝에 전원이 산화한 곳으로 의병장 류종개와 의병들의 넋을 추모하기 위해 조성된 호국의 공간이다.

활, 창, 칼, 도끼 등 재래식 무기로 무장한 의병군은 1592년 7월 26일 일본군 선발대를 상대로 한 첫 전투에서 승리했으나, 이틀 후 전열을 정비하고 재차 공격해온 일본군 3천여 명에 맞서 여러 골짜기와 산봉우리에서 피비린내 나는 백병전을 전개했으나 역부족으로 참패했다.

봉화 임진왜란 의병전적 기념비

봉화는 임진왜란이 일어나자 의병들이 구국의 일념으로 감연히 결집하여 생사를 돌보지 않고 맨주먹으로 왜적에 항거하며 일대 격전을 벌인 유서 깊은 곳이다.

임진 1592년에 왜구들이 우리 강토를 무단으로 침략하여 도성이 함락되고 나라가 존망의 위기에 놓이게 되었다. 당시 류종개(柳宗介), 임흘(任屹), 김인상(金麟祥), 윤흠신(尹欽信), 윤흠노(尹欽道), 권경(權檠), 금은(琴檼), 김중청(金中淸), 권현수(權賢秀) 등은 뜻을 모아 구국의 기치를 높이 들고 의병 수백 명을 모았다. 성균관 전적이었던 류종개를 창의대장으로 추대하고 봉화의병부대를 편성 왜적 토벌에 나섰다.

임진년 7월 26일 봉화 의병들은 삼척 울진에서 이 화장산을 넘어 안동 내륙으로 가려던 왜장 삼길성(森吉成)의 선발대를 이곳 노루재와 살피재에서 매복기습작전으로 서전을 통쾌하게 승리하고 소와 말 깃발 등을 빼앗는 전과를 올렸다. 그러나 이틀 후 왜적의 본대 3천여 명을 맞아 중과부적으로 끝까지 결사 항전하였으나 수백여 의사들이 장렬히 전사하였다. 대장 류종개는 왜적에게 생포되어 간악한 왜군들이 칼날을 세워 정수리에서부터 발끝까지 살가죽을 벗기는 고문에도 끝내 굴하지 않고 적장을 꾸짖으며 숨을 거두었다. 비록 수차례의 혈전에서 의병들이 거의 옥쇄의 비운을 맞았으나 적군 또한 대다수 살상된 후환이 두려워 내성 안동으로는 진군을 포기하고 울진, 영덕 방면으로 패주하니 안동은 다행히 왜적 불답(不踏)의 안전지역으로 보호되었음은 의사들의 고귀한 희생의 덕이라 할 수 있다.

아! 그 장한 기개와 거룩한 의지로 고군분투하다 끝내 승첩치 못하고 산화하시어 살신성인으로 위국충절을 바쳤으니 그 장렬함에 어찌 숙연 통한치 않으리오. 그 시신조차도 수습치 못하여 산록에 머무른 구름도 계곡에 흐르는 물조차도 오열하는 듯 심산궁곡에 한을 남긴 영령들이 되었도다.

그 후 조정에서는 이 아름다운 순국충절을 기리어 류종개 대장에게는 통정대부 예조참의를 증직하고 김인상, 윤흠신, 윤흠도와 함께 정려를 내렸으며, 금은은 공조참의를 증직해서 그들의 공을 기렸다. 또 이 전적지를 관리하기 위하여 감관 1인, 산직 2인을 두어 고종 36년(1899)까지 지켜왔었다.

류종개는 상운면 문촌리 문계서원에 제향하였으며 충신각을 보존하고 있다. 일제시대에 말살된 민족정기를 되살리고 충효사상을 고취함과 아울러 선열들의 넋을 위안하고 애국충정을 영원한 사표로 추모하여 봉화군과 봉화문화원이 1985년에 노루재 일대를 정화하여 중턱에 기념비를 세우고 북두칠성 모형의 적석칠봉을 쌓고 해마다 추모제를 올렸으나 2006년부터 전적지 성역화 사업으로 의총, 기념비, 사당, 기념관을 만들어 후대까지 그 숭고하고 고귀한 뜻을 국민의 가슴속에 영원히 기리게 되리라.

단기 4343년 경인 서기 2010년
진성 이창경 삼가 짓고, 풍산 류영환 삼가 쓰고
봉화군민과 유족의 뜻을 모아 봉화군수 세움

류종개를 비롯한 6백여 명의 의병은 전원 전사했고 소천전투에서 1,600여 명의 병력을 손실한 일본군은 봉화, 안동 방면으로의 진군을 포기하고 울진, 영덕 방면으로 철수했다.

임란 의병 전적지 전경

사적비

안내도(① 의총 ② 사당)

사당 충렬사

전시관

의총

성역화 사업은 2006년부터 4년간에 걸쳐 추진했으며 사당, 전시관 등 모두 7동의 건물과 의총, 사적비 등 부대시설로 구성되어 있다.

○ 경상북도 봉화군 소천면 현동리 848

봉화 충효당 화산 이공 유허비

충효당(忠孝堂)은 이장발(李長發, 1574~1592)의 충효정신을 기리기 위해 1750년경 후손과 유림에서 세운 건물이다.

이장발은 어려서부터 재질과 의지가 굳어 배움에 부지런했으며 효성이 지극했다. 편모슬하에서 자라던 그는 1592년 임진왜란이 일어나자 열아홉의 나이에 모친의 허락을 받고 전장으로 달려가 문경새재에서 일본군을 상대로 싸우다가 그해 6월 10일 전사했다.

충효당

충효당

유허비

유허비 비각

유허비 비각(왼쪽)과 충효당

순절시

충효당 건물 기둥에는 1592년 6월 10일 문경새재 전투에서 그가 죽기 직전에 충과 효의 마음을 담아 읊었다는 순절시가 걸려 있다.

殉節詩(순절시)	순절시
百年存社稷(백년존사직)	백년 사직을 구할 계획을 가지고
六月着戎衣(유월착융의)	유월에 갑옷을 입었네
憂國身空死(우국신공사)	나라를 위한 근심에 몸은 비록 헛되이 죽고 말지만
思親魂獨歸(사친혼독귀)	홀로 계신 어미니 못 잊어 혼백만 외로이 돌아가네

조정에서는 순국한 이장발에게 공조참의의 직위를 내렸으며, 출생지인 봉성면 창평리에 '충효당 화산 이공 유허비'를 세우고 충효각을 건립했다. 충효각은 충효당 뒤편에 있다. 충효당은 2004년 6월 29일 경상북도 문화재자료 제466호로 지정되었다.

○ 경상북도 봉화군 봉성면 창평본마길 19-1

10. 상주

상주 감암정

상주 낙동지방에 살던 선비 홍약창(洪約昌)은 임진왜란 발발 후 정경세 등과 의병을 일으켜 상주성에서 적과 싸웠다. 성이 일본군에게 함락될 때 의병장 이봉을 도와 적과 싸우다가 전사했다. 이 소식을 들은 홍민헌(洪民獻)은 가족을 안전한 곳에 대피시키고 아버지의 원수를 갚기 위해 칼을 들고 적진에 뛰어들어 일본군을 죽이고 전사했다. 당시 세인들은 이 가문을 '만고의 충효지문'이라 칭송했다.

홍약창, 홍민헌 부자가 전사한 후 시어머니 동래 정씨와 며느리 진주 류씨는 지금의 아천리로 옮겨와 정착했다. 그런데 며느리에게 태기가 있음을 알게 되었다. 고부간에 약속하기를 아들을 낳으면 살아서 잘 기르고 딸을 낳으면 3대의 여자가 모두 자결하기로 했다. 며느리 류씨는 그날부터 마을의 큰 바위(현재 바위는 땅속에 묻혀 있음) 밑에서 득남기도를 드렸고, 세월이 흘러 아이를 출산해보니 아들이었다.

이에 마을 사람들은 고부의 정성에 하늘도 감동하고, 바위도 감동하여 득남한 것이라 하여 마을이름을 감바위, 즉 감암(感巖)이라 부르기 시작했다.

감암정(感巖亭)은 홍민헌의 손자 홍이해가 조부모의 지난날을 기리기 위해 할머니 류씨 부인이 기도드리던 바위 위에 1633년에 세운 건물이다.

홍약창 유적비

(전략)

1568년 문과에 급제하여 태학궁 성균관진사를 제수하시고 임진(서기 1592)년에 왜란에 20만 왜군이 일시에 들어오니 사해에 빽빽하게 올라와 만민이 짓밟혀 결단이 난 지경에 이르러 임금께서 빈(邠) 땅을 버리시니 나라의 존망 위기가 당도한지라. 그 참혹하고 혹독함을 감히 좌시할 수 없어 공의 나이 58세에 창의 장군 이봉(李逢)과 소모관 정경세(鄭經世) 등과 더불어 의병을 모아 왜적을 토벌하여 죽인 것이 자못 많았다. 슬프고 원통하도다. 하늘이 공을 불쌍히 여기지 아니하여 중도에 진중에서 순절하시니 몸과 혼백은 잃어버리고 다만 의관을 얻었으며 땅을 두드리고 하늘을 불러보아도 왜구를 잡는 데는 미치는 바 없었다.

공의 자(子) 참봉 휘(諱) 민헌이 학식이 높고 행실이 착하여 일찍이 시국을 관망하고 있더니 아버님의 전사하심을 듣고 분통함을 참지 못하여 황망히 말을 달려 앞장서 진중으로 들어가 도적의 머리 십여 급을 베고 힘이 다하여 전사하시니 부자가 같은 날 전사하니 바로 임진 4월 16일이다.

이때 며느님(민헌의 처)이 뒤뜰바위에 단을 쌓고 기도하여 왈 홍씨 가문 부자가 싸움터에 갔으니 원하옵건대 전쟁에서 이기고 돌아오게 하여 주시옵소서라고 백배 축원하는데 마(馬)가 부자의 의관을 물고 기도하는 단하에 와서 처량하게 전하거늘 며느님이 창황(매우 급하여 어찌할 바를 모름) 중 정신을 잃고 땅에 쓰러지니 마도 충계 아래 쓰러져 죽은지라. 땅을 치고 통곡하며 부자의 의관을 받들어 선영에 예장하고 마도 공의 묘 곁에 묻었다.

(후략)

홍약창 유적비와 감암정

감암정

(홍약창)

홍약창은 1535년에 출생했으며 본관은 남양이다. 천품이 뛰어나고 도량이 넓었으며 지조가 굳고 용감했다. 또한 문장이 고상하고 높아 당세에 명망이 높았다. 1568년(선조 1)에 문과 급제하여 성균진사가 되었다. 58세인 1592년 임진왜란이 일어나자 이봉, 정경세와 더불어 의병활동에 참여하여 분전하다가 전사했다. 홍약창이 쓰던 칼과 조총이 1973년 9월 13일 발견되어 문화재 관리당국에서 보관하고 있다.

○ 경상북도 상주시 이안면 무운로 959

상주 김준신 의사 제단비

상주 판곡리는 고려시대 이후 청도 김씨의 세거지였다. 김준신 의사 제단비(金俊臣義士祭壇碑)는 의병장 김준신을 추모하기 위해 그가 출생한 이곳에 설치했다. 1850년(철종 1)에 제단비를 세우고 그 후 첨모재(瞻慕齋)를 건립했으며, 1993년에 첨모재를 중건했다.

제단비각

제단비각 입구 첨모재

낙화담 소나무

낙화담에서 바라본 첨모재와 제단비각

낙화담 의적 천양시(落花潭義蹟闡揚詩)

임진왜란이 발발하자 김준신은 32세의 나이에 분연히 일어나 의병을 소집하여 솔령장이 되었다. 그는 의병을 이끌고 칠곡군 석전리까지 진격했다가 다시 상주에 있는 본진으로 돌아와 상주성을 사수하면서 일본군을 격퇴했으나 조총으로 무장한 일본군을 당해내지 못하고 1592년 4월 25일 북천전투에서 전사했다. 당시 선조 임금의 명을 받고 상주까지 온 중앙군의 순변사 이일과 상주목사 김해는 피신했지만 상주 사람들은 북천전투에서 싸우다가 대부분 순국했다.

제단비 옆에는 연못 낙화담(落花潭)이 있다. 김준신의 활약에 분노한 일본군이 판곡리를 찾아가 김씨 일가를 멸하려 하자 죽어도 일본군의 손에는 죽을 수 없다 하여 김씨 문중의 부녀자들이 낙화담에 투신하여 자결했다.

김준신의 행적은 『선조실록』과 『선무원종공신녹권』에는 누락되어 있었다. 그러다가 영조 임금과 정조 임금 때 상주 유림의 건의로 충의단을 세워 당시 순절 장사들을 봉향할 때 김준신의 충절 또한 높이 평가하여 윤섬, 이경류, 박호와 함께 배향했다.

정조 임금은 김준신에게 '의사(義士)'라는 칭호를 내렸으며, 위패는 그때 설립한 충의단에 봉향했다. 김준신은 1820년(순조 20)에 사헌부 집의에 추증되었다.

제단비는 1986년에 새로 건립된 비각 안에 보존되어 있으며, 비문에는 정조 임금의 교서내용이 새겨져 있다. 제단비각은 정면 1칸, 측면 1칸의 겹처마 맞배지붕이다. 제단비는 1995년 12월 1일 경상북도 기념물 제113호로 지정되었다.

청도 김씨 삼세 제단

김준신 의사·부인 고령 신씨 제단

(청도 김씨 삼세 제단비)

청도 김씨 삼세 제단비(淸道金氏三世祭壇碑)는 1850년(철종 1)에 건립되었으며 입향 시조인 김구정(金九鼎)과 현손(玄孫) 김흡(金洽, 김준신 의사의 부친)에 대해 간략하게 기록한 뒤, 김준신 의사가 임진왜란 때 공을 세우고 순절한 경위와 삼세 제단비의 건립과정을 적었다. 첨모재를 바라볼 때 좌측 뒤로 단을 높이고 제단을 세웠다.

○ 경상북도 상주시 화동면 판곡1길 15-3

상주 상산 김씨 효녀각

상산 김씨 효녀각은 1793년(정조 17)에 건립되어 오늘에 이른다. 어려서부터 효성이 지극했던 상산 김씨는 임진왜란 때 상주 북천전투에서 순절한 김일(金鎰)의 딸로 토목, 영선

일을 맡아보던 건축사무담당자격인 감역(監役) 김광윤과 혼인했다.

순변사 이일(李鎰)이 상주에서 일본군의 위세를 본 후 후퇴하니 상주성은 함락되고 북천 전투에서 항거한 관군과 의병은 대부분 전사했다. 상산 김씨의 부친 김일은 의병들과 함께 상주 북천교(北川橋) 일대에서 일본군과 싸우다가 전사했다. 때는 1592년 5월 17일이다.

효녀각

김광윤 처 상산 김씨지문

효녀 영정각 기문

당시 16세의 소녀였던 김씨는 부친 사망소식을 전해 듣고 시종인 영환(永煥)을 데리고 그 많은 시체 중에서 아버지의 시신을 찾아다녔는데 낮에는 일본군의 눈을 피해 시체 옆에 몸을 숨기고 밤에는 지친 몸을 이끌고 사방으로 헤매다가 3일 만에 부친의 시신을 찾아 영환으로 하여금 업어 모셔다가 고향인 상주시 낙동면 화산리로 가 안장했다.

이러한 사실이 조정에 알려지자 김일은 1793년(정조 17) 통훈대부 사간원 집사에 증직되고 상주 충의단에 배향되었다. 조정에서는 효녀 상산 김씨에 대해서는 우승지 홍인호를 파견하여 정려를 내리고 효녀각을 현재의 위치에 건립했다. 1997년에 보수했으나 퇴락하여 2006년에 다시 보수, 정화했다.[49]

효녀각 중수기

효는 백행지근본임은 만세의 진리니 여기 효녀각은 효를 몸과 마음으로 몸소 실천하신 효녀 상산 김씨요, 순천 김감역공(順天金監役公) 광윤의 배위라. 절효정문의 표지이다. 때는 선조 25년 서기 1592년 4월 임진왜란 시 할머니는 16세 규중처녀요, 아버님 김일(金鎰)은 상산 김씨요, 어머님은 인동 장씨라.

왜병이 5월에 상주에 진입하자 효녀 할머니와 모친은 외가 지금의 은척면으로 피난하라 하시고 부친은 향병 오백여 명을 거느리고 지금의 상주시 부원(釜院)으로 나가시며 순변사 이일이 적의 성황(盛況)을 보고 싸워 보지도 아니하고 도망쳤다는 말을 들으시고 분기(忿氣)를 참지 못한 듯 즉시 참전하여 적군 삼백여 명을 죽이고 그날로 순국하시니 충노(忠奴) 영환이 외가인 은척으로 연락하여 이날 밤 효녀 할머니께서는 영환을 데리고 북계전장(北溪戰場)에 찾아가 낮으로는 시체 속에 묻히고 밤으로는 시체를 뒤지며 삼주삼야만에 부친의 시체를 찾아 영환으로 하여금 업어 모셔다가 본가 지금의 낙동강 화산리 후록에 까치장사하고 즉시 외가로 가시어 피난하고 왜놈이 간 후, 예를 갖추어 안장하여 백비(白碑)를 세우시며 비록 혈손은 없으나 반드시 후세에 부친 이름 있어 비를 새기는 이 있으리라 하셨다.

그 후 부친 김일은 정조 17년 계축 서기 1793년 나라에서 통훈대부 사간원 집사 벼슬을 증하시고 딸에게는 효녀로 봉하시어 효녀각을 짓게 하고 우승지 홍인호로 하여금 효녀 명정(命旌)을 달게 하였다. 초창 효녀각은 낙동면 내곡리 224번지에 창건되었으나 수해로 인해 서기 1898년 후손 성구, 형구, 성려, 성정, 상억, 상철, 필역(畢役)과 문중의 후원을 얻어 현재의 위치 낙동면 내곡리 265번지로 이건하였다.

그 후 세월이 지나는 동안 지붕이 새고 담장이 허물어져 당시 상주군수 석진후 씨와 상산 김씨 낙운중학교장 김연권 씨의 물심양면 지원과 문중의 각별한 관심으로 일차 중수를 하였다. 또 세월이 흘러 을유 서기 2005년 시제 시 효녀각을 후손들이 둘러보니 비가 새는 것을 보고 그대로 보존할 수 없으므로 전 종인(全宗人)은 중수키로 합의하고 병술 서기 2006년 3월에 문경 도연족숙(道淵族叔) 상주 인업족형(仁業族兄) 본인과 동행 상주시청을 방문하여 자금지원 요청을 하고 현장 설명한바 동년 9월에 지원금 일천만 원이 확정되었으나 시비만으로는 부족하여 효녀 할머님 손자 3형제(두평, 두원, 두환)분 각파별로 일백만 원씩 갹출하고 효녀 할머님 위(位) 토답(土畓) 적립금 일백만 원 독지가 창연헌성금(昌淵獻誠金) 일백만 원 합 일천오백만 원으로 새로이 개축하니 후손된 자 어찌 기쁘지 않으리오. 효녀 할머님의 숭고한 효행은 이 시대를 살아가는 우리 후손들의 영원한 사표가 되리라.

병술년 중수에 시종일관 노력한 도연족숙과 인업족형께 깊이 감사드린다.

병술 서기 2006년 12월 12대손 인목 근식 종후손 동영 근서

○ 경상북도 상주시 낙동면 내곡리 250

49) 상주시・상주대 상주문화연구소, 『상주의 문화재』(상주: 상주시, 2011), 190쪽.

상주박물관 임진란 기록

일본의 조선침공군 제2군을 지휘한 가토 기요마사 부대가 상주읍성으로 진격해올 때 장천 근처(현재의 낙동면 승곡리 214-3)에는 상주 지역의 의병장 조정이 양진당을 짓고 살고 있었다.

임진란 기록(壬辰亂記錄)은 학자이며 관료인 조정(趙靖, 1555~1636)이 임진왜란 당시에 보고 듣고 겪은 일들을 적은 일기이다. 조정은, 임진왜란이 일어나자 의병을 모아 활동했고, 1596년에 도체찰사였던 이원익의 막하로 들어가 활약했다. 1599년에는 사마시, 2년 후에는 문과에 급제하여 호조좌랑, 사헌부감찰, 대구판관 등의 벼슬을 지냈다. 그의 사후에 이조참판 직위가 내려졌다.

임진란 기록은 1592년부터 1597년까지 6년간의 사실을 수록한 것이다. 『임진일기』 상하 2책, 『남행록』, 『진사록』, 『일기 - 부잡록』 1책, 『서행일기』 1책, 『문견록』 1책 등 모두 6종 7책으로 구성되어 있다. 기술형식은 월일별로 행을 구분하는 것을 원칙으로 했으며 기사가 없는 날은 날씨만 기록했다. 『임진일기』는 1592년의 10일 정도의 기록이 누락된 것을 제외하면 약 6년간의 기록이 충실하고 상세하다. 당시의 사회상, 군대 배치상황, 의병활동상황 등을 살펴볼 수 있다.

1592년 4월 14일 고니시 유키나가가 이끄는 일본군 제1군 18,700명은 부산포에 상륙하여 부산성과 동래성을 함락시킨 후 서울을 향해 북진했다. 그달 18일에는 제2군 22,800명이 가토 기요마사를 대장으로 하여 부산에 상륙한 후 신녕 방면으로 북진했고, 같은 날 제3군 11,000명이 김해 죽도에 상륙하여 김해성 및 창원, 영산, 창녕을 점령하고, 우종대(右從隊)는 무계, 성주를 지나 4월 25일에 개령을 거쳐 김산(지금의 김천시 삼락동)에 당도하여 김천역을 점령했다. 좌종대(左從隊)는 창녕에서 갈리어 초계, 합천, 거창, 지례를 거쳐 김산에 당도하여 우종대와 합류하고, 김산에서 대열을 가다듬고 추풍령을 넘었다.

제3군의 뒤를 이어 제4군 14,000명이 김산에 들어와 제3군과 합류했는데 당시 김산에는 15,000명의 일본군이 진을 치고 3일간 머물고 있었다. 4월 28일에는 방어사 조경, 조방장 양사준, 돌격장 정기룡, 비장 장지현 등이 방어하는 추풍령을 돌파하고 북진했다. 제4군에 이어 후쿠시마 마사노리가 지휘하는 제5군 25,000명이 상륙했다.

5월 초에는 고바야카와 다카카게가 이끄는 일본군 제6군 15,000명이 제3군의 뒤를 이어 김산에 머물다가 곧 선산으로 이동했고, 김산에는 제6군의 일부인 2,500명과 또 다른 900여 명의 일본군이 남아 있었다. 6월 12일에는 일본군 제7군 30,000명을 이끄는 모리 요시나리가 상주에 잠시 머물었다가 개령에 진을 치고 주둔했다.

김산과 선산에 머물러 있던 제6군 15,000명의 고바야카와 군대는 전라도 점령을 목적으로 했던 부대로서 부산에 상륙한 후 창원에 머물면서 남원을 거쳐 전라도로 침입하려다가 의령에서 곽재우 의병군에게 길이 막혀 성주를 거쳐 김산으로 들어왔다.

일본군은 김산, 선산, 성주, 지례 등지에 흩어져 주둔하면서 전라도 침입을 노리고 있다가, 부대를 둘로 나누어 7월 10일에 1대는 지례를 거쳐 거창으로 향하다가 우두령(牛頭嶺, 김천시 대덕면과 거창군 웅양면 사이 고개)에서 의병대장 김면에게 패하여 금산으로 퇴각했다. 다른 1대는 무주를 거쳐 충청남도 금산에서 전주로 향하다가 도절제사 권율에게 패하고 도주했다. 고바야카와 다카카게가 이끄는 일본군은 금산에서 전열을 가다듬고 무주를 거쳐 지례에 당도했으나 의병대장 여대로, 의병장 권응성, 김해부사 서예원, 중위장 황응남 등 의병부대의 공격을 받았다.

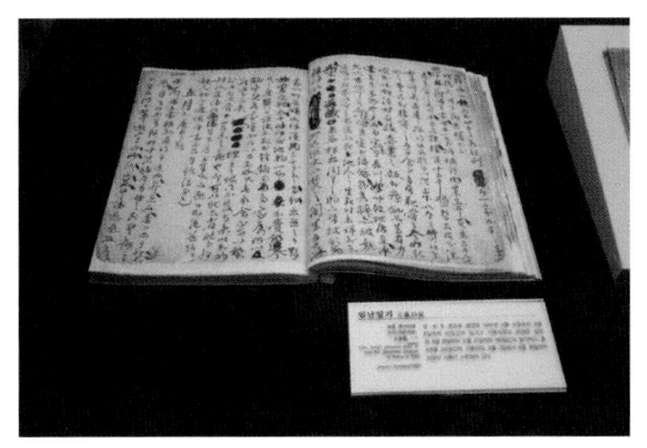

임진란 기록(임진일기)

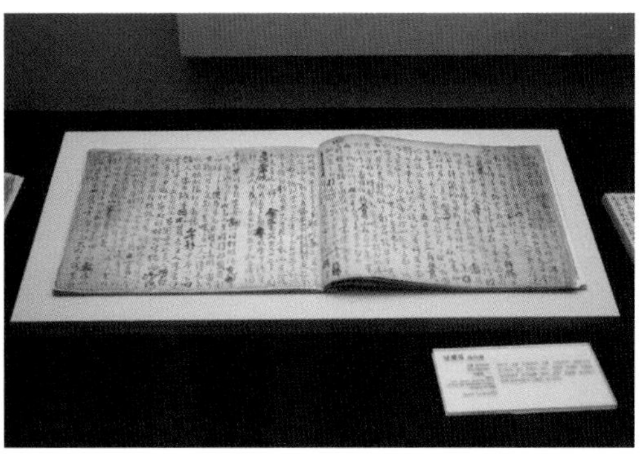

남행록

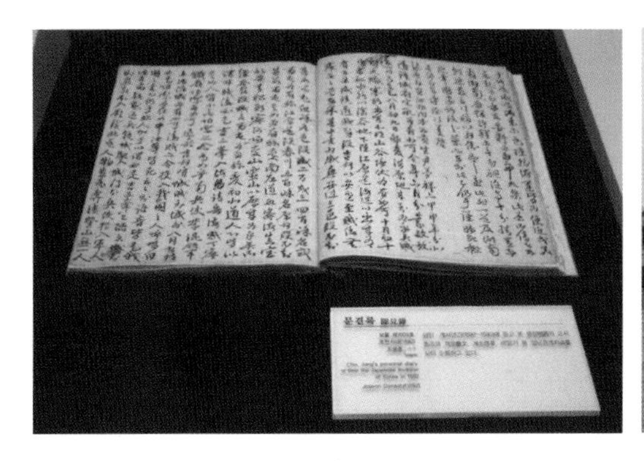

문견록

상주박물관

7월에서 9월에 걸쳐 개령에는 제3군과 제6군의 병사들 약 30,000명이 주둔하면서 이곳을 본거지로 선산, 성주, 김산, 지례, 무주 등지에 출몰했다. 추풍령전투, 우두령전투, 지례전투, 상좌원전투 등 규모 큰 전투 외에도 상좌원 하로(賀老), 부상고개(扶桑峴) 등지에서 소규모 전투가 연이어 전개되었다.

개령에 주둔한 일본군은 1593년 2월 12일 명나라 원군이 들어와 평양 등지에서 일본군을 무찌르면서 남하한다는 소식을 듣고 철수하기까지 수시로 이 고장의 산간벽지까지 출몰하여 납치, 방화, 약탈, 성폭행 등 온갖 횡포를 자행했다.

1597년 정유재란 때에 일본군 14만 명이 재차 침입했는데, 일부 부대가 9월 18일 성주를 거쳐 김산에 들어왔다. 이들은 임진왜란 때보다 더욱 난폭하고 무자비하게 살육과 약탈행위를 계속했다.

이러한 상황을 기록한 임진란 기록은 1989년 5월 28일 보물 제1003호로 지정되었다.

(조정)

조정의 본관은 풍양(豐壤), 호는 검간(黔澗)이다. 조광헌의 아들이며, 한강 정구와 학봉 김성일의 문인이다.

조정은 1592년 일본군이 침입해오자 황령사에서 의병을 일으켜 의병장 이봉(李逢)의 휘하에 있었고, 뒤에 순찰사 김성일, 안동수성장 김용(金涌) 등에게 찾아가 일본군 토벌에 관해 건의했다. 그해 12월에는 이봉을 대신하여 충청도 보은에 가서 여러 의병장과 의거에 관해 논의하고 약속했다.

1596년에 도체찰사 이원익의 막하에서 활약했고, 일본과의 강화를 배격하는 소를 올렸다. 이듬해에 조기원(趙基遠), 조영원(趙榮遠) 두 아들을 화왕산성에 보내어 의병활동에 동참하도록 했다.

1599년에 희릉참봉(禧陵參奉)에 임명되어 광흥창(廣興倉), 군기시(軍器寺) 주부(主簿) 등을 지냈다. 1603년 사마시에 합격하여 호조좌랑을 지내고, 1605년 증광문과(增廣文科)에 급제하여 춘추기사관이 되고 사헌부 감찰, 예조좌랑, 대구판관, 경주교수(慶州教授)를 지냈다. 이어 해남현감, 공홍도도사(公洪道都事), 청도군수 등을 역임했다.

인조반정 후에 김제군수를 지내고 '이괄의 난' 때에는 임금을 충청남도 공주까지 호종했다. 1626년에 내섬시정(內贍寺正)을 지내고 이듬해 봉상시정(奉常寺正)으로 전직했으며, 1632년에 군자감정에 제수되었으나 취임하지 않았다. 사후에 이조판서에 추증되었으며 의성 속수서원과 상주 장천서원에 봉향되었다.

○ 경상북도 상주시 사벌면 경천로 684 상주박물관

상주박물관 형제급난도

월간(月澗) 이전(李埏), 창석(蒼石) 이준(李埈) 형제는 평소 형제애가 돈독했다. 임진왜란이 일어나자 형제가 함께 의병을 일으켰다. 1593년 2월 동생 이준이 형 이전과 함께 상주목 관할 중모(中牟)의 고모담에 있던 향병소(鄕兵所)에 머물러 있을 때 일본군의 기습공격을 받았다. 당시 이준은 토하고 설사가 심하여 기동하기 어려운 상태였기에 형 이전에게 형이라도 피신하여 가문을 보존하라고 당부했으나 이전은 동생을 등에 업고 백화산(白華山) 정상으로 피신하여 생명을 건질 수 있었다.

왜란은 1598년에 종료되었고, 이준은 1604년 주청사의 서장관으로 명나라에 가게 되었는데 백화산에서의 일을 명나라 사람에게 이야기하니 감동을 받은 그가 화공으로 하여금 당시의 상황을 그림으로 그리게 했다.

『형제급난도(兄弟急難圖)』는 이전, 이준 두 형제의 형제애를 그린 그림과 이를 찬양하는 여러 사람의 글을 수록한 책이다. 그림은 가로 21.5센티미터, 세로 29센티미터의 크기이며, 모두 56쪽으로 이루어져 있다.

그림은 네 장면으로 구성되어 있으며 그 배경은 백화산이라고 명시되어 있다. 일본군 부대의 기치가 하늘을 가린 가운데 산 아래 진을 치고 창검을 든 일본군이 두 형제에게 다가오자 형이 아우를 설득해 등에 업고 떠나는 장면, 업고 가던 동생을 잠시 내려놓고 눈앞에 선 일본군을 향해 이전이 화살을 겨누는 장면, 가까스로 적을 따돌리고 산 정상을 향해 동생을 업고 달리는 모습, 끝으로 백화산 정상 밑에서 이준을 내려놓고 위로하는 장면을 네 폭의 그림으로 사실적으로 묘사했다.[50)]

그림만 보아도 절박했던 백화산전투의 상황과 두 사람 간의 형제애를 느낄 수 있다. 이준은 그림을 가지고 귀국한 후 경향 각지의 인사들에게 이 사실을 소재로 하여 시문을 청했는데 그때 받은 시문들은 그림 뒤에 부록으로 붙어 있다.

50) 상주시・상주대 상주문화연구소, 『상주의 문화재』(상주: 상주시, 2011), 48~49쪽.

형제급난도

형제급난도 표지

형제급난도는 1986년 12월 11일 경상북도 유형문화재 제217호로 지정되었으며, 2007년 5월 1일자로 상주박물관으로 옮겨 보관하고 있다.

○ 경상북도 상주시 사벌면 경천로 684 상주박물관

상주 임란 북천 전적지

1592년 4월 13일 일본군이 부산에 상륙한 후 파죽지세로 북상하자 이를 막기 위해 소정에서는 순변사 이일(李鎰, 1538~1601)을 지휘관으로 하여 중앙군을 급파했다.

이일은 1592년 4월 17일 순변사에 임명되었으나 이끌고 갈 병사들이 없었기에 3일이 지난 20일경에야 서울에서 출발할 수 있었다. 출발 당시 60여 명의 군사를 거느리고 있었다.

이일은 일본군이 상주에 진격해오기 하루 전인 4월 23일 상주읍성에 도착했다. 성을 사수해야 할 목사 김해는 일본군의 침공 보고를 받고 전세가 크게 불리함을 알고는 산속으로 피신했다. 상주판관 권길과 상주호장(尙州戶長) 박걸은 공황상태에 빠져 있었다. 이일은 도착하자마자 권길에게 병사소집 명령을 내렸고, 권길과 박걸은 동분서주하여 그 다음 날 800여 명의 병사들을 소집했으나 대부분 농민으로 구성된 비정규군이었다.

이일은 부산성과 동래성이 함락되고 그 이후에 양산, 밀양, 청도, 대구, 선산에서 지휘관들이 성을 비우고 퇴각한 사실 등 병력규모와 전황을 파악한 후 상주성을 포기하고, 북천 언덕 위에 부대를 배치한 다음 전투태세를 갖추었다.

이곳 임란 북천 전적지는 순변사 이일이 인솔해간 중앙군과 상주 의병 800여 명 등 900여 명이 일본군 제1군 17,000여 명과 싸우다 순절한 호국성지이다.

의병의 시체가 산처럼 쌓이고 흐르는 피가 바다를 이루었기에 후세 사람들은 이 산을 철환산(鐵丸山), 의병들이 빠져죽은 못 증연(甑淵)을 학사담(學士潭)이라고 불렀다. 당시 전투결과가 조정에 보고되자 선조 임금은 상주 전역에 복호(復戶), 즉 조세와 부역을 면제해 주는 은전을 내렸다.

지금은 이곳에 사당 충렬사를 세워 당시 순절한 병사들을 배향하고 있다. 종사관 윤섬·이경류·박호 등 중앙군과 판관 권길, 사근도찰방 김종무, 호장 박걸, 의병장 김준신·김일과 무명용사 1위 등 모두 9위의 위패를 모시고 있다.

임란 북천 전적지는 1988년 9월 23일 경상북도 기념물 제77호로 지정되었다. 1990년부터 사적 정화작업을 실시하여 상산관 등을 이곳으로 옮기고 충렬사를 건립하여 윤섬, 권길, 김종무, 이경류, 박호, 김준신, 김일, 박걸 및 이름 없는 용사들의 위패를 모셨다.

임란 북천 전적비, 사당, 전시관, 사적비 등을 세우고 원래 있던 박걸 단소(朴傑壇所) 및 권길 사의비(權吉死義碑)를 이건하여 사적공원으로 조성했다.

상주객사 건물인 상산관(商山館)을 1992년 6월 28일 이곳으로 이전해왔으며, 2층 누각 태평루 또한 이곳으로 옮겨왔다.

전적지 안내도(① 사당 ④ 비각 ⑦ 전적비)

북천 전적지 전경

북천전투 모형(상주박물관). 중앙의 북천을 경계로 왼쪽은 공격하는 일본군, 오른쪽은 수비하는 조선군과 의병

(충렬사)

사당 충렬사는 1986년 11월 25일 충렬사건립발기위원회가 구성되면서 건립계획이 구체화되었다. 1987년 1월 8일 충렬사 건립에 관한 청원을 제출했고, 1990년에서 1991년 사이에 사당, 재실, 비각, 전적지, 내삼문, 외삼문을 건립했다. 1993년 5월 26일에는 순절 의사 및 열사 9위의 위패를 봉안(무명용사 포함)했다. 북천전투가 있던 1592년 4월 25일을 양력으로 환산하면 6월 4일이 되는데 1993년 이날에 처음으로 제향했다.

윤섬·이경류·박호 3충신과 김준신·김일 2의사는 충의단, 판관 권길과 호장 박걸은 현지단에, 찰방 김종무는 충렬단에 모셨다. 이곳에서는 매년 양력 6월 4일 제향행사를 거행하여 그분들의 넋을 기리고 있다. 이곳에 모셔진 위패는 다음과 같다.

성명	증직(사후)	관직
	행직(생전)	본관
윤섬(尹暹)	영의정 문열공 용성부원군	홍문관 교리
	북천전투 순국(1592. 04. 25) 중앙군 소속	남원
권길(權吉)	영풍군 이조판서	상주목 판관
	북천전투 순국(1592. 04. 25)	안동
김종무(金宗武)	이조판서	사근도 찰방
	북천전투 순국(1592. 04. 25)	선산
이경류(李慶流)	승정원 도승지	병조좌랑
	북천전투 순국(1592. 04. 25) 중앙군 소속	한산(韓山)
박호(朴篪)	홍문관 직제학	홍문관 교리
	북천전투 순국(1592. 04. 25) 중앙군 소속	밀양
김준신(金俊臣)	사헌부 집의	의병장
	북천전투 순국(1592. 04. 25) 의병	청도
김일(金鎰)	사헌부 집의	의병장
	북천전투 순국(1592. 05. 17) 의병	상산(商山)
박걸(朴傑)	장악원 정	상주목 호장/증 장악원 정
	북천전투 순국(1592. 04. 25)	상산
무명용사	북천전투 순국(1592. 04. 25)	

상주판관 권길(왼쪽)·충신 김종무(중앙)·상주호장 박걸(오른쪽) 순국비

충렬사 유허비

박걸 순절단

의사 김준신 사의비(死義碑). 이 비석은 일제강점기에 훼손된 것을 1993년에 복원한 것이다

충렬사와 순국비(왼쪽부터 윤섬·이경류·박호·김준민·김일 순국비)

(비각)

비각 안에는 북천전투에서 일본군과 싸우다가 순국한 3충신(종사관 윤섬·박호·이경류)과 2의사(의병장 김준신·김일)의 호국정신을 기리기 위한 '충신의사단비(忠臣義士壇碑)' 복제본과 상주목 판관으로 재직 중에 순국한 권길의 충절을 새겨 둔 '판관 권길 사의비(判官權吉死義碑)'가 있다.

'충신의사단비'는 1793년(정조 17)에 사액을 받은 후 나중에 충의단(忠義壇)에 비를 세웠는데 임란 북천 전적지를 조성하면서 상주시 연원1길 10-16에 소재하는 '충신의사단'에 있는 비를 복제하여 이곳에 세운 것이다. 그 옆에 나란히 서 있는 판관 권길 사의비는 당초 창석 이준이 찬하여 1698년(숙종 28)에 건립된 사당 충렬사에 세웠는데 충렬사가 훼철된 후 1991년에 임란 북천 전적지를 조성하면서 현재의 위치로 옮겨지었다.

윤섬·박호는 순변사 이일의 종사관이고, 이경류는 병조좌랑으로서 조방장 변기(邊璣)의 종사관으로 출전한 관군이지만 변기의 소재를 알지 못해 이일의 진중에 머물렀다. 이들 3인은 북천전투에서 패하여 물러난 뒤 잔병들과 합세하여 일본군과 싸우다가 전사했다. 조정에서 이들 세 사람에게 '충신' 칭호를 내렸다.

2의사 중 김준신은 화동면 판곡리 사람인데 왜란 초기부터 의병으로 관군과 힘을 합해 싸우다가 전사했고, 김일은 낙동면 화산리에 살았으며 전란이 일어나자 의병을 일으켜 고투 끝에 많은 전공을 세우고 최후를 마쳤다.

충의단은 유림에서 간간이 건물을 보수해왔으나 오랜 세월이 지나는 동안 담장은 허물어지고 비각을 비롯한 건물들이 퇴락해가는 것을 1977년에 군비로 보수했다. 1978년 말에 다시 담장을 개축하고 건물 단청, 관리인 사택 등을 보수, 정비했다.

사당 충렬사

위패

사당 충렬사 아래에 있는 임란기념관

임란기념관

비각

비각 내 충신의사단비

임란 북천 전적비문

영남의 큰 고을 상주 자산성(子山城) 아래 증연(甑淵) 일대의 북천(北川) 이곳은 선조 임진 4월 25일 순변사 이일 및 그 부하 중앙군 육십여 명과 급히 모집한 향병 이졸 등 팔백여 명이 침략자 왜군의 선봉 일만 칠천여 명으로부터 급습을 받아 분연히 싸워 순국하여 민족정기를 드높인 옛 싸움터이다. 상주 북천은 조선의 중앙군과 왜적이 최초로 접전한 곳이라는 점에서 임진전사상 주목받고 있다.

당시의 아군은 전사의 수효로도 무기의 신예로도 대적이 못 되었지만 죽음을 무릅쓰고 최후까지 싸워 호국의 의지를 유감없이 발휘하였다. 지금도 자산을 철환산(鐵丸山)이라 하는데 비 나리는 어스름한 달밤에는 귀화(鬼火)가 흐르며 통곡하는 소리가 들린다고 한다. 충의혼백이 슬프고 분한 원한을 품은 지 사백여 년 새와 짐승과 솔 소리만이 그 넋을 위로하던 곳 이제 전적지로 지정 정화하여 역사와 충렬과 자위의 산교육의 터전으로 삼는 한편 충렬사를 세워 절개와 의리에 산 지휘관 및 이름조차 밝힐 길 없는 수많은 병졸의 영령을 위안하고 숭고한 호국의 뜻을 길이길이 빛내며 지난 일을 귀감삼아 내일을 경계하는 뜻에서 이 비를 세운다.

서기 1991년 10월 1일 유시완 짓고 김응현 예(隷) 박병규 쓰다

상주객사 상산관

상주객사 상산관

1808년(순조 8)에 상주목사 정동교가 건립한 누각 태평루

임란북천전적비

북천 전적지에는 여러 관군과 의병을 기리는 사적비 또는 순국비가 있는데 이 중 종사관 윤섬의 순국비 내용을 보면 다음과 같다.

윤섬 순국비

신명을 바쳐 충성을 다하고 친구를 위해 의리를 지킨 공(公)의 휘는 섬(暹)이며 자는 여진이고 호는 과재로 남원 윤씨 시조인 남원백(南原伯) 휘 위(威)의 12대손이시다.

공은 1561년 3월 4일 지사 휘 우신공과 문화 류씨 사이에서 탄생하여 23세에 문과 급제한 당대 제일의 수재로 승정원 주서 등을 거쳐 홍문관 교리에 이르렀다. 1587년 명나라에 서장관으로 가서 조선왕 가계의 잘못된 기록을 바로 잡은 대명회전(大明會典)을 입수한 공으로 광국공신에 훈록되었다.

1592년 임진왜란이 일어나자 이일이 순변사가 되고 공의 친구가 종사관으로 나가게 되었으나 그에게는 노모가 있고 형제가 없어 공이 대신 가겠다고 자원했는데 마침 공의 부친은 명나라에 성절사로 가셨고 모친이 "네가 나를 버리고 죽을 곳으로 가느냐"고 만류하였으나 "국가가 위급한데 어찌 사정을 헤아리겠습니까"라고 말씀드리고 동생이 "어찌 남의 어머니는 돌보면서 내 부모는 생각하지 않습니까" 하며 잡았으나 "부모 봉양은 동생인 네가 하라"고 뿌리치고 출전하여 상주 북천전투에서 중앙군 60여 명과 민병 800여 명 등 900여 명이 왜적 17,000명을 맞아 싸우다가 순변사는 후퇴하였으나 공은 "사나이 나라를 위해 죽는 것은 그 마땅한 직분일 뿐이다"라고 결의를 다지고 앞장서서 싸우다가 그해 4월 25일 순국하시니 향년 32세였다.

나라에서 문렬(文烈)이란 시호를 내리고 영의정을 증직하였으며 용양부원군에 추봉하고 정려를 세우도록 하였으며 사당에 신주를 모셔 부조묘(不祧廟)를 명하여 현재까지 후손들이 모셔오고 있다. 배위는 원주 원씨(原州元氏) 군수공(郡守公) 경심(景諶)의 따님으로 평생을 소식소의로 친척들의 주식(酒食)자리에도 함께 있지 않았으며 홀로 자손을 잘 양육하고 굳건히 지내시다 1645년 84세로 별세하여 김포 고촌 선영에 공의 의관(衣冠) 묘와 함께 모셔져 있다.

아들 휘 형갑은 문과 급제 후 여러 고을을 훌륭히 다스려 백성들의 칭송을 받았으며 장손 휘 계 공은 병자호란 때 남양부사로 근왕병을 모집하다가 잡혀 순절하고 차손 휘 집 공은 홍문관 교리로 역시 병란(丙亂) 때 척화신(斥和臣)으로 오랑캐에 끌려가 순절한 삼학사 중 한 분이며 삼손 휘 유장령 공은 조부에 이어 두 형님이 순절하니 벼슬길을 피하고 지내셨다.

서기 1792년 공의 7대손 대제학 휘 행임 공이 정조조(正祖朝)에 이참(吏參)으로 있을 때 충신의사 어제문과 진교를 충신의사단비에 교서하였으며 충의단에 배향되고 1992년 충렬사에 배향되고 매년 6월 4일 상주시청에서 제향을 올리니 후손은 감사하면서 공을 비롯한 충신의사를 추모하는 마음에서 이 순국비를 세운다.

서기 2002년 2월 일
13대손 원호 근찬 13대 경호 근서 남원 윤씨 판관공파 종회 근수

○ 경상북도 상주시 경상대로 3123

상주 정경세 신도비

정경세 신도비(鄭經世神道碑)는 조정의 문신으로 활약한 우복(愚伏) 정경세의 유적을 기록한 비석이다. 이 비석은 당초 도로입구에 세워졌으나 지금은 주위가 개간되어 논 중간에 위치하고 있다. 부근에 공검초등학교가 있다.

정경세의 증손 정석교가 경상감사 이명준으로부터 기증 받은 남포석(藍浦石)에 비각작업을 하고 세우지 못하던 것을 현손(玄孫) 정주원이 쓰고, 1758년에 6대손 정종로가 건립했다.

비석규모가 장대하고 글씨보존이 전체적으로 양호하다. 정경세 신도비는 2000년 12월 4일 경상북도 유형문화재 제321호로 지정되었다.

신도비

신도비각

신도비각

○ 경상북도 상주시 공검면 부곡1길 14-25

상주 정기룡 장군 유적(충의사)

정기룡 장군 유적은 임진왜란 때 공을 세운 정기룡의 묘소, 신도비, 사당 충의사가 모여 있는 곳으로 신도비와 묘소는 같은 지역에 있고 사당은 그곳에서 800미터 정도 떨어진 곳에 있다. 정기룡 장군 유적은 1974년 12월 10일 경상북도 기념물 제13호로 지정되었다.

정기룡은 선조 임금 때의 무장으로 호는 매헌(梅軒), 본관은 진양, 시호는 충의공(忠毅公)이다. 그는 1562년 4월 24일 경상남도 하동군 금남면 중평리에서 출생했고, 1581년 20세에 상주로 옮겼으며, 1586년(선조 19) 무과에 급제한 후 선조 임금의 명에 따라 이름을 정무수(鄭茂壽)에서 정기룡(鄭起龍)으로 바꾸었다.

1591년에 훈련원 봉사에 임명되었으며, 1592년 임진왜란이 일어나자 별장(別將)으로 승진하여 거창전투에서 승전하는 등의 전과를 올렸다. 그해 10월 김산(현재의 김천)싸움에서는 포로가 된 경상방어사 조경 장군을 구출했으며, 그 공로로 상주 가판관으로 승진했다.

11월 23일에는 일본군이 점거하고 있던 상주성을 화공법(火攻法)을 구사하여 탈환하는데 공을 세웠으며, 11월말에는 화북면 용화동전투에서 일본군을 물리쳤고, 12월에는 함창 창의군과 연합전선을 전개하여 일본군을 격퇴했다.

1593년에 전공을 인정받아 회령부사가 되었으며, 1594년에 상주목사가 되고, 그 후에 통정대부에 올랐다.

1597년 8월 7일 정유재란 때 토왜대장(討倭大將)이 되어 여러 전투에서 승전을 거두었다. 1598년에는 명나라군대의 총병관직을 대행하여 경상도 방면에 주둔하던 일본군 잔병들을 소탕했다.

1617년(광해 9) 삼도 수군통제사 겸 경상우도 수군절도사에 올랐으며, 1621년에는 삼도 수군통제사 겸 경상우도 수군절도사에 재임명되었다.

(충의사)

충의사는 정기룡 장군의 충혼을 기리기 위해 건립한 사당이다. 정기룡은 1622년 2월 8일 61세를 일기로 통영의 진중에서 순직했으며 그의 시신은 충의사(忠毅祠)에 안장되었다. 사당은 정부의 호국 선현 유적지 정화사업 계획에 따라 1977년 12월부터 1980년 6월까지 유적 정비공사가 추진되었다.

정기룡 장군 유적지 안내도

사당 입구 충렬문

사당 충의사

김산 전투에서 포로가 된 조경 장군 구출
당시의 상황을 그린 그림

유물전시관

정기룡 장군상과 위패

(신도비 · 묘소)

장군의 신도비와 묘소는 충의사로부터 동쪽 약 800미터 지점의 낮은 산록에 있다. 신도비는 1700년(숙종 26) 송시열이 비문을 짓고, 이세재가 썼다. 높이는 3.7미터이다.

(유물전시관)

충의사에는 정기룡 장군이 남긴 유물 84점이 소장되어 있었으나 2007년 9월부터는 상주박물관으로 옮겨 보관하고 있다. 유물의 내용은 정기룡이 국가로부터 받은 교지와 유물 등이다. 교지, 유서, 옥대, 신패 등 6점은 1980년 8월 23일 보물 제669호로 지정되었다.

이외에도 장군의 행적을 기록한 '매헌실기(梅軒實記)' 판목 58점과 그의 가족에게 내린 교지 9점은 문화재자료로 지정되어 있다.

장군이 사용했던 검

매헌실기 목판. 장군의 생애와 공적을 책으로 박아내던 판목으로 장군의 호인 '매헌'을 따라 '매헌실기'라고 했다

옥대(상주박물관 소장)

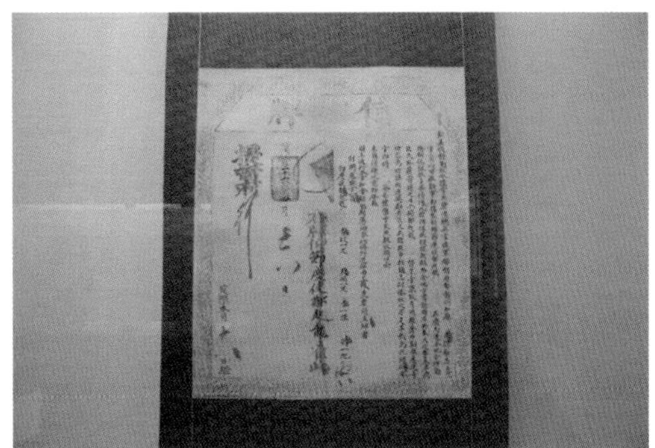
신패

○ 옥대

옥대(玉帶)는 길이 157센티미터, 너비 4.5센티미터의 허리띠로 보존 상태는 양호한 편이다.

○ 신패

신패(信牌)는 가로 64센티미터, 세로 55센티미터의 크기이고, 1598년 4월 18일 정기룡 장군이 총병관 재직 시 명나라 제독 마귀(麻貴)가 일본군 격퇴에 대한 공을 치하하고 기리는 뜻에서 준 것이다.

○ 유서

임금이 내린 임명서인 유서(諭書)는 가로 91센티미터, 세로 26센티미터의 크기이며, '유삼도통제사 겸 경상우도 수군절도사 정기룡'으로 기재되어 있다. 작성시기는 만력 45년 3월 초 7일, 즉 1617년(광해군 9) 3월 7일에 내린 유서이다.

○ 교서

정기룡 장군 교서(教書)는 2축으로 발령 연대와 규격의 차이가 있을 뿐 '교삼도통제사 겸 경상우도 수군절도사 정기룡서'로 내용은 같다.

하나는 가로 52센티미터, 세로 170센티미터이고 교삼도통제사(教三道統制使) 겸 경상우도 수군절도사 정기룡서(鄭起龍書)로 되어 있으며 1617년 3월 7일자의 것이다. 다른 하나는 가로 80센티미터, 세로 300센티미터이고 교삼도통제사 '경상우도 수군절도사 정기룡서'로 되어 있으며 1621년 2월 25일자의 것이다.

○ 교지

교지(教旨)는 1773년(영조 49) 정월 25일 조정에서 정기룡에게 시호를 내린 것으로 크기는 가로 63센티미터, 세로 94센티미터이다.

○ 경상북도 상주시 사벌면 충의로 230

상주 조공제

상주 시가지 동쪽에 자리한 상주여고 부근에 남북방향으로 돌과 흙을 다지고 돋우어 만든 '조공제(趙公堤)'라는 둑이 있다. 조공제는 상주목사 조병로(趙秉老)가 1871년 9월부터 1873년 10월까지 재임할 당시 영농의 목적으로 쌓은 길이 370미터, 높이 2.5미터, 폭 5미터의 제방이다. 제방 남쪽 끝에는 조공제비가 세워져 있다.

그 제방 위에는 크고 작은 밤나무들이 줄지어 숲을 이루고 있는데 이 숲은 임진왜란 당시 일본군에게 함락된 상주읍성 탈환작전 때 큰 역할을 했다. 어두운 밤을 택해 의병들이 화공(火攻)을 함에 있어 상주성 성문 가운데 동문에만 불길이 없게 하고 군대소리도 들리지 않게 했는데 일본군이 동문으로 나와 성동 밤 숲 쪽으로 도주하자 밤 숲에 매복하고 있던 정기룡 장군의 의병들이 일본군 수백 명을 몰살시켰다. 오랜 세월이 지난 후 상주목사 조병로가 그 밤나무 숲 자리에 둑을 쌓았다.

조공제 비문

…동편은 물길이 허하여 가둘 수 없음에 흙을 쌓고 나무를 키우게 했다. (중략) 일꾼들에게 명하여 돌을 실어다 쌓도록 하니 그 제방이 마치 성과 같았다…

제방 서쪽에 있는 산이 지네의 형상을 하고 있기에 조공제 자리에 지네가 싫어하는 밤나무를 심게 되었다고 한다.

현재는 시내로 들어가는 넓은 폭의 도로가 조공제를 관통하여 부분적으로 단절된 상태에 있다. 조공제 전체 길이는 370미터 가량인데 상수여고 후문 진입로와 시가시를 동서로 관통하는 도로가 개설되면서 남쪽부터 북쪽으로 세 군데가 단절되어 있다.

조공제

조공제의 밤나무

조공제비

목사 조후 병로 거사비(牧使趙候秉老去思碑)

본래 제방의 폭은 11미터, 높이는 3미터였는데 2003년도에 이곳을 정비, 복원하면서 시민휴식공간으로 조성할 목적으로 제방 둘레를 따라 지면을 돋우었다. 이때 폭 2.5미터 정도의 보도를 내면서 제방의 폭이 줄었고 높이 또한 낮아졌다.

조공제는 2002년 7월 15일 경상북도 기념물 제140호로 지정되었다.

○ 경상북도 상주시 복룡동 504-1

상주 창석사당

창석사당은 창석(蒼石) 이준(李埈, 1560～1635)을 모신 사당이다. 이준은 상주 청리에서 태어났으며 1591년에 친형 이전과 함께 별과 초시에 합격하고 가을에는 전시(殿試)에 급제한 문신이다.

그는 형 이전을 지극하게 모셨으며 임진왜란 때에는 정경세와 더불어 의병을 일으켰다. 그는 안령에서 적의 습격을 받아 패했으며, 그 뒤 정경세와 함께 일본군과 싸웠으나 또다시 패했다.

이준은 상주를 위해 한 일이 많았는데 1599년 낙사계 합계 및 존애원 창설, 1606년 도남서원 창설, 1617년 상산지 최초 편찬, 1622년 연악문회 및 낙강범월시회 개최 등이 그의 주된 치적이다. 그는 정경세, 성람, 김각 등 상산의 선비들과 뜻을 모아 임진왜란 후 조선 최초의 사설의료원인 존애원을 설립하는 데 기여했다.

이준은 1595년(선조 28) 경상도 도사, 1597년 사헌부 특평, 1598년 예조정랑, 1610년 홍문관 교리 겸 특강원(特講院) 문학(文學)이 되었으며 풍기군수, 철원부사 등을 지낸 뒤 1628년에는 우승지가 되었고 1635년에는 홍문관 부제학을 역임했다. 『창석집』과 『형제급난도』를 편찬했다.

창석사당은 원래 1656년에 다른 곳에 지었는데 1771년 이전이 만년에 학문을 수행했던 체화당이 있는 이곳으로 옮겨왔다.

창석사당은 1986년 12월 11일 경상북도 문화재자료 제178-2호로 지정되었다.

체화당

창석사당(체화당 건물뒤)

○ 경상북도 상주시 청리면 가천3길 70

상주 체화당(월간사당)

체화당은 서애 유성룡의 문하생인 월간(月澗) 이전(李琠, 1558~1648)이 노년에 후학들에게 학문을 가르치던 곳이다. '체화(棣華)'는 형제간의 우애를 의미하는데 이전, 이준 형제가 우애롭게 지낸 것을 상징한다. 상주박물관에 전시되어 있는 『형제급난도』는 이들 형제의 각별한 형제애를 그림으로 묘사한 것이다.

이전은 상주 청리 송학동에서 태어났으며 1591년 별과 초시에 합격했다. 임진왜란이 일어나자 의병을 일으켰고, 1610년(광해군 2)에는 평능도찰방(平陵道察訪)이 되었으며, 1623년에는 지례현감을 지냈다. 1624년 고향으로 돌아온 후에는 학문에 전념했다.

체화당 입구

체화당

월간사당(체화당 건물뒤)

체화당 중건기

이전의 셋째 아들 이신규가 1632년에 건립한 체화당은 정면 4칸, 옆면 2칸 규모로 지붕은 팔작지붕이다. 이전의 위패를 모신 월간사당은 체화당 뒤에 자리하고 있는데 당초 1656년에 창건된 것을 1771년에 체화당이 있는 이곳으로 옮겨 세웠다. 체화당 건물은 장대석으로 기단을 쌓은 후 원형으로 다듬은 주초를 놓고 원기둥을 세웠다.

건물 대청 뒷벽 위에는 1941년에 작성된 '체화당 중건기'와 '묘안이건상량문'이 걸려 있다.

조선시대 중기의 건축물로 옛 모습을 비교적 잘 유지하고 있는 체화당은 1986년 12월 11일 경상북도 문화재자료 제178-1호로 지정되었다.

○ 경상북도 상주시 청리면 가천2길 52

상주 충신의사단비

충신의사단비(忠臣義士壇碑)는 1592년 4월 상주지역에서 일본군을 막기 위해 혼신의 힘을 다하다가 북천전투에서 순국한 종사관 윤섬(尹暹), 예조좌랑 이경류(李慶流), 교리(校理) 박호(朴箎) 3충신(중앙군 출신)과 이곳 출신의 의병장 김준신(金俊臣), 김일(金鎰) 2의사 등 5인의 공적을 포상하기 위해 정조 임금이 내린 것이다.

당시 북천전투에서 전사한 상주판관 권길 등은 국가의 포상을 받았으나 위의 사람들은 왜란이 끝난 후에도 오랫동안 그 공적을 인정받지 못하고 있었다.

1738년(영조 14) 성이한, 성이항 등을 비롯한 상주지역 유림이 이들 중 김일을 제외한 4인의 공적을 기리기 위해 무양동에 사당 증연사(甑淵祠)를 건립하고 제향했다. 그러나 이에 반대하는 의견이 있어 3년 후인 1741년부터는 사당을 없애고 제사를 지내지 않게 되었다.

정조 임금 때인 1790년에 다시 옛 사당 터에 경절단(景節壇)이라는 제단을 짓고, 이들 4인과 더불어 당시 이들과 함께 순국한 여러 의병들을 위한 제사를 올리게 되었다.

그로부터 2년 후 상주 유림의 청원을 받은 정조 임금이 '충신의사단(忠臣義士壇)'이라는 단호(壇號)를 내림과 동시에 충절에 대한 제문을 손수 지어 경상관찰사로 하여금 제사를 드리게 했다.

1793년(정조 17)에는 의병장 김일의 위패를 추가로 모셨다. 다음 해에 정조 임금이 이들의 공적을 논한 교서를 내렸는데, 이 교서를 바탕으로 비석을 세우고 교서의 내용을 비문에 새겼다. 교서에서는 이들 5인의 공적을 논했는데 비문에 그 내용이 자세히 적혀 있다.

충신의사단비는 비석의 높이 150센티미터, 너비 68센티미터, 두께 19.5센티미터의 규모이다.

원래 상주 시내에 있던 것을 1986년 10월 도시개발과 건물의 노후화로 인해 현재의 위치로 옮겨지었다. 충신의사단비는 1999년 12월 30일 경상북도 기념물 제133호로 지정되었다.

충의문

충신의사단비

어제비각

사당 충렬사 충의단(중앙)

장사단(將士壇)

이졸단(吏卒壇)

숭의당(숭의서원)

○ 경상북도 상주시 연원1길 10-16

상주 황령사

황령사(黃嶺寺)는 상주시 은척면 황령리 칠봉산 밑에 자리하고 있는 사찰이다. 638년(신라 선덕여왕 7)에 의상대사가 창건했고 889년(신라 진성여왕 3) 대구화상이 중창했다.

1254년(고종 41) 10월, 몽고군 차라대(車羅大)가 상주성(백화산성)을 침공할 때 황령사 승려 홍지(洪之)가 승병, 의병을 거느리고 나가 격퇴했다.

고려시대 이래 국토수호의 호국사찰로서의 높은 정신을 이어온 황령사는 임진왜란을 당해서도 호국의 도량이 되었다. 왜란을 당하여 이곳 황령사에서 승병, 의병이 창의하여 국난극복에 나섰다.

극락보전

전경

황령사 앞의 계곡 저수지

비석의 법구(法句)

함창을 중심으로 창의한 의병들이 황령사를 본거지로 사용했기에 이 사찰은 일본군에 의해 철저히 파괴되고 불에 타는 참화를 당했다. 당시 대웅전, 천불전, 나한전, 신금당 등 대다수의 건물이 소실되었다.

1901년에 석교화상이 중수했고 1924년에 도허 스님이 다시 중수했다. 그 후 1966년에 주지 상호화상에 의해 사찰이 재건되었다. 건물로는 대웅전과 관음전, 삼성각, 요사채 등이 있다.

현재의 대웅전은 1976년부터 1980년에 걸쳐 기와 보수와 단청을 했고, 2003년 다시 해체하여 복원했다. 황령사는 2002년 7월 15일 경상북도 유형문화재 제337호로 지정되었다.

○ 경상북도 상주시 은척면 성주로 225

상주 효곡재사

효곡재사는 우곡(愚谷) 송량(宋亮, 1534~1618)의 덕을 기리기 위해 그의 증손자 송영(宋穎)이 세운 재실이다. 건립연대는 정확하지 않으나 1673년경에 지어진 것으로 추정되고 있다.

임진왜란 때 송량의 세 아들 중 송이회(宋以誨)와 송이필(宋以弼)이 부모를 구하려다가 사망하고, 두 딸 노경건(盧景健)의 처와 정이괄(鄭而适)의 처도 수절하여 한 가정에 다섯 사람의 충효, 열녀가 탄생했다. 효곡재사는 1991년 3월 25일 경상북도 유형문화재 제256호로 지정되었다.

효곡재사

사당

효곡재사

(송량 일가 정려문)

송량은 송당(宋瑺)의 아들로 호는 우곡, 본관은 여산이다. 상주 지역에서 유교를 실천한 선비이며 효성과 우애가 지극했던 효자였다. 부모의 묘소에 조석으로 참배하니 사람들은 그가 사는 마을 '소곡'을 '효곡(孝谷)'이라 불렀다.

임진왜란 때 의병활동에 가담하여 공을 세웠으며, 존애원과 도남서원을 창설하는 데 참여했다.

송량의 아들 송이회는 임진왜란을 당하여 향교의 위패가 일본군에게 훼손될 것을 우려하여 깨끗한 곳에 묻은 후 부모를 백화산으로 피신시켰으나 일본군이 몰려오자 아우 송이필과 함께 부모를 구하고자 혼신의 힘을 다하니 부모는 화를 면했으나 송이회, 송이필 형제는 끝내 화를 입었다. 송량은 자식은 나를 위해 목숨을 버렸는데 자기 자신은 군왕을 위해 죽지 못하는 것을 한탄하고 상주의 의병부대인 상의군에 힘을 보탰다. 후일 이러한 사실이 조정에 알려져 1729년(정조 7)에 정려되었다.

송량의 딸 노실부인은 노경건의 부인이다. 임진왜란 때 남편과 함께 피난 중 일본군에게 잡혔는데 일본군은 남편 노경건을 살해하고 이어 그녀의 자색을 탐내어 겁탈하려 했다. 노실부인이 '내가 죽을지언정 너희들을 따르지 않겠다' 하고 꾸짖었다. 일본군은 노하여 부인의 오른팔을 베었으며 끝내 항거하자 부인을 베어 살해했다

송량의 막내딸인 정실부인은 정이괄의 부인으로 남편이 사망하고 홀로된 시어머니를 봉양했다. 그러다가 시어머니의 상을 당하자 시아버지 묘 옆에 장사지내고 자결했다.[51]

한 가문에서 충효열이 나오자 조정에서는 1729년에 정려하여 이들을 기렸다. 송량 일가 정려는 효곡재사 부근에 있다. 효곡재사 입구에 있는 안내판을 바라볼 때 약 300미터 정도 오른쪽에 위치해 있다.

○ 경상북도 상주시 공성면 효곡로 365-35

51) 상주시・상주대 상주문화연구소, 『상주의 문화재』(상주: 상주시, 2011), 189쪽.

11. 성주

성주 관왕묘·관운사

관왕묘(關王廟)는 중국 삼국시대의 명장인 관운장 관우(關羽)를 모시기 위해 세운 묘당이다. 임진왜란 후에 명나라 장수들이 주도하여 전국 여러 곳에 관우 사당을 설치했는데 성주 관왕묘는 그중의 하나이다.

성주 관왕묘는 명나라의 장수 모국기(茅國器)가 주도하여 건립했다. 1597년 정유재란 당시 성주성 전투에서 승리한 모국기, 조승훈, 노득공 등 명나라 장수들은 일본군을 물리친 것이 관운장의 영험이라고 믿고 선조 임금에게 관왕묘 설치를 건의했으며 선조 임금의 어명으로 건립되었다.

선조 임금은 성주목사와 지방 유지에게 향사를 지내도록 명을 내리고 병란(兵亂)을 막아주는 수호신으로 삼았다.

관운장을 모신 관성전은 1727년(영조 3)에 중건했다. 정면 3칸, 측면 3칸의 맞배지붕 목조건물이다. 처음에는 성주성 동문과 동방사 사이에 건립했으나 지반이 낮아 수재(水災)가 잦던 중 관운장이 당시 성주목사에게 현몽했고, 그 후 성주목사가 현재의 자리로 이건했다.

관운사 표지석

관왕묘 표지석

병존하는 관왕묘와 관운사(왼쪽 건물이 관운장을 모시는 관성전이고 오른쪽은 대웅전)

관운사 천왕문

관운장을 모시고 있는 관성전

관성전 안에 모셔진 관운장 상

(관왕묘와 관운사의 병존)

일제강점기 일본은 관우 소상(塑像), 즉 인물상을 없애고 건물은 존속시켰다. 1950년대 관왕묘는 복원되었고 경내에는 관운사라는 사찰이 건립되었다. 관운사가 건립된 경위, 관운사와 관왕묘가 병존하게 된 사연은 사찰 앞의 비석 '관관비명'에 잘 나타나 있다.

관관비명(關關碑銘)

관운사 주지 박규진(智山)은 1963년 4월에 관왕묘 유지단체인 춘추계(春秋契)(당시 계장 배준기, 유사 김기택)에 찾아가 관왕묘를 복원하고 봉사를 받들 것이니 사찰도 병립 운영하도록 해달라는 요청을 하였다. 이에 춘추계에서는 흔쾌히 승낙하면서 관운장님만 잘 봉사(封祀)한다면 영구히 사찰로 승인한다고 천명하였다.

1967년 폐허된 모의당(慕義堂) 터에 요사를 복원하였다(당시 계장 도재림, 유사 이갑수). 1987년에 관왕묘를 중수하고 관운사 대웅전과 천왕문 요사 등을 신축 및 개축하고 사찰 규모를 갖추었다(당시 계장 배경성, 유사 심재달, 신도회장 도재영).

2001년 박찬수 목각장(木刻匠)이 관운장과 관평, 주창 장군상을 목각으로 조성하였으며, 그 경비는 춘추계와 관운사가 반분하였다.

2003년 관운사는 춘추계에 관운장 현창사업을 할 수 있도록 기금을 내고, 춘추계는 580-2 유류지를 관운사에 증여하였으며, 또한 526-1에서 526-6을 분(分)하여 관왕묘와 관운사가 병존하도록 결의하되, 향후 관운사 주지는 관왕묘에 대하여 매년 음력 9월 9일 향사를 받들고 관왕묘를 잘 관리해야 하며, 또한 춘추계는 관운사에 잘 협조하고 관운장 현창사업에 자문하기로 약속하면서 관왕묘와 관운사는 향후 순치지간(脣齒之間)임을 이 관운비에 새겨 천추에 전하고자 한다.

서기 2004년 4월 30일 관왕묘 대표 배경성 관운사 대표 박규진

○ 경상북도 성주군 성주읍 경산6리 526-6

성주 쌍충사적비

성주읍 서문고개 성주여고 맞은편에 있는 쌍충사적비(雙忠事蹟碑)는 영남지방에서 의병을 모아 일본군과 싸우다가 성주성 전투 때 전사한 제말(諸沫)과 1593년 6월의 제2차 진주성 전투 때 성내에서 저항하고 있는 조선군과 의병을 돕기 위해 출전하다가 전사한 그의 조카 제홍록(諸弘祿)의 공적을 기리기 위해 세운 비석이다.

임진왜란이 일어나자 당시 성주목사로 있던 제말은 의병을 모았다. 그는 의령 정암전투 후 조정에서 파견한 초유사 김성일을 도와 각처에 흩어져 싸우는 의병조직을 연결하는 일을 하면서 성주까지 진출했다. 그러나 이미 성주성이 일본군에게 점령되어 있어 이의 탈환을 위해 앞장서서 싸우다 전사했다.

정조 임금은 1792년 제말의 공을 치하하여 병조판서로 벼슬을 높이고 이 비를 세우도록 했다.

쌍충사적비는 원래 성주초등학교 교정에 세워져 있었다. 일제강점기 일본 관헌들에 의해 비각이 헐리고 비석이 방치되었던 것을 1940년경에 도로확장 공사를 하면서 지금의 자리로 옮겨 세웠다.

비석의 형태는 네모난 바닥 돌 위에 비 몸을 세우고 용을 조각한 머릿돌을 얹은 모습이다.

비석의 전체 높이는 329센티미터, 높이 223센티미터, 폭 79센티미터, 두께 37센티미터이다. 한성부판윤을 지낸 이조판서 서유린이 글을 짓고 영의정을 지낸 제학 이병모가 글씨를 썼다. 새긴 글에 붉은색을 넣은 것이 특징이다. 쌍충사적비는 1974년 12월 10일 경상북도 유형문화재 제61호로 지정되었다.[52]

쌍충사적비

용조각 머릿돌

52) 칠원 제씨 종친회 홈페이지 http://jekm.com.ne.kr/에서 쌍충사적 및 제말・제홍록에 관한 자세한 내용을 볼 수 있다.

현판

쌍충사적비가 있는 이곳은 성주읍성 서문(西門)이 있던 자리이다. 홍예식 성문, 누각, 망루·망대가 있었다.

(의병장 제말)

제말은 아버지 첨지중추부사 제조겸과 어머니 공주 황씨 사이에서 출생했다. 그는 장성하여 무과에 급제한 후 총부수문장을 역임했다. 1592년 임진왜란이 일어나자 가산을 털어 제홍록을 비롯한 동지 67인과 함께 의병을 모집했으며 웅천, 김해, 정암(지금의 의령) 등지에서 일본군과 싸워 승리했다. 그의 공로가 조정에 알려져 성주목사에 임명되었다.

그는 1593년 4월 말 성주성 전투에서 식량도 부족하고, 원군도 없는 고립무원의 상태에서 전력을 다해 싸우다가 총탄에 맞아 전사했다.

임진왜란 이후 제말 장군의 공적이 제대로 밝혀지지 않았으나, 200년이 지난 1792년에 여러 가지 기록을 다시 조사한 정조 임금은 그에게 병조판서의 직위와 '충장공'의 시호를 내려 쌍충사적에 기록하게 했다. 또 이조판서 서유린에게 명하여 쌍충비문을 짓게 한 후에 성주와 진주에 같은 모양의 쌍충각을 세웠다.

순조 임금은 1812년에 제말 장군의 충의에 비해 훈작이 미흡함을 애석하게 여겨 '충의공'이라는 시호를 다시 내렸다.

○ 경상북도 성주군 성주읍 심산로 91-1

성주 충신문

충신문(忠臣門)은 임진왜란 때 의병으로 참전하여 공을 세운 의민공(毅愍公) 박이현(朴而絢, 1544~1592)과 이괄(李适)의 난 때 순국한 그의 아들 충장공(忠壯公) 박영서(朴永緖, ?~1624)

의 충절을 기리기 위해 건립된 정각이다.

1625년(인조 3)에 내려진 정려를 편액하기 위해 건립되었으며, 1692년(숙종 18)에 보수했고 1980년에 중수했다.

정각은 정면 2칸, 옆면 1칸의 맞배지붕 건물이며 주춧돌은 원뿔형 화강암이다. 정각을 둘러싸고 있는 사각형 담장이 있는데 담장 위에는 기와를 얹었으며, 일각문으로는 사람이 드나들 수 있게 했다. 2006년 2월 16일 경상북도 문화재자료 제502호로 지정되었다.

충신문

충신문

충신 박이현지려

충신 박영서지려

(박이현)

박이현은 순천 박씨 성주 입향 시조인 박가권(朴可權)의 7세손이다. 박이현은 남명 조식(曺植)의 문인으로 임진왜란 때 의병대장 김면(金沔)의 휘하에서 의병활동에 참여하여 공을 세우고 가천에서 전사했다. 그의 공로가 인정되어 공조참의의 직위가 내려졌다.

(박영서)

박영서는 박이현의 아들로 무과에 급제한 후, 1624년(인조 2)에 발생한 이괄의 난 때 도원수 장만(張晩)의 선봉장이 되어 남이흥(南以興), 정충신(鄭忠臣) 등과 함께 황주 신교전투에 참가했다. 그는 전투 도중에 전사했다. 조정에서는 그에게 병조판서의 직위와 '충장(忠壯)'의 시호를 내렸다.

○ 경상북도 성주군 수륜면 수륜리 477

12. 안동

안동 관왕묘

관왕묘는 1598년(선조 31) 서울 남대문 밖에 남관왕묘(南關王廟)가 건립된 것을 비롯하여 안동, 성주, 강진, 남원 등지에도 건립되었다.

안동 관왕묘는 소설 삼국지에 등장하는 명장이자 무운(武運)과 재운(財運)의 수호신인 관우(關羽) 운장의 제사를 모시는 사당으로 1598년(선조 31) 당시 안동에 주둔하던 명나라군 장수 설호신(薛虎臣)이 주도하여 건립했다.

관왕묘는 여러 곳에 있지만 화강암으로 된 석상(石像)을 모신 곳은 안동 관왕묘가 유일하다. 부속문화재로는 무안왕묘(武安王廟), 묘우삼문(廟宇三門), 광감루, 동재・서재가 있다.

광감루

솟을대문의 무안왕묘 현판

무안왕묘 입구

사당 무안왕묘

무안왕묘에서 내려다본 경내

정문격인 광감루(曠感樓)를 지나면 좌우에 동재·서재가 있고 조금 더 오르면 묘우삼문이 있다. 대문에 '무안왕묘'라고 쓴 현판이 걸려 있는데 이 문을 들어서면 사당 무안왕묘가 자리하고 있다.

설호신이 무안왕상을 제작하여 안동부성(安東府城) 서쪽 안동향교 맞은편 목성산 기슭에 봉안했으나, 1606년(선조 39) 유림에서 향교와 관왕묘가 마주 보고 있는 것은 바람직하지 않다 하여 현재의 위치로 옮겨지었다. 현재의 건물은 1904년에 해체 복원한 것이다.

묘정에 있는 무안왕비(武安王碑)는 1598년 건립한 비로 당시 명나라군 참전 관련 기록과 장수 이름이 명문되어 있다. 비석의 높이는 180센티미터이고 비신의 가장자리에는 인동당초문(忍冬唐草文)을 음각했다.

관우의 출생일인 음력 5월 13일과 기일인 10월 21일에 제사를 지낸다. 관왕묘는 1982년 2월 24일 경상북도 민속자료 제30호로 지정되었다.

○ 경상북도 안동시 태화동 604

안동 예안 이씨 정충・정효각

예안 이씨 정충・정효각은 정충각과 정효각 두 정각으로 이루어져 있다. 정충각(旌忠閣)은 임진왜란 때 풍천 구담(九潭)에서 의병 700여 명을 이끌고 일본군을 막아내다가 전사한 의병장 이홍인(李洪仁, 1525~1594)에게 내려진 충신 정려를 게시한 건물로 1811년(순조 11)에 건립되었다.

이홍인은 1594년 전사할 당시 자신의 전투공로를 드러내지 말라는 유언을 남겼으나 훗날 유림과 마을 사람들에 의해 그 공로가 밝혀져 사후 200여 년이 지난 1811년에 충신으로 정려되었다. 조정에서는 통정대부 김굉으로 하여금 상량문을 짓게 하고 정충각을 지금의 위치에 세웠다. 각각 정면 1칸, 측면의 겹처마 맞배지붕의 건물로 충과 효에 대한 정려가 한 문중에 내려져 두 건물이 나란히 서 있게 되었다.

정효각(旌孝閣)은 이홍인의 8대손인 용눌재 이한오(1719~1739)의 효행을 기리는 비각으로 1812년에 건립되었다. 이한오는 전통적인 유가(儒家)의 후예로서 충과 효가 생활의 기본임을 알고 효성을 다하여 부모를 모심으로써 주변 사람들로부터 칭송을 들었다.

(이한오의 효행)

이한오는 부친이 병환으로 고생하자 정성을 다해 보살폈으나 백약이 무효였다. 하루는 아버지가 꿩고기와 잉어를 원하기에 이른 새벽에 낙동강 물가에 가서 잉어를 잡으려 했으나 저녁이 되도록 잡지 못했다. 해질 무렵 가까스로 한 마리를 잡아 귀가하는데 갑자기 호랑이가 나타났다. 이한오는 호랑이에게 병을 앓고 있는 아버지에게 꿩과 잉어를 다려 드린 후에 날 잡아가라고 말했다. 호랑이는 꼬리를 설레설레 흔들며 이한오의 집까지 따라왔는데 호랑이는 갑자기 사라지고 꿩 한 마리가 날아와 앉았다. 이에 꿩을 잡아 잉어와 함께 다려 드리니 병환이 치유되어 건강을 회복했다는 이야기가 전해진다.

예안 이씨 정충・정효각은 2003년 10월 27일 경상북도 문화재자료 제448호로 지정되었다.

나란히 서있는 정충·정효각(왼쪽이 정충각)

충신 의병장 예안 이홍인지려

정충각

정효각

정효각

효자 학생 예안 이한오지려

○ 경상북도 안동시 풍산중앙길 119-1

안동 예안 이씨 충효당

예안 이씨 충효당(禮安李氏忠孝堂)은 임진왜란 때 의병장으로 활약하다가 전사한 이홍인(李洪仁, 1525~1594)과 그의 후손 이한오의 충(忠)과 효(孝)가 얽혀 있는 유서 깊은 건물이다. 충효당은 이홍인의 후손이 사는 집으로 1551년에 건축한 조선시대 중기의 건축물이다.

이홍인은 무예와 병법에 능했으며, 임진왜란 때 의병을 일으켜 풍천에서 일본군과 싸우다가 전사했다. 이에 조정에서는 정충각을 지어주고 그의 뜻을 기렸다.

충효당은 안채와 사랑채가 맞붙어 있고 안동지방에서 흔히 볼 수 있는 미음(ㅁ)자형 평면을 이루고 있다. 내부의 중앙은 뜰로 꾸민 소박한 집으로 남쪽과 서쪽에 바깥으로 통하는 대문이 있다.

충효당 입구

쌍수당

안채 · 사랑채

안채 · 사랑채

건물 서쪽에는 지붕 옆면이 여덟 팔(八)자 모양인 팔작지붕을 가진 '쌍수당(雙修堂)'이라는 별당이 있다. '쌍수당'이란 충과 효를 한 집안에서 다 갖추었다는 의미이며, 의병장으로 나서 일본군과 싸우다 순국한 이홍인과 그 후손 이한오의 효성을 기리는 곳이다. 1971년 8월 30일 보물 제553호로 지정되었다.

○ 경상북도 안동시 풍산읍 우렁길 73

안동 월천서당

월천서당(月川書堂)은 월천 조목(趙穆, 1524~1606)이 1539년에 건립하여 학생들을 지도하고 양성하던 곳이다.

조목은 퇴계 이황의 제자로 1552년에 생원시(生員試)에 합격하여 성균관에 들어갔고, 여러 관직을 거쳐 공조참판에 이르렀다. 임진왜란 때는 의병을 모집하여 동생과 두 아들까지 곽재우 장군 휘하로 보내 의병활동을 하게 했다.

조목은 1594년에 군자감 주부로서 일본과의 강화를 반대하는 상소를 올렸다. 그 뒤 장악원정(掌樂院正) · 사재감정(司宰監正) · 공조참판 등에 임명되었으나 모두 사직했다. 일생 퇴계 이황을 가까이에서 모셨으며 벼슬에 뜻을 두지 않고 학문에만 몰두하여 대학자로 존경을 받았다. 서당현판은 퇴계 이황이 썼다.

월천서당

서당 뜰에서 내려다 본 안동호

이 서당은 정면 4칸, 옆면 2칸 규모로 지붕은 팔작지붕으로 꾸몄다. 1982년 12월 1일 경상북도 기념물 제41호로 지정되었다.

○ 경상북도 안동시 도산면 월천길 437-7

안동 의성 김씨 학봉종택

학봉종택은 학봉 김성일의 종가이다. 김성일(金誠一, 1538~1593)은 1568년에 문과에 급제하여 이조와 호조의 낭관을 거쳐 1576년(선조 9)에는 주청사의 서장관으로 명나라에 다녀왔다. 이어 대간, 홍문관 등의 요직을 두루 거치고 1579년(선조 12)에 함경도 순무어사(巡撫御史)로 나가 6진(鎭) 등 국경지대를 살펴보았고, 1583년(선조 16)에 다시 황해도 순무어사로 나가 민정을 살피고 돌아왔다.

1590년에는 통신부사(通信副使)가 되어 정사(正使) 황윤길 등과 함께 일본으로 갔다. 1591년 일본에서 돌아온 황윤길은 현지의 분위기를 볼 때 일본이 침공해올 것이라고 보고했으나, 김성일은 그렇지 않을 것이라 보고했다. 황윤길 외에 다른 수행원들도 일본의 침공이 있을 것이라고 보고했으나 조선 조정은 김성일의 보고를 믿는 우를 범했다.

황윤길 등의 보고대로 이듬해인 1592년 일본이 침공해오자 선조 임금은 김성일의 처벌을 명했으나 김성일은 그와 동문수학했던 유성룡의 변호로 무사할 수 있었다. 김성일은 초유사에 임명되어 함양, 죽산 등지에서 격문을 띄웠으며 곽재우의 도움을 받아 의병을 일으켜 경상도 지역에서 전공을 세웠다. 이어 경상우감사(慶尙右監司)가 되어 관내 각지를 순행하며 독전하다가 이듬해 진주공관에서 순직했다.

종택 건물은 일(一)자형의 안채와 사당, 문간채, 풍뢰헌, 운장각으로 구성되어 있다. 학봉종택은 1995년 12월 1일 경상북도 기념물 제112호로 지정되었다.

학봉종택

학봉기념관(왼쪽), 학봉종택(오른쪽)

학봉종택

(운장각)

운장각(雲章閣)은 김성일의 유물관이다. '운장'이란 말은 '저 넓디넓은 은하수(倬彼雲漢), 하늘에서 빛나고 있다(爲章于天)'라는 시경의 한 구절에서 따온 것이다. 운장각에는 경연일기, 해사록 등 학봉의 친필 원고와 사기(史記), 고려사 절의 등 조선시대 초기에 간행된 고서 56종 261점, 교지・유서류 고문서 17종 242점 등 보물로 지정된 것 외에도 학봉의 안경, 벼루를 비롯한 유품과 후손들의 서적, 고문서를 보관하고 있다.

○ 경상북도 안동시 서후면 풍산태사로 2830-6

안동 학봉 신도비・묘방석

학봉 김성일은 퇴계 이황의 제자이며, 1568년 과거시험에 급제한 이래 여러 벼슬을 두루 거쳤다.

임진왜란 때는 경상우도 초유사로 임명되어 의병활동을 도왔다. 특히 관군과 의병을 화합시켜 전투력을 강화하는 데 노력했으며, 1593년 경상우도 순찰사를 겸하여 도내 각 고을을 돌아다니며 격려하던 중 병을 얻어 생을 마쳤다.

학봉 신도비에서 왼쪽으로 50미터 거리에 있는 언덕에 묘소와 묘방석이 자리하고 있다. 신도비는 화강암으로 만든 거북받침돌 위로 비 몸과 머릿돌을 하나의 돌로 조각하여 세워놓았다. 머릿돌에는 두 마리의 용과 구름무늬를 새겨 놓았다. 1634년(인조 12)에 세운 이 비는 정경세가 비문을 짓고, 이산뢰가 글씨를 썼다. 정면에 새겨진 비의 명칭은 김상용의 글씨이다.

비신의 높이는 213센티미터, 너비 108센티미터, 두께 37센티미터이며 용모양의 비머리는 높이 80센티미터이다.

학봉 김성일 신도비각

신도비

묘방석

김성일 묘소와 묘방석

묘의 바로 옆에 세워 묘의 주인이 누구인가를 밝히는 비석인 묘방석은 1619년(광해군 11)에 건립되었다. 무덤을 조성할 때 나온 큰 바위를 묘방석으로 사용했다.

학봉 신도비 및 묘방석은 1999년 12월 30일 경상북도 유형문화재 제312호로 지정되었다.

○ 경상북도 안동시 와룡면 가수내길 38-15

13. 영덕

영덕 경수당 종택

경수당 종택(慶壽堂宗宅)은 임진왜란 당시 군량미 700석을 조카 박의장이 이끄는 의병부대에 보내 의병활동을 지원한 경수당 박세순(朴世淳, 1539~1612)이 지은 집이다. 박세순은 왜란 종료 후 선무원종공신 2등에 올랐고, 절충장군 첨지중추부사 겸 오위장(五衛將)을 지냈으며, 사후에 공조참의의 직위를 받았다.

경수당

경수당과 담장

솟을대문

경수당

1570년(선조 3)에 99칸의 큰 규모로 지어진 이 가옥은 1668년 증손자인 박문약의 실수로 불에 탔다. 자신의 실수로 집이 불에 타자 3일 동안 소복을 입고 통곡을 한 박문약은 1713년에 지금의 규모로 집을 다시 지었다. 미음(ㅁ)자형의 정침과 정면 3칸 규모의 대청으로 이루어져 있다.

경수당 종택은 1997년 9월 29일 경상북도 유형문화재 제297호로 지정되었다.

○ 경상북도 영덕군 영해면 원구길 28-13

영덕 덕후루

덕후루(德厚樓)는 박의장(朴毅長, 1555~1615)을 기리어 제사지내는 곳이다. 박의장의 본관은 무안(務安)이며, 현감을 지낸 박세렴의 아들이다. 박의장은 1577년 무과에 급제하여 주부가 되었으며, 1588년 진해현감을 거쳐 1592년 임진왜란이 일어나던 해에 경주판관이 되었다. 일본군이 침공해오자 그는 소속 군사를 이끌고 병마절도사인 이각과 함께 동래읍성을 구하기 위해 달려갔다. 그러나 이각이 일본군의 기세에 밀려 싸우지도 않고 퇴각하는 것을 보고 그의 비겁함을 질책했다.

그해 7월에 이각이 처형되고 박진(朴晋)이 경상좌도 병마절도사로 파견되자, 장기군수 이수일(李守一)과 함께 박진을 도와 일본군에게 빼앗긴 경주성 탈환에 나섰다. 이 전투에서 화차(火車)와 비격진천뢰를 사용하여 큰 전과를 거두었다.

1593년 4월에는 군사 300여 명을 이끌고 대구 파잠에서 일본군 2,000여 명과 맞서 싸워 수십 명의 목을 베고 수백 필의 말을 빼앗는 등 공을 세웠다. 또한 5월에는 울산군수 김태허(金太虛)와 함께 울산의 일본군을 공격하여 50여 명을 베는 전과를 올렸다.

박의장은 그 공로를 인정받아 당상관으로 특진되면서 경주부윤이 되었다. 같은 해 7월에는 초산군(剿山郡)의 적을 공격하여 남문에서 전멸시켰다. 8월에는 일본군이 안강(安康)에 주둔하고 있는 명나라의 군사를 급습하여 200여 명을 사살하자 병사 고언백과 함께 일본군을 추격하여 무찔렀다.

1594년 2월 양산의 적을 무찔렀고, 3월에는 임랑포에 주둔하던 일본군이 언양현에 침입하여 노략질하자 이들을 급습했다. 이때 적에게 잡혀 있던 백성 370명을 구해내고 우마 32필도 노획했다. 5월에는 기장에서, 7월에는 경주에서 많은 일본군을 베었다.

박의장은 1595년에 가선대부가 되었다. 1597년에는 영천과 안강에서 1,000명의 병사를 거느리고 5만 명의 명나라 군사를 도와 일본군과 맞섰다. 이때 적군이 성을 비우고 밤에 퇴각하자 창고에 있던 곡식 400여 석을 거두었다.

그는 1598년 경주 벽도산(건천읍과 율동에 걸쳐 있는 산, 지금의 경주 톨게이트 서쪽)에 주둔해 있던 일본군을 공격하여 승리한 공로로 가의대부로 승진했다. 1599년에는 성주목사 겸 방어사가 되고, 1600년에는 경상좌도 병마절도사가 되었다. 그 이듬해인 1601년에는 인동부사(仁同府使), 1602년에는 다시 경상좌병사 및 공홍도수사(公洪道水使)를 거쳐 경상수사를 지냈다. 다섯 차례의 병마절도사를 지내는 동안 청렴하고 근신하기가 한결같아 주위로부터 신망과 존경을 받았다.

그는 경상좌도 병마절도사에 승진했으나 재임 중에 임지에서 사망했다. 영해 정충사(貞忠祠)에 배향되었다. 조정에서는 그에게 선무원종공신 1등의 서훈과 호조판서의 직위를 내려 그의 충절을 기렸다.

다락집 덕후루

덕후루

재실 집희암

뒤에서 본 집희암과 덕후루

신도비각

박의장 신도비각

건물구조는 '덕후루'라는 현판을 건 다락집이 앞쪽에 있고, 그 뒤로 '집희암'이란 현판을 단 1층 건물이 있어 전체적으로 미음(ㅁ)자형을 이루고 있다. 옛날 덕후루 앞에 큰 사찰이 자리하고 있었는데 사찰이 사라진 후 기존 암자 건물을 재실로 꾸민 것이라고 한다. 덕후루 건물을 바라볼 때 우측 50미터 지점에 무의공(武毅公) 박의장 신도비가 있다.

덕후루는 1987년 12월 29일 경상북도 유형문화재 제234호로 지정되었다.

○ 경상북도 영덕군 창수면 숫골4길 248

영덕 목사공종택

목사공종택(牧使公宗宅)은 무관 박홍장(朴弘長, 1558~1598)이 살던 집이다. 1570년(선조 3)에 세워졌으며 1720년(숙종 46)에 건물의 일부가 소실되었다. 정면 4칸, 옆면 2칸 규모이며 지붕은 팔작지붕이다. 1996년 7월 16일 경상북도 문화재자료 제320호로 지정되었다.

박홍장은 현감을 지낸 박세렴의 아들이며 병마절도사 박의장의 동생이다. 어려서 소학(小學)과 병서를 즐겨 읽던 그는 1580년에 무과에 합격하여 만호(萬戶)로 관직을 시작하여 1582년에 선전관이 되었다.

1593년 12월 23일 영일현감을 지낸 부친 박세렴의 상을 당했다. 전란이 급박하여 아버지 영결을 하지 못하는 형 박의장을 대신하여 박홍장이 사촌형 박진장과 함께 장례를 치렀다.

박홍장은 1594년에 영암군수로 부임했으나, 두 달 뒤에 유성룡의 천거로 대구부사에 임명되었다. 그는 오랜 전란으로 부상을 당하고 의기가 약해진 병사들을 돌보는 한편, 무기를 정비하고 군량미를 준비하는 등 대구지역을 방어하기 위해 만전을 기했다. 이러한 업적이 인정되어 군자감정(軍資監正), 장악원정(掌樂院正), 상호군(上護軍)으로 승진했다.

목사공종택

박홍장은 1596년 2월 아버지 삼년상을 마치고 원직에 복귀했다. 같은 해 6월 당상관인 통정대부에 승진되었고, 통신부사가 되어 통신정사 황신(黃愼)을 따라 사신으로 일본에 가게 되었다. 조선 사신을 맞이한 일본의 관리들은 오만하기 그지없었다. 그들은 선조 임금의 국서를 받지 않고 지난 임진년과 같이 조선에 군사를 다시 출동시키겠다느니, 조선 사신을 숯불 위에 올려놓고 화장하겠다는 등의 협박을 했다.

도요토미 히데요시는 조선사절단 일행을 멸시했다. 박홍장은 이에 굴하지 않고 임무를 완수했으며, 일본 체류기간에 정세를 면밀히 관찰하여 그해 11월에 귀국한 후 이를 조정에 보고했다.

박홍장은 사신의 임무를 완수한 공로가 인정되어 품계가 높은 순천부사에 임명되었으나, 대구에 머물기를 바라는 대구부민의 상소로 유임하게 되었다. 그 후 1597년 상주목사에 제수되었으나 지병으로 인해 이듬해인 1598년 1월 3일 41세의 나이에 사망했다.

○ 경상북도 영덕군 축산면 칠성1길 5-10

영덕 정담 정려비

정담 정려비는 김제군수를 지낸 정담의 충절을 기리는 비이다. 정담(鄭湛, ?~1592)의 호는 일헌(逸軒)이며 강원도 평해부 사동리(지금의 경상북도 울진군 기성면 사동리)에서 출생했다.

일찍이 무관(武官)에 뜻을 두었던 그는 1575년에 알성무과에 장원급제했고 1577년에는 무관으로서 함흥부에 배속되었다. 1583년 무과에 급제했고, 24세 때에 영남동도병마사(嶺南東道兵馬使) 홍치무(洪致武)의 편장이 되었다.

1590년에 청주목사로 임명되어 재직하던 중 1592년 임진왜란이 발발하자 김제군수로 임명되었다. 그해 4월 그는 1,000명이 안 되는 군사를 정비하고, 조방장 이봉과 함께 웅치(곰티재)에 나아가 진을 치고 산길을 끊어 목책을 설치했다.

의병장 황박(黃璞), 나주판관 이복남(李福男) 등과 연합하여 전라북도 전주를 점령하기 위해 북상하는 고바야카와 다카카게(小早川隆景)가 이끄는 15,000명의 일본군과 대치했다. 1592년 6월 하순, 정담은 방어사 곽영으로부터 고바야카와가 병력을 충청남도 금산에서 둘로 나누어 제1진은 이현(梨峴)을 넘어서 전주로, 제2진은 진안을 거쳐 전주 입성을 도모하려 한다는 전갈을 받았다.

정담은 소를 잡아 하늘에 제사지내고, 장수와 군졸을 배불리 먹이고 싸움터로 향했다. 7월 7일 일본군이 침공할 때 이복남은 웅치 입구인 진안 쪽 개울, 황박은 산중턱, 정담은 산 정상부를 각각 지켰다. 그러나 전세가 크게 불리해져 이복남은 부근 안덕원으로 후퇴했고, 황박 또한 맡은 구역을 지킬 수 없게 되었다.

정담은 의병을 이끌고 웅령으로 가 전주를 점령하기 위해 북상하는 일본군을 맞아 싸웠다. 군량미는 바닥나고 전사자는 시시각각으로 불어나는 가운데 정담은 웃옷을 벗어 자신의 성명을 적어 자신이 전사한 후에도 시체를 식별할 수 있게 했다. 그리고 부하 300여 명과 함께 적진으로 돌진했다.

정담은 백마를 탄 일본군 장수에게 활을 쏘아 떨어뜨렸고, 탁월한 작전으로 일본군을 격퇴했다. 퇴각 후 전세를 가다듬은 일본군은 더 많은 군사를 거느리고 와 대규모 공세를 취했다. 이때 조방장 이봉이 나서서 후일을 기약하고 진을 거두자고 청했으나 정담은 이를 거절하고 화살이 다하도록 싸운 다음 다시 칼을 빼어 닥치는 대로 일본군을 베었다. 격전 끝에 화살이 떨어지자 근접전으로 임했다. 정담은 7월 8일 정오경 다시 접전을 벌이다가 전사했다. 그의 나이 45세이다.

격한 전투 끝에 승리한 일본군은 조선군의 충절에 감복하여 흩어진 시신을 거두어 무덤을 만든 후 '조조선충간의담(弔朝鮮忠肝義膽)'이라는 푯말을 세웠다.

1천 명 정도의 적은 군사로 10배가 넘는 일본군과 싸우다 전사한 정담 소식을 접한 전라북도 전주와 김제의 주민들은 그의 유해를 전주 북문(全州北門)에 반장(反葬)하고 아침저녁으로 제사를 드렸다. 조정에서는 1593년 9월 정담에게 병조참판의 직위를 내리고 선무원종공신 3등으로 포상했다.

김제군수 정담지려

정담 사적비

정담 비각

현판 정려이건비

정려 건립은 왜란 종료 후 선조 임금 때 거론된 적이 있으나 1690년(숙종 16)에야 교지가 내렸다. 처음에는 인량촌 마을 가운데에 나무로 된 비를 세웠다. 세 차례나 나무로 된 비를 세웠으나 퇴락해가자 1782년(정조 5) 마을 앞 길가에 중건하여 돌 비석으로 바꾸어 세웠다. 정려비의 형태는 받침돌 위에 비 몸을 세우고 용머리가 조각된 머릿돌을 얹은 모습이다. 1999년 12월 30일 경상북도 문화재자료 제380호로 지정되었다.

○ 경상북도 영덕군 창수면 인량리 170-12

14. 영양

영양 장렬공 사당

장렬공 사당은 임진왜란 때 공을 세운 정담(鄭湛, ?~1592)의 위패를 봉안하고 있는 곳이다. 조정에서는 1593년 그에게 '가선대부 병조참판 겸 동지의금부사(同知義禁府事)'의 직위를 내렸다. 1690년(숙종 16)에는 정충각이 건립되고 사당 향현사(鄕賢祠)에 봉향되었으며 순조 임금은 '장렬공(壯烈公)'이라는 시호를 내렸다.

사당은 평지에 남서향으로 배치되어 있으며 정면 3칸 측면 1칸의 구조이다. 1985년 8월 5일 경상북도 문화재자료 제77호로 지정되었다.

장렬공 종택 표지석

장렬공 종택은 정담의 9대손 정치묵(鄭致默)이 1805년 영해 인량(寧海仁良, 나라골)에서 이곳으로 이주했다. 10대손 정형규(鄭亨逵)대에 하회 예조참판 학서 유태좌(柳台佐)가 방문해보니 너무 초라하기에 향회(鄕會)를 소집하여 인력을 동원하고 자신의 자산을 헌성하여 1864년에 현재의 위치에 중건했다

장렬공 종택 표지석

사당 입구

사당 향현사

사당 옆의 종택 매포정사

○ 경상북도 영양군 일월면 가마실길 23-4

영양 회곡고택

회곡고택(晦谷古宅)은 선조 임금 때의 문신 회곡 권춘란(權春蘭, 1539~1617)이 노년에 살던 곳이다. 권춘란은 안동사람으로 일찍이 퇴계 이황의 문하에 들어가 학문을 익히고 22세에 사마시를 거쳐 한림사간원(翰林司諫院) 정언(正言), 홍문교리(弘文校理), 춘추관 편수관을 역임했다.

1592년 임진왜란 때에는 사재를 털어 의병을 도왔으며 안동에서 의병장 김윤명(金允命)의 휘하에 들어가 활동했다.

권춘란은 그 후 청송부사를 지낸 뒤로는 벼슬을 멀리하고 학문에만 전심했다. 그는 자손이 없어 동생 권춘계의 장남 권태일을 양자로 삼았는데 이 집은 권춘계가 임진왜란 전에 건립한 것으로 추정되고 있다.

회곡고택

학봉 김성일이 세수한 자하동문

회곡고택은 1988년 9월 23일 경상북도 민속자료 제79호로 지정되었다.

(세수대)

회곡고택 부근에는 권태일의 장인 학봉 김성일이 사위의 집에 갈 때 집 앞산에 다다라 세수했다는 '세수대'가 있다. 실제로 세수대가 있는 것은 아니고 김성일이 언덕 단면에 '자하동문(紫霞洞門)'이라고 쓰인 곳 아래를 흐르는 시냇물에서 세수를 했기 때문에 이곳을 세수대라고 부르게 되었다. 자하동문 글자 밑에 '하마비(下馬碑)'라고 쓰여 있다.

○ 경상북도 영양군 청기면 기포길 27-14

15. 영천

영천 고천서원

고천서원(古川書院)은 임진왜란 때 의병을 일으켜 자인전투, 영천성 전투 등에 참여하여 전공을 세우고 경주성 전투에 참여했다가 전사한 영천지역 의병 10인의 신위를 모신 곳이다. 이곳에서 모시는 인물은 모두 영천 지역 출신의 중견관료 및 유학자들로 인근 지역의 농민들을 이끌고 일본군을 격파하고자 했으나 역부족으로 모두 전사했다.

1705년(숙종 31)에 사당을 건립하고 1797년(정조 21)에 강당을 건립했다. 대원군의 명에 의해 서원은 훼철되었으나, 1916년부터 지역 유림이 열 분의 충현(忠賢)을 다시 모시고 매년 제향을 올리고 있다. 고천서원은 2003년 8월 14일 경상북도 기념물 제144호로 지정되었다.

고천서원

고천서원

사당 순국사(殉國祠)

고천서원 옆에 있는 충현각

고천 10의사 기적비

(고천 10의사 기적비)

고천 10의사는 임진왜란 때 일본군을 조국 강토에서 축출하기 위해 생사고락을 함께 할 것을 맹세하고 의병활동에 참여하여 경주성 전투에서 전사한 의병들이다. '충현각'이라는 현판이 붙은 비각 내에 10의사 기적비가 있다.

고천 10현(경주성 전투 전사자)	
김대해(金大海)	호는 소곡(召谷), 본관은 경주, 이조판서 김을초의 7세손, 증 공조정랑
김연(金演)	호는 노항(魯巷), 본관은 경주, 이조판서 김을초의 6세손, 증 한성부 판관
최인제(崔仁濟)	호는 만정(晩亭), 본관은 영천, 사간 최원도의 7세손, 증 병조정랑
정석남(鄭碩男)	호는 충효재(忠孝齋), 본관은 오천, 이조좌랑 정치소의 5세손, 증 공조정랑
이영근(李榮根)	호는 쌍계(雙溪), 본관은 영천, 대제학 이석지의 7세손, 증 한성부 판관
이지암	호는 사촌(沙村), 본관은 성주, 고려시중 이만년의 11세손, 증 한성부 판관
이일장(李日將)	호는 남전(藍田), 본관은 벽진, 이조판서 이견지의 7세손, 증 의빈부 도사
이득룡(李得龍)	호는 추계(楸溪), 본관은 벽진, 증 한성부 판관
이득린(李得麟)	호는 대재(大齋), 본관은 벽진, 증 한성부 판관
손응현(孫應現)	호는 남계(南溪), 본관은 월성, 판밀직사사, 증 의빈부 도사

○ 경상북도 영천시 임고면 고천길 64-3

영천 귀천서원 경덕사

귀천서원 경덕사는 의병장 권응수 장군의 위패를 모시는 사당이다. 1650년(효종 1)에 창건되었으며 1685년(숙종 11)에 사액되었다. 이후 의병장 권응심(권응수 장군의 사촌동생)과 김응택 장군을 추가로 배향했다. 나중에 대원군의 서원철폐령으로 훼철되었다.

권응수(權應銖, 1546~1608)는 선조 임금 때의 무신으로 호는 백운재(白雲齋), 시호는 충의(忠毅)이다. 그는 신녕현 추곡리(지금의 영천시 화산면 가상리)에서 능라군 권덕신의 아들로 태어났다.

1583년(선조 16) 별시무과에 급제하여 훈련원 부봉사를 지냈으며, 그 뒤 경상좌수사 박홍(朴泓)의 휘하에 있었다. 임진왜란이 일어나자 박홍은 적의 위세에 눌려 싸우지도 않고 피신했고 그의 군대는 해체되었다. 권응수는 고향인 신녕(지금의 영천시)으로 왔으나 마을은 텅 비어 있었다. 권응수는 의병 참여를 권유하는 격문을 돌리고, 가족이 피난해 있는 보현산으로 가서는 동생 권응전(權應銓)·권응평(權應平), 자신의 아들 권우(權遇)·권적(權迪) 그리고 노복 등 12명을 규합하여 의병부대를 조직했다.

그는 의병을 데리고 영천에 있는 자신의 집으로 내려와 집집마다 사람들이 버리고 간 옷감을 모아 깃발을 만들었다. 그리고 마을 앞 영천으로 통하는 바걸재 산마루 여기저기에 걸게 함으로써 많은 수의 군사가 주둔해 있는 것처럼 위장했다.

1592년 5월 6일 일본군 수십 명이 바걸재를 피해 사천, 대천, 삼창, 고현, 현고 등지를 노략질한 후 조선막사발 자루를 메고 물을 건너기 시작했다. 숲 속에 매복해 있던 권응수 의병부대와 다른 지역에서 와 합류한 의병들이 적군이 물 한가운데를 지나는 시점에서 화살공격을 가하여 적을 소탕했다.[53)]

권응수는 그해 6월에 경상좌도 병마절도사 박진 밑에서 활동했다. 7월에는 각 고을의 의병장을 규합하여 의병대장이 되었으며 영천성을 탈환한 공로로 경상좌도 병마절도사 우후가 되었다. 8월 20일 경주성 탈환전투에 선봉으로 참가했으나 패했다.

1593년 2월에는 순찰시 한효순(韓孝純)과 함께 문경 당교(唐橋)에서 일본군을 물리치고 또 산양(山陽) 탑전(塔前)에서 일본군 100여 명을 베었다. 안동 모은루(慕恩樓), 구담(九潭), 밀양, 황룡사 부근, 충청도 창암, 형산강 등지에서도 적을 대파했으며 1594년에는 충청도 방어사를 겸직했다.

귀천서원과 사당(사진 오른쪽)

귀천서원

53) 권대섭, 「의병대장 권응수를 아십니까?」, 『서울문화투데이』 2010년 5월 13일자(http://sctoday.co.kr/).

사당 경덕사

권응수 신도비

신도비각

권응수는 1604년 선무공신으로 화산군(花山君)에 봉해졌으며, 오위도총부도총관(五衛都摠府都摠管)에 이르렀다. 1606년 경상도방어사, 1607년 공조판서, 1608년 남영장을 거쳐 한평생 전장을 누비던 그는 63세 되던 1608년 2월 선조 임금이 승하하여 서울에 갔다가 병을 얻어 그해 7월에 여관에서 병사했다. 1624년(인조 2)에 의정부 좌찬성 겸 의금부사의 직위가 내려졌다. 1691년(숙종 17)에 '충의(忠毅)'의 시호가 내려졌다.

(영천성 수복전투)

권응수는 경상좌도 수군에 소속되어 있었으나 개전 초기에 경상좌도 수군이 몰락하자 고향으로 돌아가 의병활동을 시작했다.

일본군은 1592년 4월 22일 영천성에 무혈 입성했다. 의병대장 권응수는 영천성 수복을 위해 연합군을 결성했다. 이를 창의정용군(倡義精勇軍)이라고 칭했는데 그 규모는 영천, 하양, 청송, 의흥 등지의 관군과 의병, 의성의 결사대 500여 명 등 4,000여 명이다.[54]

의병조직은 의병대장 권응수, 별장(別將) 김윤국(金潤國), 좌총(左總) 신해(申海), 우총(右總) 최문병(崔文炳), 중총(中總) 정대임(鄭大任)으로 편성되었다. 경상도 일원에서는 1592년 6월에 이르러 의병이 일어났는데, 경상우도 초유사 김성일은 권응수로 하여금 영천지역의 의병을 총지휘하게 했다. 권응수는 영천, 하양, 신녕 등지의 의병을 통합하여 7월 22일 창의정용군을 조직하고 안강에 본영을 두고 있던 좌병사 박진(朴晋)으로부터 무기를 지원받아 영천성 공격 계획을 세웠다.

7월 25일 밤 권응수는 동생 권응평 등과 성 밖의 버드나무에 올라 성 안을 살피니 잡혀간 조선 백성이 일본군에게 포위당해 있음을 보고 활을 쏘아 적들을 죽였다. 한편 냇가 숲 속에 숨은 400여 명의 장사가 물을 길러가는 적을 쫓으니 적은 그 후로부터 물이 없어 마른 곡식을 먹게 되었다.

7월 26일 권응수는 3,500명의 의병을 거느리고 영천성으로 향했는데 먼저 결사대 500여 명을 선발하여 자신의 동생 권응평으로 하여금 이들을 이끌고 성으로 진격하도록 했다. 그동안 권응수는 병력을 동원하여 나뭇가지들을 성 둘레에 쌓아놓고 불을 질렀다. 불길은 강한 바람을 타고 성 안으로 번져 창고와 건물에 불이 붙고 이어 화약고에 불길이 닿게 되었다. 화약고가 폭발하자 다수의 일본군이 사망하거나 부상당했으며, 성문을 빠져 나오

54) 임란호국영남충의단보존회, 『임진왜란과 영남의병』(대구, 2009), 24쪽.

려던 자들은 권응수 의병들에게 사살되었다.

7월 27일 의병들은 성곽을 넘기 위한 대형 사다리, 조총을 막기 위한 방패, 백병전에 대비한 몽둥이 등을 준비했다. 또 성벽보다 높은 곳에서 활을 쏠 수 있게 속에 흙을 채운 목책을 만들기도 했다.

의병들은 성 아래까지 진격하여 각종 공성기구를 이용하여 성벽을 넘어 진입했다. 주둔하고 있던 1,000여 명의 일본군이 성 안에 있는 여러 건물에 의지해 저항을 계속하자 의병들은 화공전(火攻戰)으로 응수했다. 화염이 치솟자 당황한 일본군은 흩어져 도주하기 시작했고 의병들은 달아나는 일본군들을 공격했다. 잘라낸 일본군의 수급이 517두, 노획한 조총 등 총통류가 900여 자루, 노획한 말이 200필에 달했다.

7월 26일부터 27일까지 이틀간 결사대 500여 명이 성을 공격하고 또 화공을 퍼붓는 치열한 전투 끝에 적군 장수를 참수하고 성을 수복했다. 이때 포로로 있던 양민 1,090명을 구출했으며 의병 전사자는 83명, 부상자는 238명이었으며 일본군 전사자는 500여 명이었다.[55)]

1597년 정유재란 때 권응수는 임금의 명을 받아 명나라군 부총병 해생(解生)을 따라 함경도와 강원도 지역의 병사를 지휘했다. 그는 자기 집안의 비축 양곡 200석을 제공하는 등 국가를 위해 헌신했고 달성, 경주 등지에서 적을 대파했다. 또 원병으로 온 명나라 장수 양호(楊鎬), 마귀(麻貴)를 도와 울산에서 두 번이나 적을 무찌르는 등 수십 차례의 전투에서 공훈을 세웠다.

임진왜란 후 권응수는 그 공로를 인정받아 선무공신 2등에 올랐다.

○ 경상북도 영천시 신녕면 권응수길 40-4(화남리 652)

영천 김연 신도비

영천시 임고면 황강리 경주 김씨 지사공 종택 뒤쪽에는 임진왜란 때 의병을 일으킨 노항 김연(金演, 1552~1592)의 사당과 신도비가 있다. 김연은 의병을 일으킨 공로로 사후에 한성부 판관의 직위를 받았다.

---

55) 임란호국영남충의단보존회, 앞의 글.

(경주 김씨 지사공 종택)

지사공 종택은 중종 임금(재위 1506~1544) 때 중추부지사(中樞府知事)를 지낸 김흡의 가옥이다. 화적들에 의해 소실된 것을 19세기 초에 후손들이 다시 지었다. 사랑채, 곳간채, 안채가 조화를 이루고 있다.

대문에는 '노항 김선생 구택(魯巷金先生舊宅)' 현판이 걸려 있어 이곳이 김연이 살던 가옥임을 알 수 있다. 황강리 마을 입구에는 김연의 아들 남강 김취려가 학문을 닦고 연구하던 남강정사가 연못가에 자리 잡고 있다.

종택 정문

안채(報本堂)

김연 구택 현판

구택 전경

순국의사 노항 김연 신도비

신도비 뒷면

○경상북도 영천시 임고면 황강길 19

영천 도잠서원·조호익 신도비

도잠서원과 조호익 신도비는 같은 동네에 위치하고 있으며 100미터 정도 거리를 두고 있다. 두 곳 모두 도잠서원이지만 편의를 위해 건물 명칭으로 구분하자면 신도비·도잠서당과 도잠서원으로 나눌 수 있다. 유적지에 갔을 때 먼저 만나는 것은 신도비와 도잠서당 건물이고 그곳에서부터 조금 걸어 올라가면 도잠서원을 만나게 된다.

도잠서당에는 망회정,[56] 조호익 신도비, 강당, 하마비 등이 있으며, 도잠서원에는 사당, 재실, 관리사 등의 건물이 있다. 묘우에는 위패를 모시고 있으며, 해마다 3월과 9월에 제사를 지낸다.

(조호익)

도잠서원(道岑書院)은 지산(芝山) 조호익(曺好益, 1545~1609)의 학덕과 충의를 추모하기 위해 1612년(광해군 4) 영천에 창건되었다. 조호익은 퇴계 이황의 문하에서 성리학을 연구한 학자이다.

조호익은 최황(崔滉, 1529~1603)에게 반항한 죄로 평안남도 강동(江東)에 유배된 적이 있다. 1576년(선조 9) 경상도 도사 최황이 부임하여 조호익을 군적검독관(軍籍檢督官)으로 임명했으나 상을 당하여 사퇴하자 최황은 명령을 거부하는 토호라고 상주하여 그를 평안도 강동으로 유배 보냈다.

1592년 임진왜란 발발 후 유배형에서 풀려난 조호익은 금오랑(金吾郞)으로 임명되어 임금이 있는 의주 행재소(行在所)로 갔다. 그는 소모관이 되어 군민을 규합했고 중화, 상원, 평양 등지에서 전공을 세웠다.

조호익이 이끄는 의병은 1593년 1월 2일 명나라군과 함께 평양성 공격에 참여했다. 이들 의병은 평양성을 포위하고 명나라 장수 낙상지(駱尙志), 오유충(吳惟忠)을 따라 보통문 부근에서 고니시 유키나가의 군사들과 전투를 벌여 적을 다수 사살한 후 내성(內城)을 공격했다. 일본군이 곤경에 처하자 명나라군 장수 이여송은 일본군의 퇴로를 열어주었고 그들이 야음을 틈타 도주할 것을 예측한 조호익은 대동강으로 가서 군사를 매복시켰다. 이날 밤 적이 나타나자 매복해 있던 군사들이 공격하여 일본군 수백 명을 참수했다.[57] 또 퇴각하는 일본군을 추격하여 임진강변에서 타격을 가했다. 고니시 유키나가의 부대가 퇴

56) 망회정은 제자들을 가르치던 공간이다.

57) 이장희, 『임진왜란사 연구』(서울: 아세아문화사, 2007), 159~160쪽.

각하자 이번에는 가토 기요마사의 군대를 추격하여 경기도 양주에서 군사를 매복시켜 기습작전을 전개하여 적을 격파하는 전공을 세웠다.[58)]

그 후 일본군을 쫒아 경상남도 양산까지 내려갔으나 명나라와 일본 간의 협상이 진행되면서 전투가 중단되자 자신을 따르던 박대덕, 김익상 등을 고향 강동으로 돌려보냄으로써 조호익의 의병부대는 해체되었다.[59)] 그는 전투공로를 인정받아 1595년에 안주목사가 되었다.

정유재란 때 다시 강동에서 의병을 일으킨 그는 나중에 선산부사(善山府使)로 임명되었으나 지병을 이유로 사퇴했다. 선조 임금은 그에게 관서부자(關西夫子)를 내렸으며, 사후에 시호 문간(文簡)과 이조판서의 직위를 내려 공로를 치하했다.

망회정

망회정과 조호익 신도비각(오른쪽)

망회정과 조호익 신도비각 사이로 본 도잠서당

조호익 신도비

58) 이장희, 앞의 책, 160쪽.

59) 이장희, 앞의 책.

도잠서당

도잠서당 중건기

도잠서원 표지석

노잠서원 지수문

도잠서원

도잠서원은 창건 당시에는 지봉서원이라고 불렀다. 1678년(숙종 4) 현재의 위치인 용호리로 옮겨 세웠는데 이때 도잠(道岑)이라는 편액을 받아 사액서원이 되었다.

1868년(고종 5) 흥선대원군의 서원철폐령으로 철폐되었다가 1914년에 복원했으며, 1981년에 보수·정화작업을 하여 경내를 정리했다.

도잠서원에 있는 조호익 신도비의 규모는 높이 2.67미터, 폭 0.90미터, 두께 0.2미터이고 비각 정면과 측면이 1칸씩으로 되어 있다. 도잠서원은 1985년 8월 5일 경상북도 문화재자료 제100호로 지정되었다.

○ 경상북도 영천시 대창면 영지길 405

영천 동린각

동린각(東麟閣)은 임진왜란 때 전공을 세운 충무공 이순신과 그의 부장 김완(金浣, 1551~1607)을 추모하기 위해 건립한 누각이다. 본래 영천시 자양면 노항동에 세웠으나 1785년(정조 9) 5월에 건물이 소실되어 1787년(정조 11)에 재건했다.

오랜 세월이 흐르면서 건물이 퇴락하여 1960년에 자양면 성곡동으로 이전하여 복원했다. 그러나 이 지역에 영천댐이 건설되면서 수몰지구로 편입되어 1976년 7월 현재의 위치로 옮겨지었다.

동린각은 중앙에 정면 2칸의 대청을 꾸미고 후벽 1칸에는 위패를 봉안했다. 1975년 8월 18일 경상북도 유형문화재 제77호로 지정되었다.

동린각 후면

동린각 정면

사당 충의사

동린각 사적비

동린각에서 바라본 사당 충의사

(김완 장군)

김완은 1551년 자양면 노항동에서 태어났다. 1589년에 선전관 벼슬에 오르고 임진왜란 때 이순신 장군 휘하에서 종사하여 옥포해전, 당포해전에서 승리를 거두는 데 기여했다. 이순신 장군이 그 공로를 적어 장계를 올리니 조정에서 김완에게 절충장군의 직책과 포상을 내렸다.

정유재란에 즈음하여 이순신이 어명을 거부했다는 이유로 서울로 압송된 후에는 원균 장군이 수군을 지휘했다. 조선수군은 1597년 7월 16일 거제 칠천량해전에서 일본수군의 기습공격을 당하여 궤멸되었다. 이때 바다로 뛰어내린 김완은 일본군에게 포로로 잡혀 일본으로 끌려갔으나 마침 지진이 발생하여 혼란한 상황에서 탈출에 성공하여 귀국했다.

그는 선조 임금으로부터 해동소무(海東蘇武)라는 어필을 받았으며, 함안군수로 임명되기도 했으나 해전과 포로생활, 탈출 과정에서 겪은 여독으로 인해 고향으로 돌아와 생을 마쳤다.

동린각 사적비

임진왜란을 당하여 이순신 장군이 전라좌수사로 있을 때 김완 장군은 사도진 첨사로서 그 막료였다. 경상도 수군이 전몰(全沒)됨에 우수사 원균의 청원으로 이 장군의 영솔함대가 출동하자 김 장군은 그 휘하에서 연전연승하여 혁혁한 전공을 세우더니 이 장군은 삼도 수군통제사에 오르고 김 장군은 정3품 당상인 절충장군에 가자(加資)되어 조방장에 승진하였다.

간신의 무함(誣陷)으로 이 장군이 잡혀가고 신임통제사 원균이 적의 위계에 휘말려 전세가 불리하여 전 함대 복몰(覆沒)의 비운에 빠졌다. 이때 김 장군은 분투하였으나 독력으로 만회의 길이 없어 해중 투신하였다가 적의 구출(拘出)한 바 되고 귀굴(鬼窟)에 끌려가서 갖은 유인 협박에도 의연불굴하고 인금(因禁)의 몸이 되었다. 때마침 지진이 일어나서 적이 황란(慌亂)하는 사이에 구사일생으로 대해를 건너 귀환하였다.

적은 패귀(敗歸)하고 통제사로 복귀한 이 장군은 적을 연파하고 노량에서 순국하였다. 김 장군이 지조를 굽히지 않고 적굴에서 탈출한 사실을 아뢴 장계를 보신 선조(宣祖)는 그를 중국 한대(漢代) 흉노에게 잡혀 십년지절(十年持節)한 충신 소무(蘇武)에 비겨 해동소무라 써서 하사하고 동시에 함안군수를 제수하였다. 소무의 화상을 그려 기린각에 포상하듯이 해동의 기린각인 동린각을 세워 김 장군의 영정을 받들어 그의 고절(高節)을 찬양하게 되었다.

이후 이백 년 내려오던 본각이 이조 말에 화재로 회진되었으나 자손이 잔미하고 실국의 비운이 겹쳐 그 중건을 보지 못하였다가 거금 이십오 년 전에 본각 재건의 숙원이 달성되고 잇달아 수몰 지구에 편입되자 정부에서는 본각을 문화재로 지정하여 현 위치로 이건하게 되었다.

대란 육년간 생사를 같이하여 위국충절하신 두 장군의 영정을 본각에 같이 모시고 해마다 향례와 추모식을 거행하게 되었다. 이는 민족정기를 되찾고 애국심을 드높이는 길이 되리라. 동린각 사적비 추진위원회의 정성으로 동린각 앞뜰에 기념비를 세워 영세에 빛내고자 하는 뜻은 바로 여기에 있는 것이다. 팔순의 노한용, 김제유 양옹(兩翁)이 거듭 왕림 소청하므로 망졸(忘拙) 집필하여 본문을 이루게 되었다.

서기 1985년 을축 4월 동린각 사적비 건립추진위원회

○ 경상북도 영천시 임고면 포은로 964-86(삼매리)

영천 임란의병 한천전 승첩지

1592년 4월 13일 대군을 이끌고 침입한 일본군에 의해 부산성, 동래성, 울산성, 경주성이 함락되고 영천성마저 함락되자 백성과 초토화되는 강토를 구하고자 신녕현 추곡 가래실(현재의 화산면 가상리)의 안동 권씨 문중을 중심으로 4월 27일 의병이 창의했다. 의병들은 5월 6일 이곳 한천 일대를 중심으로 전개된 전투에서 최초의 승리를 거둠으로써 훗날 영천성 수복의 발판을 마련했다.

의병들은 이날 한천 땅 대동(大洞, 현재의 화남면 삼창3리)에서 피난민을 약탈하던 일본군 3명을 활로 쏘아 죽이고 검으로 10여 명의 목을 베었으며 일본군의 첩자로 활동한 희손 일당 30여 명을 소탕했다.

한천전 승첩지인 이곳에 기념탑, 사당 백의사 등을 건립하여 목숨 바쳐 의병활동에 참

가한 의병들의 넋을 위로하는 한편 당시의 의병활동상을 재조명하고 이를 통해 호국정신을 고취시키는 역사교육의 장소로 활용하고 있다. 백의사는 정면 3칸, 측면 1.5칸 규모이고, 내삼문과 전사청 등의 건물이 있다.

호국의 성지 임란의병 한천전 승첩지(漢川戰勝捷址)는 2006년 2월 16일 경상북도 기념물 제156호로 지정되었다.

(기념탑)

왜란 당시 창의했던 의병의 후손을 중심으로 2000년 7월 임란한천승첩기념사업추진위원회가 결성되었다. 기념사업추진위원회는 경상북도와 영천시의 재정지원을 받아 2002년 2월 2일 공사를 시작하여 2002년 8월 17일에 기념탑을 준공했다.

임란의병 한천 승첩탑명(壬亂義兵漢川勝捷塔銘)

의가 승리할 때 역사는 치(治)하고 그렇지 못하면 난(亂)이다. 이 민족사에는 일찍이 국난을 이겨 나온 위대한 승리의 원동력이 있었으니 바로 의병이란 청청한 그 정기가 그렇다. 병(兵)은 일시 패할지라도 의(義)는 결코 불패하는 법 이로써 우리의 군자국에는 이처럼 인자의 수(壽)가 반만년의 긴 불사조였다.

여기는 영천 땅 옛 고을 신녕치(新寧治) 임란을 이겨낸 수많은 승첩 가운데서도 그 선두에서 우뚝 빛나는 유서 깊은 곳 그 의기는 뜨거웠고 충렬 또한 거룩하였기에 오늘도 이토록 효충홍기의 풍화진작 속에 영남 일원의 사사앙모가 늠렬히도 진차실하다.

때는 임진년 4월 경주성을 무혈 점거한 가능(加藤)의 왜군(倭軍)이 곧바로 이곳 영천성을 공격 압박할 제 관군은 허탈 패배하고 성읍은 어이없이 무너지며 그 명세가 백척간두인지라. 이에 분연히 권응수 공을 비롯한 일가친척들이 일어나 의병 창의하니 그곳은 신녕현 추곡 바로 오늘의 화산면이요, 때는 그달 27일이었다.

가묘(家廟)에 하직하고 거의출진(擧義出陣)할 제 그 수는 향인 노비들까지 합류 이미 백여 명 의병장에 권응수니 그 방명(芳名)들은 권운, 이온수, 정담, 권응평, 정응거, 권덕문, 정천리, 권덕무, 권덕시, 권응전, 권응수, 권치렴, 권응서, 김몽구, 권응심, 권응기, 박봉상, 이득정, 조축, 성훈, 안여해, 권덕성, 권우, 권적, 정우번, 정광성, 조종악, 박인걸, 김성달, 권응득, 이덕수, 정응서, 권응생, 이호 등 무명의 제위들까지 5월 6일 대동(大洞)에서 적을 격파하고 이어 이곳 한천에서 대첩을 거두니 왜구 참살 15급에 첩자 등 관노토적(官奴土賊) 30여 명을 함께 소탕하였다.

바로 이 한천의 승전으로 고무되어 인근 제 읍성에서 의병들이 일제 봉기함에 드디어 7월 27일 영천성을 수복 승리하였으니 이에 대해 서애선생의 징비록에도 분명 영천전투에서 적이 패하여 경주로 도망치고 이로써 신녕, 의흥, 안동 등지의 적들이 일로(一路)에 모이게 되어 경상좌도의 군읍(郡邑)들을 다시 확보할 수 있었던 것은 바로 영천전투의 승첩 때문이었다고 명시되어 있다.

기여위재라. 한천의 대첩으로 영천 땅이 수복되고 이 영천성의 수복 등으로 다시 저 임란 7년의 결정승리가 이룩되었으나 이는 곧 왜(倭) 침략의 이기(利己)를 우리 의병들이 이겨낸 대의의 승리 바로 그것이어라. 길이 이 청사 천재에 연면유언하리라.

임란 사백 주년이던 지난 1992년 임란 신녕 의병 창의 추모회가 결성되고 다시 이천 년에 그 창의록을 발간한 데 이어 임란한천승첩기념사업추진위원회를 조직한 다음 일 년여의 합심노력 끝에 여기 임란사 최초의 전승을 기려 이 한천 땅에 그 승첩탑을 근립하노라니 그 구재(鳩財) 성금(誠金)은 도비 시비에 자담합력이나 그 향모의 성념(誠念)은 실로 청와대를 비롯한 온 방내 유지들의 일원민의여라. 남북으로 뜻있는 이 임오년 한 봄 권혁민보 등이 큰 침성으로 천리내방 그 청문이 뜨거웠고 다시 그 충의풍화 또한 더욱 감모로운지라 삼가 이곳 수선지지에서 명(銘)하노니 큰 내 한천의 의승리(義勝利)여 부디 이곳 신녕치(新寧治)의 새로운 대의로 영원하리니 여기 영천의 큰 지령(地靈)따라 그 정기는 길이 이 군자국의 청사 위에 유구하고 무궁하리라.

임오년 5월(민족정기선양위원장) 성균관장 월성 최창규 근찬

충훈당

충훈당 창건기

임란 의병 한천전 승첩기념탑

백의사

백의사에서 바라본 충훈당과 기념탑

의사문(백의사 정문)

(백의사)

사당 백의사는 살신성인한 의병들의 구국정신을 숭모하며 민족정기를 함양할 정신적 유적지로 삼기 위해 2004년 문화유적지 성역화사업 추진계획에 따라 국비지원을 받아 백의사 사우 3칸, 의사문(義士門), 전사청 담장공사가 시행되었다. 백의사에 봉향된 의병은 무명 제위를 포함하여 모두 43위인데 명단은 다음과 같다.

의병 **43**위
권건, 권덕무, 권덕문, 권덕성, 권덕시, 권우, 권운, 권윤, 권응기, 권응득, 권응생, 권응서, 권응수, 권응전, 권응평, 권응추, 권응심, 권적, 권치렴, 김몽구, 김성달, 김응국, 박봉상, 박인걸, 박황, 성적, 성훈, 안여해, 이덕수, 이득정, 이온방, 이온수, 이호, 정광성, 정담, 정우번, 정응거, 정응서, 정천리, 조종악, 조축, 허운련, 무명 제위(無名諸位)

○ 경상북도 영천시 화남면 천문로 1771-81

영천 창대서원

창대서원(昌臺書院)은 임진왜란 당시 의병으로 활약한 창대 정대임(鄭大任, 1553~1594)의 충절을 기리기 위해 1697년(숙종 23)에 건립한 사당이다.

정대임은 고려시대의 명신 정습명의 16세손으로 영천군 대전동에서 출생했다.

왜란이 발발하자 정대임은 정대인과 함께 의병을 일으켰는데 지역의 정녕, 정담, 정천리, 정사진, 정석남, 이번, 이득용, 이영근, 조희익, 조성, 조덕기, 곽회근, 신준룡, 김대해, 최벽남, 최인제, 김연 등 60여 명이 뜻을 같이했다. 이들은 정대임을 의병대장으로 추대했다.

정대임은 1592년 5월 초 대동(大洞)의 일본군을 물리치고 7월에는 당지산(唐旨山, 영천과 금호 사이의 산)에 복병했다가 지나가는 일본군 수십 명을 사살했다. 7월 14일에 박연에서 신녕 의병장 권응수, 의흥 의병장 홍천뢰가 이끄는 의병군과 합세하여 일본군 40여 명을 사살했다.

정대임은 이웃 여러 고을에 지원병을 요청하고 7월 23일 군남 추평(지금의 주남동)에서 진을 치고 화공전법을 논했다. 이때 신녕 의병장 권응수, 신녕현감 한척, 의흥 의병장 홍천뢰 등이 군사를 이끌고 왔으며 7월 24일에는 하양 의병장 신해, 하양현감 조윤신, 자인 의병장 최문병, 경산 의병장 최대기, 경주판관 박의장 등이 각각 군사를 이끌고 도착했다. 군사의 수는 3,500여 명에 달했고, 의성 감사졸(결사대) 500여 명이 합세하니 그 수가 4,000여 명에 달했다.

7월 25일 영천성 밖으로 출입하는 일본군을 차단하여 식수를 끊었다. 7월 26일에는 정대임이 영천성 남문 쪽 강가로 진군하니 일본군 장수 2명이 명월루(지금의 조양각)에 나와 앉고 1,000여 명의 군사가 명월루 좌우에 벌려 서서 조총을 난사했다.

이날 해가 지고 어두워지자 포로로 잡혀 있던 스님 한 사람이 탈출하여 의병부대에 와서 일본군이 내일 전투를 하기 위한 준비를 하고 있다고 알려주었다. 이에 정천리는 감사졸 500여 명을 이끌고 마현산에 잠복했으며 정대임은 남문, 권응수는 북문을 각각 맡았다 이날 밤 성을 에워싸고 있던 4,000여 명의 의병들은 7월 27일 새벽이 되자 움직이기 시작했다. 공격명령이 하달되자 의병군은 일제히 성문을 깨고 진격했다. 정대임은 남문을 부수고 성 안으로 들어갔다. 이 광경을 성루에서 바라보던 한 일본군 장수가 뛰어내리다가 정대임의 칼을 맞고 사망했다.

창대서원 입구

창대서원

서원 내부

의병대장 창대 정대임 신도비

정천리는 감사졸 500여 명과 함께 마현산에서 나와 포로로 잡혀 있는 백성들을 구출했다. 일본군 600여 명이 남문으로 퇴각하다가 정대임 의병군에게 사살되었고, 서북쪽으로 도주하던 적은 권응수가 이끄는 의병들의 공격을 받았다. 7월 27일 새벽부터 벌어진 접전 끝에 의병부대가 영천성을 수복하는 데 성공했다.

정대임은 1592년 영천에서 전공을 세우고 이듬해 돌격장으로 울산 태화진에서 공을 세워 예천군수가 되었다. 1594년 무과에 급제한 뒤 일본군과 싸우다 전사했는데 그때 그의 나이 42세였다. 조정에서는 그에게 통정대부 호조참판직을 내리고 선무원종공신 2등으로 기록했다.

서원은 1868년(고종 5)에 흥선대원군의 서원철폐령으로 훼철되었다가 1955년에 복원되었다.

○ 경상북도 영천시 창대서원1길 9-18

영천 하천재

하천재(夏泉齋)는 오천 정씨(烏川鄭氏) 문중의 묘소와 의병장 정세아(鄭世雅)의 신도비를 수호하기 위해 진주목사 정호인(鄭好仁)이 1637년에 세운 재실이다. 정세아는 임진왜란 때 의병대장으로 추대되어 많은 공을 세웠으나 그 공로로 상을 바라지 않고 관직을 떠나 시골에서 제자를 기르며 학문을 닦은 덕망 높은 선비였다.

하천재

하천재

추원당

정세아 신도비

신도비각

현재의 하천재 건물은 후대에 중건된 것이며 영천댐 건설 당시 수몰지구로 편입되어 1976년 7월 현재의 위치로 옮겨 세웠다. 경내에는 추원당(追遠堂), 신도비각 등의 건물이 있다. 하천재는 1975년 8월 18일 경상북도 유형문화재 제73호로 지정되었다.

(강호정)

의병대장 정세아가 왜란 종료 이듬해인 1599년 고향에 돌아와 학문을 연구하고 제자를 양성하기 위해 자호언덕(지금의 용산동)에 세운 정자가 강호정(江湖亭)이다.

정세아는 정윤량의 아들로 태어났다. 그는 임진왜란 때 의병을 일으켜 박연(朴淵, 지금의 영천시 화산면 석촌리)에서 일본군을 격파했다. 1592년 7월 27일 영천성 탈환에 공을 세운 그는 다시 경주의 일본군을 무찔러 낙동강 인근 지역을 지켰다.

그는 명나라에서 온 지원군이 평양, 개성, 서울을 회복하자 벼슬을 사양하고 고향으로 돌아와 다시 학문의 길을 걸었다. 나라에서 그에게 여러 차례 벼슬을 내렸으나 나아가지 않았다. 다만 이원익의 청을 이기지 못하여 찰방을 잠시 지내고 고향으로 돌아왔다. 장여헌(張旅軒), 조지산(曺芝山) 등과 교우하며 살다가 여생을 마쳤다.

강호정은 1599년 건립 이후 여러 차례 보수공사를 했다. 본래 용산동 751번지에 소재했으나 영천댐 공사로 인해 수몰지역이 되자 1977년 3월 현재의 위치인 하천재 부근으로 옮겨 다시 지은 정면 3칸, 측면 2칸 홑처마 맞배지붕이다. 자양면 포은로 1605에 소재하는 강호정은 1975년 8월 18일 경상북도 유형문화재 제71호로 지정되었다.

강호정

강호정

○ 경상북도 영천시 자양면 포은로 1611-11

영천 환구세덕사

환구세덕사(環丘世德祠)는 의병장 정세아(鄭世雅, 1553~1612)와 그의 아들 정의번(鄭宜藩, 1560~1592)의 충절을 기리기 위해 1777년(정조 1)에 건립한 사당이다. 정의번은 임진왜란이 발발하자 부친 정세아와 함께 의병을 일으켜 영천지역 전투에서 승리했으며, 경주성 탈환전투에서 일본군에게 포위되자 부친을 구출하고 자신은 전사했다.

본래 이곳은 1720년(숙종 46) 정세아의 후손들이 환구 위에 서재를 지어 문중의 자제들을 교육하던 공간이었는데 나중에 서재 뒤에 사당 충현사를 지어 향사하고 강학의 도장으로 사용하게 되었다.

1784년(정조 8) 정의번에 대한 충효정려(忠孝旌閭)가 내려 사당 좌측에 충효각을 건립했다. 1868년(고종 5) 서원철폐령에 의해 대부분의 건물이 철거되었으며 현재는 충효각과 부속건물인 유사채, 고직사 건물이 남아 있다. 환구세덕사는 1990년 8월 7일 민속자료 제87호로 지정되었다.

환산처사 오천 정공 유허비

환구세덕사

충효각

추원당

충효각

충효각(정의번 정려)

충이당

○ 경상북도 영천시 임고면 환구길 142

16. 예천

예천 약포사당·도정서원

약포사당은 선조 임금 때의 문신 약포(藥圃) 정탁(鄭琢, 1526~1605)의 위패를 모시기 위해 1640년(인조 18)에 세운 사당이다. 정탁은 1558년 문과에 급제하여 벼슬은 대사헌에까지 올랐으며, 명종실록 편찬에도 참여했다.

정탁은 임진왜란이 발발하자 좌찬성으로 선조 임금을 의주까지 호종했다. 그는 6조(六曹) 중 5조의 판서(判書)와 좌의정과 우의정을 역임했으며, 1613년(광해군 5) 위성공신 1등에 서훈되고, 영의정에 증직되었다.[60]

그는 천문, 지리, 군사 분야에서 뛰어난 능력을 보였으며 임진왜란 중에는 곽재우, 김덕령 등 뛰어난 장수들을 천거했다.

나중에 김덕령이 무고에 휘말리자 그가 무죄임을 아뢰었다. 또 1597년 3월에 이순신이 옥중에서 사형에 처하게 되자 적극적인 구명운동에 나섰다. 이순신에 대해서는 국가에 충성할 수 있는 기회를 줄 것을 아뢰어 구원함으로써 왜란을 승리로 이끄는 데 기여했다.

60) 위성공신(衛聖功臣)은 임진왜란 때 광해군을 이천, 전주로 호종하고 광해군의 항일활동을 보좌하는 데 공을 세운 80명의 공신들을 3등급으로 나누어 책록한 공신이다. 1613년에 책록되었다.

도정서원 안내도

도정서원

팔넉루

약포사당

상현사

읍호정(도정서원 안내도 가장 오른쪽에 위치한 건물)

(도정서원)

정탁을 기리는 도정서원(道正書院)은 1604년(인조 18)에 건립되었다. 1697년(숙종 23)에 유림과 후손들의 성금으로 강당을 건립한 후 도정서원으로 승격되었다. 정탁의 셋째 아들 청풍자 정윤목(淸風子 鄭允穆, 1571~1629)을 추가 배향했다.

서원은 1866년(고종 3) 서원철폐령으로 일부가 철폐되었다가 1997년 국비보조 사업으로 동재·서재, 전사청, 누각, 화장실 등 5동의 건물을 복원했다. 사당채 건물은 정면 3칸, 측면 2칸의 맞배지붕이다. 약포사당은 1985년 8월 5일 경상북도 문화재자료 제142호로 지정되었다.

도정서원 오른쪽 강 언덕에 있는 정자 읍호정(挹湖亭)은 정탁이 만년에 머무르면서 생애를 뒤돌아보고 정리한 곳으로 1601년에 세운 건물이다. 이곳에는 윤두수 등 여러 선비들의 시를 적은 시판(詩板)과 정탁이 지은 우회(寓懷)라는 시를 적은 시판이 걸려있다.

정탁은 자신의 시에서, 평생의 독서는 시국의 어려움을 구제하기 위한 것이지만, 벼슬살이에 분주하여 오랜 세월을 보냈고, 7년에 걸친 일본군의 난리 기간 동안 한 가지의 계책도 내지 못한 채 백발이 되어서야 비로소 고향 산에 돌아온 것이 부끄럽다고 자신의 생각을 겸손하게 적었다.[61]

(약포 유고 및 문서)

약포 유고(藥圃遺稿) 및 문서는 정탁의 얼을 추모하고 그가 남긴 유물을 보존하고 관리하기 위해 지은 유물각에 전시되고 있다. 조선시대의 공문서를 연구하는 데 도움이 되는 자료들로 현재는 한국국학진흥원에 위탁 보관 중이다. 1968년 12월 19일 보물 제494호로 지정되었다.

○ 경상북도 예천군 호명면 강변로 417

예천 용문사 자운루

용문사 자운루는 대장전(大藏殿)과 마주 보고 있는 이층 누각 집으로 임진왜란 때 승병들의 회담장으로 사용된 곳이며, 승속들이 승병을 돕기 위해 짚신을 만든 신방의 기능을 수행한 호국의 공간이다.

61) 읍호정 시판(http://blog.daum.net/ansdufrhd/11844165/) 참조

보광명전

지운루

자운루

1166년(고려 의종 20) 자엄대사가 건립한 용문사는 1561년에 중창했고 1621년에 중수했다. 자운루는 1985년 12월 30일 경상북도 문화재자료 제169호로 지정되었다.

○ 경상북도 예천군 용문면 용문사길 285-30

17. 울산

울산 망조대

울산시 동부동 동부시장 옆 도로변에 소재하는 망조대(望潮臺)는 의병장 서인충(徐仁忠)이 어린 시절부터 무술을 연마하던 장소이다. 조수(潮水)를 바라본다는 뜻의 '망조대'는 서인충이 1578년 손수 축조했다. 그는 임진왜란 때 이곳에서 조수와 기상을 관측하고 작전을 구상하기도 했다.

서인충의 본관은 달성이고, 아버지는 증 공조참의(贈工曹參議) 서희(徐熙), 어머니는 숙부인 경산 전씨(慶山全氏)이다. 1554년 9월 13일에 울산 동부동 서당골에서 출생했다. 어려서부터 병서를 좋아하고 활쏘기와 말달리기를 즐긴 서인충은 1591년 39세에 무과에 급제했다.

그는 1610년 6월 10일에 57세로 별세했으며, 동부동 산 12번지 중심등(中心嶝)에 안장되었다. 후세 사람들이 이곳에 석표를 세워 국난 시에 나라에 충성한 서인충을 기리고 있다.

망조대

선무원종 일등공신 증 병조참판 서인충

서인충(1554~1610)의 자는 방보(邦輔)요, 호는 망호당(望潮堂)이며 본관은 달성이다. 원조(遠祖) 진(晋)의 11세손, 영(潁)의 8대손, 세종 때의 학자이며 제처사(制處使) 구계선생 침(沈)의 6대손이고 아버지는 희(熙)이다. 공은 1578년(선조 11) 망조대를 손수 축조하여 기사(騎射)를 연마하여 1591년 무관에 급제하고 창의 기병하여 훈련원 봉사에 임명되었다.

임진년 왜구가 부산 동래를 함락하고 이어 적의 군함이 울산 서생포 개운포 태화강을 뒤덮었다. 포연과 총성이 천지를 진동하니 백성들은 분산되고 대적할 병력이 없을 때 공은 분연히 일어나 결사보국을 맹서하고 산속에 숨어 있는 피난민을 찾아 의병 3천 명을 얻었다. 이 의병을 진두지휘하여 향인 김경원(金敬元), 박봉수(朴鳳壽), 박경열(朴慶說) 등을 울산 대운산 요험지(要險地)에 복병배치하고 성대명(成大明), 허사남(許嗣男)을 좌비(左裨)로 삼고 호장(虎將) 박인복(朴麟福), 기관(技官) 박휘(朴輝)를 군량 운반책으로 삼았다. 그러나 적의 약탈로 병기가 없어 죽목(竹木)으로 궁창을 만들어 적군을 공격하니 그야말로 육탄백병전이었다.

공 휘하 의병의 결사항전으로 적은 끝내 6월 26일 동래 방면으로 패주하였다. 그해 9월에 신덕기(申德麒)의 군이 기장전(機張戰)에 패하여 적은 다시 승세를 타고 삼로(三路)로 울산에 진입했다. 공은 주사장이 되어 관선, 사선을 수집하고 배를 예인 수리하여 수로를 끊고 격전했다. 그 후 10월에 경주 장기 이견대 윤11월에 봉길리 장기 소봉대(小逢臺)에서 해전을 전개하여 싸울 때마다 큰 공을 세웠다.

또한 공은 곽재우 장군이 창녕 화왕산성에서 위급하다는 기별을 듣고 전응충(全應忠), 이경연(李景淵) 등 5인과 밤낮으로 정부(程赴)하여 적신 분사할 것을 다짐하고 역전사수하여 적수 청정(淸正)이 말하기를 '저 성중(城中)에 의기 등천하니 감히 경범치 못할지라' 하고 해위퇴거(解圍退去)하였다.

전후 좌감사 김성일, 도원수 권율, 좌병사 박진, 어사 한준겸 등이 함께 서인충의 전공을 알렸다. 선조 임금은 '서인충은 몸이 적중(敵中)에 있으나 홀로 능히 강개분포 조병하여 격참심다(擊斬甚多) 하니 지위가가(至爲可嘉)라' 하고 녹 선무원종 1등 공신 사(賜) 통정개(通政階)하였다.

1593년 1월 25일 제(除) 어모장군 훈련원 정, 1594년 10월 15일 보공장군(保功將軍) 부산진 수군첨절제사, 1596년 3월 7일 어모장군 훈련원 정 겸 부산진 수군첨절제사가 되었다. 1597년 포계논공(褒啓論功)으로 멸악등위 4석전을 하사하였다. 1598년 12월 12일 다시 어모장군 행 부산진수군첨절제사가 되었다. 1784년(정조 8)에 가선대부 병조참판 겸 동지의금부사 훈련원 도정으로 증직되었다.

묘역은 울산시 동구 동부동 남옥산 해좌원(亥坐原)에 안장되고 1791년(정조 15) 유림에서 건립한 다산사(茶山祠)에 봉향하다가 1868년(고종 5) 방령(邦令)으로 철폐되었다. 1826년(순조 26)에 건립된 옥강정사에 다시 제향했다.

유적으로는 망조대, 옥강정사, 다산사지가 있고 유품으로 교지, 망조사 유사 2권, 망조당 실기 1권이 세전하고 있다.

서기 1999년 12월 울산광역시 동구청 세움

(서인충)

1592년 4월 14일 부산에 상륙한 일본군은 동래성을 함락시킨 후 연이어 울산을 점령하고 살육과 약탈을 자행했다. 군병은 흩어지고 주민들은 산속으로 피신하여 울산의 병영성과 읍성은 텅 비게 되었다. 조국이 유린당하는 것을 보다 못한 서인충은 결사보국을 하늘에 맹세하고 울산에서 서몽호와 더불어 흩어진 군민을 모아 의병을 일으켰다.

1592년 6월 9일 서인충은 경주 문천에서 12고을에서 모인 130여 명의 의사와 부윤(府尹), 판관(判官) 등과 더불어 '문천회맹'을 했다. 6월 10일부터는 군민과 장정들을 찾아다니며 나라의 위급함을 알리고 의병결사대를 조직하기 시작했다.

그해 9월에 인망이 두터운 전 만호(前萬戶) 김태허가 군수서리에 임명됐다. 그로부터 1개월이 조금 지난 시점에서 수천 명의 의병부대가 조직되고 일사불란한 지휘통제가 이루어지기 시작했다. 김태허는 언양현감 박홍춘을 서면장, 전 훈련봉사 전응충을 남면장으로 삼아 양산, 기장 방면의 일본군을 방어하도록 했다.

김태허는 서인충을 주사장(舟師將, 해군지휘관)으로 임명하여 공사선(公私船)을 수리하고 적들이 지나는 수로를 차단하도록 했다. 명을 받은 서인충은 사선(私船)을 거둬 모으고 침몰한 배를 예인 수리하여 수로를 끊고 격전을 벌였다. 그해 10월 적병이 6척의 배에 나누어 타고 기장과 아리포에서 울산을 향해 진입해오자 이를 공격하여 적선 2척을 침몰시키고, 적군 30명의 수급을 베었다.

그는 1593년 2월 3일 의병들과 함께 경주 봉길리 앞바다에 정박해 있는 일본 함선 50여 척을 공격했다. 5월과 7월 사이에 공선과 사선을 수리하고 300명의 장정들을 이끌고 싸움을 주도했다. 그 후에도 선박을 모아 수리하고 수로를 통해 들어올 적선에 대비했다. 서인충은 이후 부산, 동래, 기장, 서생, 개운포, 태화강 하구 울산만, 경주 봉길리, 이견대, 장기 등 동해안 일대에서 일본군과 싸웠다.

1593년 11월 25일 도원수 권율, 좌병사 박진, 어사 한준겸이 장계를 올려 서인충의 공을 선조 임금에게 보고했다. 임금은 서인충의 공을 치하하고 교지를 내렸다. 서인충은 1593년 10월 15일 훈련원 정(訓練院正), 1594년 10월 15일 부산 다대포 수군첨절제사, 1596년 3월 7일 부산진 수군첨절제사에 임명됐다.[62]

서인충과 울산 의병들의 활약은 조정에도 알려졌다. 1598년(선조 31) 12월 좌의정 이덕형이 이러한 사실을 임금에게 보고하니 임금은 당시 울산군을 울산도호부로 격상시키고 서인충을 부산진 첨사에 재임명했다.

서인충은 1599년 12월 27일 경주에서 열린 특별 포상잔치에 참석하여 울산출신 의병 165명과 함께 임금의 은전을 하사받았다.

망조대

62) 한석근, 「임진왜란과 망조당 서인충」, 『동구문화』 제2집(2006. 06).

1600년 서인충은 울산의 전응충, 박홍업 등 10명과 함께 선무원종공신 1등에 올랐다. 서인충은 지상전과 해전에서의 공로를 인정받아 멸악등위(滅惡等位, 적을 무찌른 등급) 4석전(四石田)을 하사받았다.

그는 1610년 6월 10일 출생지 남목에서 57세를 일기로 별세했으며, 울산 동구 동부동 남목산에 묻혔다. 1784년(정조 8)에 증 병조참판 겸 동지의금부사에 증직되고, '망조당'이라는 호를 받았다.

○ 울산시 동구 동부동 312 동부시장 옆 도로변

울산 신흥사

신흥사는 동해를 바라보는 동대산 정상 부근에 위치하고 있는 신라시대의 사찰로 635년(선덕여왕 4) 3월에 명랑조사가 건립했다. 오랜 기간 폐사 상태로 있다가 1991년에 복원사업이 시작되었다. 지금의 사찰 모습을 갖춘 것은 얼마 되지 않았지만 원래의 사찰 규모는 광대했다고 한다. 명랑조사가 이 절을 처음 세울 때 사찰명은 건흥사(建興寺)였다. 호국불교의 영향을 받아 창건된 건흥사는 이후 왜구의 침입으로 여러 차례 방화와 약탈을 당했다.

678년(문무왕 16)에 신라가 성곽을 쌓는 동안 승병들이 이 절에 숙영하면서 무술을 닦았는데 동해바다를 내려다보는 이곳에서 승병을 양성한 것은 곧 왜구의 침입을 막기 위함이다.

오랜 세월이 흘러도 왜구의 침입은 계속되고 있었다. 임진왜란 때 울산이 함락되자 의병들은 기박산성에 진을 쳤다. 건흥사는 승병을 동원했으며, 울산지역 승병활동의 거점이 되었다. 이 절의 지운(智雲) 스님은 승병 100여 명을 이끌고 일본군 격퇴에 적극 참여했으며, 절의 양식 300여 석을 군량미로 제공하기도 했다.

정유재란 당시 울산성 전투(1597.12.23~1598.01.04)에서 조명연합군이 왜성에서 농성중인 일본군을 격멸하지 못하고 경주까지 퇴각하는 과정에서 건흥사는 소실되었다.

임진왜란 당시 이 사찰 승병들의 활약과 기여를 높이 평가한 병마절도사 이급(李圾)은 사찰이 불에 타버린 것을 안타깝게 여겨 1646년(인조 24)에 사찰의 중창을 지원했으며 절의 이름을 '신흥사'로 변경했다.

(구 대웅전)

신흥사에서 1998년 대웅전을 신축함에 따라 구 대웅전을 현재의 자리로 옮겼다. 구 대웅전은 지금은 응진전(應眞殿)이라 불리고 있으며, 새로 건립한 대웅전 바로 옆에 자리하고 있다. 정면 3칸, 측면 2칸 규모의 단층 팔작집이다. 지붕에 용머리 장식을 한 것이 특징이다. 구 대웅전은 1998년 10월 19일 울산광역시 문화재자료 제9호로 지정되었다.

신흥사

대웅전

응진전(구 대웅전)

사진 중앙의 건물이 구 대웅전인 응진전이다

(기박산성 의병제)

기박산성(旗朴山城)에서 1592년 4월 23일 의병조직이 결성되었다. 기박산성은 관문성의 동쪽 끝과 연결된 주성으로 성의 둘레에 기를 박았다는 것에서 유래하며, 임진왜란 당시 일본군의 침입에 맞서 울산지역 의병들과 건흥사(신흥사) 승병들이 구국항쟁을 펼친 곳이다.

통일신라 때인 722년 왜구의 침입을 막기 위해 축조한 관문성은 길이가 12킬로미터에 달했으나 지금은 성문터로 보이는 석축과 창고 터, 병영 터 등 일부만이 남아 있다.

왜란 당시 의병들의 숭고한 호국충정의 정신을 기리기 위해 매년 양력 4월 23일 울산시 북구 동대산 기박산성에서 의병제를 개최하고 있다. 행사내용으로는 취지문 낭독, 기념식, 다례 공양, 독경, 진혼무, 추모제례(초헌관, 아헌관, 종헌관), 축포 등이 있다.

○ 울산시 북구 대안4길 280

울산 충의사

울산시 학성동 제2학성공원에 있는 충의사(忠義祠)는 임진왜란 때 울산에서 창의하여 일본군을 맞아 싸운 의병들의 위패를 모시고 그 충의를 추모하여 제사를 지내는 사당이다.

1592년 4월 14일 부산에 상륙한 일본군은 부산진성, 동래읍성, 다대포성을 함락시키고 곧이어 울산을 점령했다. 일본군의 위세에 눌려 제대로 된 전투 한번 해보지 못하고 관군이 흩어진 가운데 적의 만행에 비분강개한 울산지역의 인사들이 의병을 일으켜 기박산성에서 1592년 4월 23일에 결진하여 의병군을 편성했고, 경주지방의 의병과 건흥사(신흥사)의 승병들도 합류했다.

힘을 합친 의병들은 일본군에 대항했으며, 이들은 점령당한 병영성 탈환을 위해 기습전을 펴거나 울산, 언양의 여러 요새지에서 일본군을 격파했고, 멀리 경주읍성 탈환전투에도 참가하여 공을 세웠다.

정유재란 때 북상하던 가토 기요마사는 조명연합군의 반격으로 물러나 울산의 도산(지금의 학성공원)과 서생포에 왜성을 쌓고 농성했다. 울산의 의병들은 조명연합군과 함께 왜성을 공격했고 일본군이 철수함에 따라 마침내 두 곳의 성을 수복했다.

왜란이 종료된 후 선조 임금은 울산 의병들의 공로를 치하했으며 울산군과 언양현을 합하여 울산도호부(蔚山都護府)로 승격시켰다.

울산 임란의사 사적비

사당 충의사

충의사 안내도(오른쪽 상단의 건물이 사당 충의사)

충의사에서 내려다 본 시가지와 태화강

상충문

충의사 본전의 위패

충의사 정면에 보이는 학성공원(사진 중앙의 숲). 이곳에 울산왜성이 축조되었고 지금도 성벽 일부가 남아 있다

(사당 충의사)

울산시는 선조들의 충의를 기리기 위해 1997년 7월 사당 건립에 착수하여 2000년 6월 경역에 사당 외 건물 9동과 홍살문을 완공하고 '충의사'라 이름 했다.

사당에는 울산 의사 239인의 위패를 봉안했으며, 이름 없이 산화한 의사들을 위해 무명제공신위(無名諸公神位)를 함께 봉안했다.

전열 중앙에 '울산 임란의사 신위'라고 적힌 위패를 중심으로 1열에 선무원종공신 1등부터 시작하여 2등, 3등의 순서대로 5열까지 239위가 봉안되어 있다. 매년 봄(4월 15일)과 가을(10월 15일)에 추모제향을 봉행한다.

충의사는 도산성이라 불리던 울산왜성을 내려다보는 언덕 위에 자리하고 있다.

(비각)

홍살문을 지나 외삼문인 창의문으로 올라가는 돌계단 왼쪽에 위치한 비각에는 울산 임란의사 사적비가 거북 좌대 위에 세워져 있다.

울산 임란의사 사적비

오호라 하늘과 땅이 열린 이후에 처처(處處)에 생령이 번영함은 자연의 섭리이거니와 단군 이래로 누천년간 제각각의 생업으로 복록을 누려오던 이 땅에 난데없는 왜적의 침범으로 인해 국토가 초토화되고 민생이 도탄에 빠져 허덕이게 된 것은 어떤 연고였던가.

국토의 동남단 해안에 위치한 이곳 울산은 조선 초부터 경상좌병사를 상주시켜 국방을 강화하고 왜에 염포를 개항하여 평화적인 교역을 하였던 곳이다.

조선 왕조는 유학에 바탕한 왕도정치를 내걸고 학문과 예의를 존숭하여 외세와 큰 마찰 없이 평화가 유지되었다. 그러나 왜는 선조 25년(서기 1592년) 4월 14일 이십여 만의 대병력으로 우리 민족사상 가장 치욕적인 임진왜란을 일으켜 쳐들어왔다. 왜적이 갑자기 부산진으로 침입하자 경상좌병사 이각(李珏)은 울산군수 이언성(李彦誠)과 함께 동래성으로 출전하였으나 적세에 놀라고 군수마저 체포되자 되돌아오고 말았다. 최전선에 위치한 울산 병영성(兵營城)에는 진관체제(鎭管體制)에 따라 영남 13개 고을의 관군이 모였으나 좌병사가 탈출하여 힘없이 함락되고 말았다.

왜의 주력부대는 경주를 거쳐 북진하고 병영성에 주둔한 왜적이 약탈, 살상 등 만행을 자행하자 울산의 의사들은 4월 23일 충의 일념으로 기박산성에서 창의 거병하여 의병 항쟁의 기치를 높이 들었다. 이분들은 경주의 의병과 함께 병영성을 급습하여 왜적의 간담을 서늘하게 하였고 이어 요새지인 공암(孔巖), 달현(達峴), 전천(箭川), 사자평(獅子坪), 개운포(開雲浦) 등에서 익숙한 지형지물을 이용하여 왜적을 격파했으며 경주읍성 탈환전 등 항왜 구국활동을 활발히 전개하였다. 조정은 9월 의주에서 경상좌병사 박진과 울산군수 김태허를 임명하고 서면장(西面將)에 박홍춘, 남면장(南面將)에 전응충, 주사장(舟師將)에 서인충을 각각 삼아 울산 의병진의 지휘체계를 확립하였다. 선조 26년 4월 한성회담으로 서울에서 쫓겨난 왜적은 난초부터 구축된 서생포를 비롯한 남해안에 13성을 쌓아 울산지역에 왜적을 증가시켰다. 그래서 국지전이 더욱 치열해지자 울산 의병진은 진지를 일단 경주로 옮겨 안동까지 다니며 항전을 계속하였다.

그해 7월 의병들은 서생포성에 진을 치고 있던 아사노 초키치(淺野長吉) 부자 등이 이끄는 왜적을 태화강에서 격퇴하고 울산성까지 되찾는 전과를 올렸으며 울산, 경주, 언양, 장기, 연일, 영천 등의 의병장 67명이 모여 태화강가에서 구강회맹(鷗江會盟)을 다졌다. 이들은 경주 문천회맹과 대구 팔공산회맹, 창녕 화왕산회맹에 적극 참여하였고 조·왜 서생포 회담에도 우리 대표를 파견하였다. 강화회담이 결렬되자 정유재란을 일으킨 왜적이 경기도 소사에서 패하자 왜장 가토 가요마사(加藤淸正)는 울산 도산(島山)(지금의 학성왜성)에 철옹성을 쌓고 항거하였다.

울산의 왜병들은 조명연합군과 함께 왜적의 최후보루인 도산성을 포위하여 왜적으로 하여금 말 오줌을 마시며 연명하게 하는 등 그들을 극한 상황으로 몰아넣었다. 마침내 왜적은 패퇴하고 전란은 끝이 났다.

울산의 의사들은 무수히 전사하고 부상당하면서도 혼연일체가 되어 병영성 등 11진을 베풀고 21회전(回戰)이나 용맹 분전하였다. 이러한 사실은 어전회의에서 수차 거론되었고 명나라 장군 마귀도 이들 의사의 단충(丹忠)을 기리기 위해 서생포성에 창표당을 지었다. 선조는 어사 이상신을 파견하여 정황을 조사 보고케 하면서 '너희들이 아홉 번 죽었다가 한 번 산 것 같이 우리나라도 망했다가 다시 살아나 강토를 보존하게 되었다. 이것은 너희들이 일찍이 의기를 떨쳐 앞장서지 않았다면 나라의 남쪽을 잃은 지 오래였으리라'고 하였다. 그리고 관찰사 한준겸을 보내 선유기사를 반포케 하고 울산의 의사 165인에게 술과 포목을 특별 하사하여 노고를 치하하였다. 결국 울산의사들의 이러한 공로는 높이 평가되어 울산은 도호부로 승격되었다.

이제 임진왜란이 끝난 지 사백 수년이 지난 오늘 울산 임란의사를 모실 충의사를 지어 자랑스러운 우리 의사들의 사적을 밝히는 것은 자손만대 이르도록 충의단충을 본받아 국가발전에 큰 기여가 있기를 기대하기 때문이다.

(전시관)

충의사 경내에 있는 전시관에는 임진왜란 전투연보, 울산지역 의병의 주요 전투연보, 의병들의 실기, 교지 등을 비치하고 있으며 대현 도산성 전투도, 갑주, 병기 등이 진열되어 있다.

○ 울산시 중구 서원11길 25

18. 울진

울진 김언륜 장군 유적지

2009년 1월 울진군 북면 주민 52명으로 구성된 김언륜 장군 묘소 이전 및 홍부만세공원 조성추진위원회는 울진원자력발전소로부터 사업비를 지원받아 한국수력원자력 사택 맞은편에 부지를 확보했으며, 2010년 11월 9일 묘 이전과 공원조성을 완료했다. 장군의 묘는 신울진원자력발전소 부지 안에 있었는데 이를 새로 확보한 부지 내로 이전한 것이다.

임란 의병장 월성 김공 언륜 제단비

공의 휘는 언륜이요, 본관은 월성이다. 울진 입향조(入鄕祖)는 시조 은설공(殷說公)의 15대손인 조선 세종 때의 군수 휘(諱) 광우이시며 문장과 학행으로 당대에 명성을 떨쳤다. 공은 조선 명종 20년(1565)에 현 울진군 북면 고목리 지장골에서 태어났다. 소년시절에 학방에서 한학공부와 병서읽기, 활쏘기를 잘하여 스무 살 경에 무예에 출중함이 고을에 널리 알려졌다.

선조 25년(1592) 4월에 소서행장(小西行長)의 왜군이 조선을 침략하자 전국에서 의병이 창의하였다. 북상했던 왜군은 전국 대부분을 침탈하였고 행주산성에서 패한 왜군 일부는 강릉지방과 동해안으로 남하하여 울진 고산성 전투에서는 주호 장군이 전사하고 의병장 김언륜은 창의군을 이끌고 장유대에서 배수진을 치고 쳐들어오는 왜군을 벌이개와 분투골로 몰아 쇠도리깨로 왜군을 대파하였다.

공은 전투에서 적의 수급을 많이 참획하였을 뿐 아니라 노획한 왜군의 재물도 많았으므로 그 전공을 가로채려는 울진현령 이언선이 공을 온갖 방법으로 모함하여 마침내는 공을 죽이고야 말았다. 선조 39년(1606)에 사헌부에서 아뢰기를 공의 공적과 억울한 죽음을 상소하여 당시 고성현령 이언선을 사판에서 삭거하라 명하소서 하니 윤허한다고 답하였다.

공의 묘제는 후손과 마분동민이 분투골에 무덤을 마련하고 묘제를 수백 년 동안 지내오다가 광복 후 울진군 교육청과 윤병한 선생, 지역민들이 공의 묘소를 장유대로 옮기고 묘제를 받들어왔다. 1997년 울진군에서 공의 묘소를 성역화하고 북면청년회가 주관하고 북면 주민들이 제사를 모시고 관리해왔다.

2009년 공의 묘역이 신울진원자력발전소 부지로 편입됨에 따라 북면 주민들이 이장 계획을 세우고 홍부만세공원조성추진위원회를 구성하여 묘소를 홍부만세공원으로 옮기기로 결정하고 새로 조성한 묘소를 제단화하고 새롭게 단장하니 나라와 향촌을 구한 공의 얼을 되살리는 일이요, 외세를 물리친 의로운 국사(國史)를 받드는 일이다. 이에 홍부만세공원은 영원히 청사에 빛날 것이며 이곳을 지나는 길손들이여 겸손히 예를 표하고 고장의 얼을 생각할지어다.

2010년 경인년 7월

광복회 울진지회장 전인식 짓고 울진원자력본부장 이용태 후원하고 울진군수 임광운 세우다

임진왜란 때의 의병장 김언륜(金彦倫)은 1565년 울진 고목리에서 태어났으며 어릴 때 동네 지장서당에서 한문을 수학하고 틈만 나면 병서 읽기를 즐겨했다. 어릴 때부터 무술 연마를 즐긴 그는 20세 때 울진현 지역방위 전위장으로 임명되었다. 그의 나이 27세 되던 해인 1592년 임진왜란이 발발하자 의병을 조직하여 일본군을 막아내는 일에 앞장섰다.

1593년 8월 울진에서는 고산성 전투와 덕천리 분투골 전투가 치열하게 전개되었다. 울산에 상륙한 일본군 수천 명이 고읍성을 공격해오고 강릉에 상륙한 일본군이 남하하여 울진지역으로 침입하므로 김언륜은 고목리 가치산 소나무 가지마다 야등을 밝히고 동남향으로 푸른 막을 치는 등 위장전술을 전개했다.

김언륜 장군 유적지 벽화 조각 및 시(詩)

-소년 장사, 쇠도리깨 장군 태어나다-

의병장 김언륜은 조선 명종 20년 서기 1565년 울진군 북면(당시 울진현 원북면) 고목리 지장곡(智藏谷)에서 태어났다. 날 때부터 울음소리가 우렁차고 골격이 장대했다. 용모 또한 준수하고 가상이 비범해 주위로부터 장래에 큰 인물이 될 것이라며 칭송이 자자했다. 9세 되던 해에 지장서당에서 천자문과 소학을 익히며 웅지를 펼칠 학문연마에 나서는 한편 유가의 정신인 충효의 범절을 익혔다. 소년시절부터 유난히 병서읽기를 좋아했으며 활쏘기와 칼 쓰기에 비범한 재주를 가졌다. 소년 김언륜은 글 읽기와 함께 틈틈이 농사일을 거들면서 고향마을을 감싸고 있는 가치산(伽治山)에 올라 말 타기와 활쏘기, 칼 쓰기를 익혔다. 15세가 될 무렵 김언륜은 스스로 익힌 무예로 가치산 산마루를 흡사 비호처럼 내달았다.

-장유대에서 구국충정을 논하다

조선 선조 25년 서기 1592년경 왜군 15만 명이 부산 동래성을 치고 파죽지세로 한양으로 내달았다. 이때 소년장사 김언륜은 27세의 청장년으로 훌쩍 자라 있었다. 선조 26년 동해바다가 내려다보이는 장유대(將遊臺)에 올라 흰 포말을 뿜으며 절벽을 후리는 파도를 응시하며 조선을 유린하는 왜군의 소식에 두 주먹을 불끈 쥐고 울분을 삼켰다. 풀어헤친 봉두난발 사이로 눈빛만 형형하다. 절벽을 후리는 파도소리가 사직(社稷)을 유린하는 왜놈의 말발굽소리처럼 머리를 휘둘린다.

아! 흔들리는 반도의 혼이여! 김언륜은 두 주먹 불끈 쥐고 한 걸음에 내닫는다. 무명 머리띠를 질끈 동여맨 청년들이 구름처럼 모여들었다. 김언륜의 목소리가 하늘을 찌르고 바다를 갈랐다. "조선을 지켜라! 천년 사직을 품어라!" 청년들의 함성이 들불처럼 타올랐다. 장유대에 솟은 횃불이 검푸른 동해를 붉은 빛으로 물들였다.

-울진 고산성에서 왜군을 섬멸하고 사직을 구하다-

계사년 1593년 남무묘법연화경(南無妙法蓮華經)이란 붉은 깃발을 앞세우고 울산성을 함락한 일본 소서행장(小西行長)의 왜군은 강릉지역을 침탈하고 울진지방으로 남하하다가 의병장 김언륜의 창의병과 맞닥뜨렸다. 당시 의병장 김언륜은 국운이 왜군에게 짓밟히는 참상을 듣고 일찌감치 울진현의 의로운 백성을 모아 창의군을 편성하고 있었다. 의병장 김언륜과 창의병은 북면 '퇴천(退川) 벌이개(伐夷浦)'에서 배수진을 치고 야간에는 가치산에 횃불을 밝혀 우리 군사가 많아 보이게 위장하고 장유대에 망루를 설치한 뒤 왜군을 격파했다. 왜군의 강릉 침탈 선봉대 수만 명이 김언륜 의병장의 지략에 말려 그 죽은 수가 산을 이루고 왜군의 피가 내를 넘쳤다.

한편 관군은 울진현 배후 산성인 고산성(固山城)에 전열을 정비하고 왜군 주력부대를 맞아 격전을 벌이고 있었다. 당시 왜군에 맞서 10여 일간 전투를 벌이던 관군은 식량이 떨어지고 심한 가뭄으로 기근에 시달리고 있었다. 이 틈을 타 왜군이 고산성 북문을 치고 몰려왔다. 고산성은 관군의 피로 홍수를 이룬 듯했다.

이 소식을 들은 의병장 김언륜과 창의병은 한걸음에 고산성으로 내달아 '쇠도리깨'를 휘두르며 엿새간의 낮과 밤 동안 격전을 벌여 왜군의 주력부대를 섬멸하고 수급(首級: 적의 머리)과 조총 등 수만 종의 군수품을 노획했다.

-쇠도리깨 장군 김언륜, 울진의 기상이 되다-

조선의 사직과 백성들은 7년간의 항쟁 끝에 선조 31년, 1598년 마침내 명나라의 도움을 받아 조선 반도에서 왜군을 몰아냈다. 왜군의 말발굽이 휩쓸고 간 반도의 인심은 흉흉했다. 팔도의 관아에는 탐관오리가 득세하고, 조정의 대신들은 국운회복을 팽개친 채 편당(偏黨)에만 급급했다. 도탄에 빠진 백성이 주린 배를 움켜쥐고 민란을 일으키고, 의로운 선비들이 붕당정치(朋黨政治)의 폐해를 상소하고 자결했다.

쇠도리깨와 죽창으로 소서행장의 강릉 침탈을 막은 의병장 김언륜도 '임란 전공을 독차지하려던' 울진현령 이언선(李彦善)에 의해 죽임을 당했다.

경상도 울진 땅 가치산 마루에 올라 치자 빛 노을 바라보며
스무 살 장정 탄탄한 꿈 태웠네
창창한 동해 바다, 심연의 기상 품었네
서걱이는 갈숲 바람소리에 묻혀오는 한양소식은
산등성이 붉은 피로 걸려 있고
활활 타는 두 눈 분노로 떨며
힘살 굵은 팔뚝으로 눈물 훔쳐 소리죽여 울었네
이 땅 조정은 조총소리에 휘둘리고
섬 놈 뱉어내는 킬킬대는 웃음소리 심장을 후비는데
그저 문풍지 마주 보고 앉아 칼날로 불어오는 바람만 잡아볼 뿐
내 손금보다 지지리도 못난 이 땅 사직이여

김언륜 장군의 억울한 죽음에 울진의 백성들은 석 달 열흘간 식음을 전폐하고 통곡했다. 의로운 울진인들이 의병장 김언륜의 주검을 수습하여 '마분(馬墳) 분투곡(奮鬪谷)'에 봉분을 만들고 안장했다. 당시 묘비에는 '쇠도리깨 장군 김공언륜지묘'라 새겼다. 의병장 김언륜의 구국충정은 선조 39년, 1606년 사헌부에 기록되었다.

글쓴이 시인 남호선

김언륜은 남하하던 일본군을 덕천리 벌이개에 몰아넣고 '쇠도리깨'로 적을 공격하니 의병들이 용기를 내어 접전 3일 만에 일본군의 사체가 산처럼 쌓였다.

김언륜 장군 유적지

쇠도리깨 장사 김언륜 기마상

제단

부조 조형물

김언륜은 고산성(古山城)이 일본군에 포위되자 덕천리 분투골에서 쇠도리깨로 적들을 공격하여 승리를 거두었다. 그러나 일본군은 다시 공격해왔고 이때 수많은 의병들이 혈전을 벌이다가 전사했다. 분투골 전투에서 사망한 조선과 일본 군인들의 사체가 산적했다. 전사한 의병들과 죽은 말들은 덕천리 해안에 매장했다. 수많은 병사와 말들이 묻혔다 하여 동네 이름을 '만분'이라고 하다가 지금은 '마분동(馬墳洞)'이라 고쳐 부르고 있다.

김언륜 장군의 묘소는 이번까지 다섯 번을 옮겼는데, 이번에는 장군의 묘역 앞에 기마상(騎馬像) 동상을 세우고 제단뒤에는 화강석, 스테인리스, 코르텐강으로 부조 조형물을 제작해 장군의 업적을 기록했다.

'소년장사, 쇠도리깨장군 태어나다', '장유대서 구국충정을 논하다', '울진 고산성에서 일본군을 섬멸하고 사직을 구하다', '쇠도리깨장군 김언륜, 울진의 기상이 되다' 등 4편의 부조 조형물이 세워져 있다.

(울진지역 의병)

고니시 유키나가가 이끄는 일본군 일부 병력은 1593년 울산에 도착하여 육로로 북상했고, 다른 병력은 강원도 강릉에 상륙하여 일부는 남하하여 남북의 연결을 도모했는데 그 접선지가 바로 울진이었다.

일본군이 울진에 들어와 살인, 방화와 약탈을 일삼자 이를 보다 못한 김언륜은 1593년 8월 고산성(古山城, 고읍성)에 있는 주호 장군을 찾아가 대책을 협의하고 의병을 모집하여 전투태세를 갖추었다.

일본군이 갈령(葛嶺)을 넘어 북면 부구(富邱)와 죽변(竹邊)으로 내려오자 김언륜은 북면 덕천리(현재의 원자력발전소 인근) 마분동 십장곡에서 김천상 등의 부장을 모아 작전계획을 다시 수립했다.

일본군이 마분동 분투골로 내려오는 것을 보고 김언륜은 북을 크게 울려 공격명령을 내리니 매복했던 의병들이 일제히 함성을 지르며 공격했다. 이때 김언륜은 선두에서 말을 타고 쇠도리깨와 칼을 휘두르며 돌진하니 일본군의 시체는 인산인해를 이루었다. 분투곡의 전황을 들은 일본군이 구원병을 보내 분투곡을 공격하면서 치열한 전투가 전개되었다.

북상하던 일본군 선발대가 고산성을 포위 공격한 지 10일이 지나는 시점에서 관군, 의병들은 군량미가 바닥났고 우물의 물 또한 부족해져 곤경을 겪었다. 일본군의 조총 공격에 성 안에 있던 관군과 의병들은 대부분 전사했다.[63] 그들이 흘린 피는 계곡을 타고 흘러내렸다.

○ 경상북도 울진군 북면 나곡리(북면성당 부근)

울진 성류굴

성류굴은 불영사 계곡 부근에 있으며 수평으로 발달한 석회동굴이다. 동굴의 전체 길이는 약 870미터이며, 이 중 약 270미터가 개방되어 있다. 동굴 내에서는 여러 가지 모양의 종유석, 석순, 유석 등을 볼 수 있는데 특히 호수 물속에 잠겨 있는 큰 석순과 종유석은 국내 동굴 중에서는 이곳 성류굴에서만 볼 수 있다.

이곳은 수만 년 전에 해수면이 현재보다 낮았다가 지각변동으로 인해 지금의 위치로 다시 올라왔음을 보여주는 지질학적 자료라고 한다. 성류굴은 천연기념물 제155호로 지정되어 있다.

임진왜란 당시 물밀듯이 쳐들어오는 일본군을 피해 많은 주민들이 마을 뒷산이나 부근의 산속으로 피신한 사실은 잘 알려져 있다. 산으로 피신한 주민들은 일본군의 눈에 잘 띄지 않은 동굴로 들어간 경우가 많았는데 운이 따르지 않아 일본군에게 발견되는 경우에는 대부분 몰살 당했다. 주민들이 피신을 했던 동굴의 예를 들어보면 경상남도 산청의 홍굴(洪窟), 밀양의 손가굴(孫家窟)·형제굴(兄弟窟), 문경 모산굴 등이 있다.

---

63) 울산디지털문화대전. 울산군지에는 김언륜이 전사했다고 적었으나 근년 이산해의 시문집인 『아계유고』에 김언륜이 왜란 이후에도 살아 있었으며, 현령 이언선의 모함에 의해 죽게 되었다는 내용이 후포역사연구소의 정돌만 회장에 의해 밝혀졌다. 〈울진신문〉 2004년 8월 14일자 참조.

성류굴 입구

성류굴

울진종합운동장에서 바라본 성류굴(사진 중앙의 정자모양의 건물이 매표소이고 그 옆이 동굴 입구)

이곳 성류굴은 본래 신선들이 한가로이 놀던 곳이라는 뜻의 '선유굴(仙遊窟)'이라 불리던 곳이다. 그러다가 임진왜란 때 일본군의 파괴, 약탈행위로부터 불상들을 보호하기 위해 굴 안으로 옮겼다는 데서 유래되어 성스러운 부처가 머물던 곳이라는 뜻의 '성류굴(聖

留窟)'이라고 부르게 되었다.

또 마을 주민 500여 명이 굴속으로 피신했는데 이를 알게 된 일본군이 굴 입구를 막아 이곳에 들어갔던 주민들은 모두 굶어 죽었다고 전한다. 좁은 성류굴 입구를 지나 안으로 들어가면 초입에 왜란 당시 훈련장으로 쓰였다는 그리 넓지 않은 공간이 있다. 이곳으로 피신 왔던 주민 중 일부가 동굴 초입에서 최소한의 자체 경비를 위한 훈련을 했던 것으로 보인다.

○ 경상북도 울진군 근남면 성류굴로 225

울진 주호 부인 장씨 정려각

의병장 주호(朱皞)는 임진왜란을 당해 가족을 이끌고 울진군 서면 소광리에 있는 안일왕산성으로 피신했으나 피신하지 못한 그의 일가친척은 일본군에 의해 살해되었다.

그는 백성들이 일본군에게 살해되거나 포로로 잡혀가고, 재물을 약탈당하는 일이 계속되자 숨어 있던 안일왕산성을 나와 집으로 돌아와 울진현의 소재지인 고산성(고읍성)을 중심으로 의병을 모집했다.

당시 피난 갔던 현령을 비롯한 관리들과 지방 유지들이 주호 장군을 믿고 상하가 한 덩어리가 되어 총력전을 수행할 준비를 갖추었다. 300여 명의 의병을 얻게 된 주호는 성벽을 수축하고 훈련을 시켰다.

1593년 8월 말에 일본군은 수천 명이 '남무묘법연화경(南無妙法蓮華經)'이라고 쓴 깃발을 앞세우고 고산성을 공격했다. 주호 장군을 비롯한 의병들은 일본군을 맞아 수십 일 동안 치열한 격전을 벌였다. 성 안에는 양식과 물이 떨어지고 화살도 없어 돌을 던지고 바위를 굴렸으나 성을 포위한 일본군에게 더는 버틸 수 없어 육박전으로 최후의 일각까지 싸우다가 전원 전사했다.

주호 장군 부인 장씨 정려각

정려(절부 증 영인 울진 장씨지려)

열녀 첨정 주호 처 장씨지려

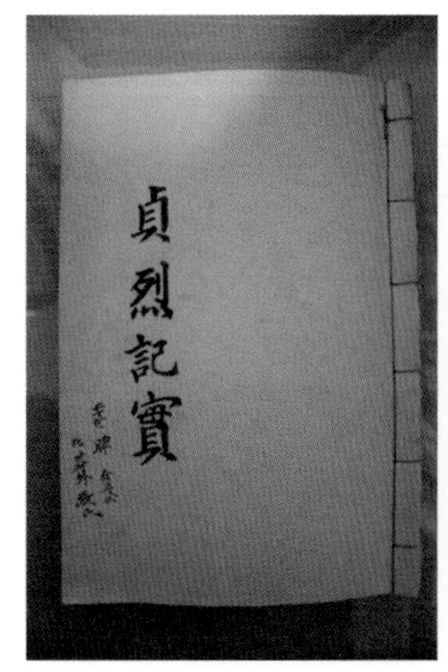

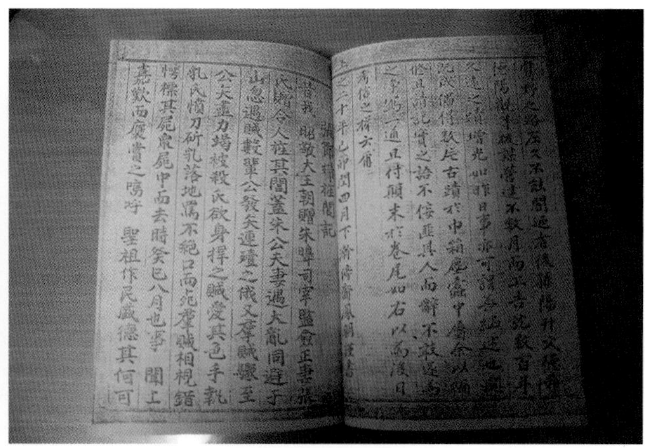

정렬기실(복사본)에 실린 장씨 부인 관련 내용

처음 세워졌던 비석은 정려각 뒤에 놓여 있다

주호 장군의 부인 장씨는 울진을 관향으로 하는 강계부사 장백손의 증손녀이며, 장준의 여식이다. 유가(儒家)에 태어나 윤리도덕과 부덕(婦德)을 겸비한 재주 있고 총명한 재원이었으며 자색이 아름다웠다.

주호 장군이 전사하자 장씨 부인이 그 시체를 껴안고 우는데 일본군이 몰려와 젊고 아름다운 부인을 껴안고 젖가슴을 만지며 희롱했다. 부인은 대노하여 껴안은 일본군의 손을 깨물고 품속에 지녔던 칼을 꺼내어 더럽혀진 젖가슴을 잘라 땅바닥에 던지면서 일본군 병사를 꾸짖으며 피를 흘리다가 사망했다.[64]

일본군 가운데 이 사실을 나무 푯말에 써서 여러 시체 가운데 장씨 부인의 시체 옆에

64) 『정렬기실(貞烈記實)』, 14쪽.

세워두고 갔는데 나중에 피난 갔다가 돌아온 주민들에 의해 이 사실이 확인되어 장씨 부인의 굳은 절개가 세상에 알려지게 되었는데 그때가 1593년 8월이었다.

선조 임금은 1603년 주호 장군에게 봉열대부 사재감첨정(司宰監僉正)이라는 벼슬을 내렸고, 장씨 부인에게는 '영인(令人)'이라는 벼슬을 내렸다.

○ 경상북도 울진군 죽변면 화성리 67-1 도로변

울진 축천대

충효당 주경안(朱景顔)은 선조 임금 대의 충신이자 효자이다. 전적(典籍) 주선림의 증손이며, 참봉 주세홍의 아들이다. 그는 효심과 임금에 대한 충성심이 지극하여 부모가 돌아가시자 3년간 시묘살이를 했으며 문정왕후, 인순왕후, 명종 임금, 의인왕후, 선조 임금이 서거했을 때도 3년 동안 상을 치르며 죽으로 끼니를 때웠다.

울진읍 고성리(古城里)에서 태어난 주경안은 임진왜란이 일어나자 마을 동쪽 구만동 낮은 산봉우리에 단을 쌓고 왜란이 조속히 평정되고 나라가 무사하기를 7년 동안 하늘에 기원했다. 그 후 사람들은 이곳을 축천대(祝天臺)라 부르고 유허비를 세웠다.

주경안은 1614년 2월 27일 79세를 일기로 세상을 떠났다. 그의 사후에 충효당(忠孝堂)이라는 시호가 내렸다.[65] 그의 충효는 삼강록에 올랐다. 1578년(선조 11) 효자로 정려를 받고, 1748년(영조 24) 사헌부 지평의 직위를 받았다.

축천대 유허비(1965년)

황명 만력 임진년(1592)에 왜적이 온 섬을 몰아서 우리나라를 노략질하니 삼도가 함락되고 이능(二陵)이 훼손되었다. 임금께서는 궁궐을 떠나고 백성들은 살육당하니 그 비참함이 지금까지 우리 역사에 없던 일이다.

이때 우리 고장의 효자 증 지평주공(贈持平朱公)께서 근심됨을 이기지 못하여 사시는 마을 동쪽 산에 석단을 쌓아서 조석으로 솔잎을 갈아서 죽과 함께 먹으며, 이른 새벽 단 아래 나아가 목욕재개하고 향을 피우며, 국운(國運)이 면면히 이어질 것과 임금께서 하루 속히 환궁하실 것을 7년이나 하늘에 기도하였는데, 엄동설한이나 폭염에도 하루도 빠짐이 없었다. 병신년(1596) 11월 한밤중에 풍악이 정문(旌門) 부근에서 요란하게 울렸으나 풍악군들의 실체는 보이지 않고 풍악소리만 나니 풍악소리를 들은 사람들이 모두가 이상하게 여겼으며 또 무술년(1598) 7월 한밤중에 또한 풍악이 전과 같이 울리다 그쳤다. 이는 왜적들이 기세가 꺾이어 물러감이 병술, 무술년에 많았던 까닭으로 신명(神明)이 미리 이와 같이 알려준 것이라 하였다.

선생께서 세상을 떠나신 지 200년 만에 이 고장 선배들이 선생을 향현사(鄕賢祠)에 모시고 또 선생이 기도하시던 석단 장소를 찾아서 우러러 경모하고 그곳의 이름을 '축천대(祝天臺)'라 하였다. 그 후 1965년 4월 15일 선생의 후예들이 유허비를 세워 사적을 기념하게 되었다.

주규선, 『신안 주문 임란공신』(2007), 124~125쪽

---

65) 울진군지.

축천대는 1996년 불천사(不遷祠)와 함께 후손들에 의해 새로운 면모로 중건되었다. 이때 세운 유허비의 내용은 1965년의 유허비를 축약한 것이다.

충효당 주공경안 축천대 유허비(1996년)

이곳은 극진한 효성과 우국충절로 현세에 이르기까지 온 백성들의 귀감으로 전하여 온 충효당 주공 경안께서 1592년 임진왜란으로 당시 국운이 극히 위태함을 비통히 여겨 손수 이곳에 축단하시어 왜적 퇴진과 국태민안하기를 7년이나 기도한바 마침내 왜적이 물러가게 되었다. 이에 후세인들이 공을 경모하고 이 축단을 축천대라 이름 하였으며 그 후 1965년(을사)에 후예들이 정성으로 새로운 면모의 축천대를 중건하여 향토 문화재로 길이 보전할지어다.

1996년(병자) 8월 중건 당시 세운 유허비

축천대는 방향표시 안내판이 가리키는 방향 도로 건너 언덕 위에 있다

축천대 유허비

축천대 유허비

주경안 효자각

(충효당 · 불천사)

사당 불천사는 1644년(인조 22)에 건립되었으며 주경안을 기려오다가 후일 울진현감 박한(朴垾)의 주선으로 부인 울진 장씨를 합사하여 모시고 매년 음력 2월 27일에 향사하고 있다. 1947년에 중건했고, 1996년에 중수하여 오늘에 이르고 있다.

충효당 · 불천사의 주소는 울진읍 고성1길 108-8이다. 이곳에는 주씨 종가집이 있으며 종손 주명돈 씨가 불천사와 충효당을 관리하고 있다. 이 지역은 신안 주씨 울진 시거지(始居地)이다.

불천사

신안 주씨 울진 시거지 표지석

(주경안 효자비)

충신 주경안은 효자이기도 하다. 그의 부친 참봉 주세홍이 병에 걸려 수년간 신음하다가 죽을 지경에 이르게 되자 손가락을 끊어 그 피를 술에 타서 먹이니 병이 완쾌되었다. 그 뒤에 부친이 종기 때문에 오랫동안 고생했는데 지렁이 즙이 신효하다는 의원의 말을 듣고 동지섣달 추운 겨울밤에 어느 산 밑에 가서 분향한 후 기도를 올리고 땅을 파헤치니 지렁이가 나왔고, 그 즙을 짜서 종기에 바르니 신통하게 나았다고 전한다.

주경안 효자비는 울진읍 고성리 구만동 입구에 있으며, 비각은 단칸 규모의 맞배지붕 기와집이다. 효자비와 충효당·불천재는 같은 마을에 있고, 축천대는 그 마을의 동쪽 언덕 위에 위치해 있다.

주경안 효자비

○ 경상북도 울진군 울진읍 새마실1길 64-1(울진읍 고성리 구만동 동봉)

19. 의성

의성 고운사 가운루

등운산 기슭에 위치한 고운사는 661년(신라 문무왕 1) 의상대사가 창건했으며, 대학자인 최치원(崔致遠)이 여지대사, 여사대사 등과 함께 가운루와 우화루를 세우고 이를 기념하여 그의 호를 따서 고운사(高雲寺)라 개칭했다고 한다.

고운사는 948년(고려 정종 3)과 1018년(현종 9)에 중창했으며 임진왜란 때는 사명대사가 이곳을 승군의 전방기지로 사용하여 식량을 비축하고 부상한 승병들에 대한 뒷바라지를 해준 곳이다.

석학으로 이름 난 함홍선사가 이곳에서 후학을 지도할 때는 무려 500명의 대중스님이 수행하기도 했다. 사찰 건물은 1835년에 소실된 것을 만송대사, 호암대사, 수열대사 등이 중창했다. 1970년대에 건물 일부가 다시 소실되었다.

고운사 안내도

일주문

가운루(사찰 입구 쪽에서 바라본 모습)

가운루 내부

가운루(대웅보전 쪽에서 바라본 모습)

대웅보전

(가운루)

가운루는 지붕 옆면이 여덟팔자 모양인 팔작지붕집의 중층 누각이다. 왜란 당시 승병 활동의 공간이였던 가운루는 1982년 2월 24일 경상북도 유형문화재 제151호로 지정되었다.

○ 경상북도 의성군 단촌면 고운사길 415

의성 김치중 의열각

김치중 의열각은 임진왜란 때 일본군과 싸우다가 전사한 응봉(鷹峰) 김치중(金致中)을 기리기 위해 세운 건물이다.

김치중은 의성 김씨 시조 김석(金錫)의 19대 손이며 참봉공 김응상(金應商)과 모친 영양 남씨 사이에 태어났다. 학문연구와 후진양성에 힘쓰고 있던 그는 왜란 발발 소식이 전해지자 비분강개하여 책을 덮고 궐기했다.

먼저 김치중의 숙부 김응주가 의병으로 일어나 조국을 구하고 임금에 충성하라는 내용의 격문을 지어 사방에 돌렸다. 김치중 또한 그해 7월에 격문을 돌리고는 부친에게 자신의 뜻을 아뢰니 부친은 머뭇거리지 말고 나서라고 격려했다. 문중에서 동지들과 힘을 합쳐 의병을 모으니 많은 이들이 모여들었다.[66]

김치중은 아우 김치화・김치윤, 종제 김치홍・김치강 및 숙부 김응주를 비롯한 의병들과 함께 건마산(乾馬山)에 진을 치고 일본군에 맞섰으며, 100여 명의 일본군을 격퇴하는 공을 세웠다.

1592년 7월 1일 의성읍에 주둔하던 일본군 조총부대가 산성으로 진격해옴에 따라 의병군 진용을 정비하고 혈전을 벌였으나 역부족으로 수세에 몰리고 수비전선은 무너지기 시작했다. 의병들은 총에 맞아 죽기도 하고 언덕에서 투신하기도 했다. 김치중은 아우 등 친족들과 많은 병사가 차례로 전사하자 호국의 한을 풀지 못한 채 스스로 절벽에서 투신하여 순국했다.

66) 의성문화원, 『의성유적지』(의성, 1996), 191~193, 559~560쪽.

의사 김치중 순국기적비

의열각(2개의 비석이 들어 있다)

의사 김치중 처 신씨지려(정려)와 의열각 이건기(정려 아래 편액)

옛 비석 / 새로 제작된 비석

이 소식을 전해들은 김치중의 부인 평산 신씨(平山申氏)도 투신 자결했으며, 주인을 잃은 종 서석(徐石)과 복분(福分)도 신씨 부인을 따라 투신했다.

의성 김씨 문중의 하인 10여 명도 주인들과 함께 죽었고, 한 하인의 처인 옥금(玉金)은 일본군이 물러간 뒤 남편이 전사했음을 확인하고 절벽에서 뛰어내렸다.

夫死於國 婦死於夫 婢死於主(부사어국 부사어부 비사어주)

남편은 나라를 위해 순국하고 아내는 남편 따라 순절하며
노비 또한 주인을 받들어 목숨을 버렸다

조정에서는 김씨 일문의 이러한 삼강(三綱) 정신을 추앙하여 1609년(광해군 1)에 정려를 내려 비각을 건립했다. 1767년에는 의성현령 서명민이 나라의 명으로 묘지를 개수하고 정려각의 현판을 중수한 후 제사를 모셨다.

1903년(광무 7)에 김필만, 김사건, 김서화 등 후손들이 정려각을 다시 세웠으나 1910년 경술국치 후 일본인 관헌들이 정려각을 훼손하고 비석을 땅에 묻었다.

해방 후인 1956년 점곡초등학교의 교장과 700여 명의 학생들의 손으로 땅에 묻힌 비석을 찾아냈다. 관련 인사들과 당국의 협찬을 받아 세 번째로 비석을 재건하고 비각을 중수하니 이것이 지금 서 있는 의열각이다.

1984년 도로확장공사로 인해 당초의 위치보다 약간 북쪽인 현재의 위치로 옮겨지었다. 2007년 의성군청에서 정려각 단청, 기적비 건립, 주변정비 등 경역 정화사업을 전개했다.

의사 김치중 선생 순국 기적비

(앞부분 생략)

왜(倭)의 풍신수길(豊臣秀吉)이 권력을 틀어잡고 조총으로 무장한 정예병을 동원하여 조선 정벌을 감행하였다. 임진년(1592) 4월 13일 부산포에 상륙한 왜군은 파죽지세로 왕경(王京)을 향하여 북상 5월 2일에 한성을 점령하였다. 선조는 도성을 버리고 황급히 의주로 피난하였다.

공은 풍전등화와 같은 나라의 운명에 비분강개하여 책을 덮고 붓을 들던 손에 장검을 쥐고 구국성전에 궐기하였다. 충절과 의리로 투철히 교양된 공은 구국충절과 보향수족의 성전에 몸을 던지게 되었다. 계부(季父) 응주공(應周公)을 모시고 아우 치화・치윤, 종제 치홍・치강 등 일족과 주민 일백 여명을 모아 의병을 편성하여 총궐기를 선포하였다. 선비 권희순, 김덕기, 장춘우, 손대효 제공(諸公)도 참여하였다. 천연의 요새 건마산에 집결하여 성벽을 쌓고 식량 등을 비축해두고 결전에 임했다.

단을 만들어 하늘에 고하기를 '여기서 태어나고 여기서 자라 국왕의 옷을 입고 음식을 먹었으니 하루아침에 섬나라 왜놈이 강산을 피로 물들였는데 어찌 나라에 보답지 않으리오. 차라리 죽을지언정 욕되지는 않겠노라' 하고 맹세하니 모든 의병들은 눈물을 흘리며 죽음으로 공을 따랐다. 7월에 들어 1일에 왜적의 선봉 400여 명이 샛길을 따라 후평(後坪)들에 돌입하였다. 쇠북을 요란히 치고 창칼을 번득이며 마을로 들어 닥치는 대로 죽이고 약탈하고 분탕을 쳤다.

이를 목격한 공은 성중에 군령을 내려 일제히 왜적을 공격하니 왜적은 혼비백산하여 깃발과 병기를 버리고 도망갔다. 우리의 의병군은 많은 무기와 갑옷 등을 노획했다. 도망갔던 왜적은 그 후에도 줄기찬 공격을 해왔다. 아군은 사기충천하여 견적필살의 공방전이 처절히 전개되었다. 첫날 전투에서 선봉장 안철수(安鐵壽)가 용감히 싸우다 왜적의 총탄에 쓰러졌다. 다음 날 또 다시 적들이 공격해 왔고 3일째 계속 적들을 격파하였다. 빛나는 승리였다. 4일 새벽에 왜적은 부근의 부대에서 원군을 얻어 대대적인 공격을 해왔다. 아군은 중과부적이요, 고립무원이라 사력을 다하여 분전했으나 화살이 다하고 창칼이 모두 부러지자 적수공권 맨주먹과 돌로 대항하여 싸웠다. 치열한 전투는 격전에 격전을 거듭하여 왜적은 1백여 명이 넘는 전사자를 내고 패퇴하였다. 아군은 크게 승리하였다. 이에 성문을 열고 패퇴하는 왜적을 추격해나갔다. 그때 계곡에 숨어 있던 왜적 복병이 졸지에 일어나 공격하니 아군은 혈전을 벌였지만 힘이 다 되어 쓰러져갔다. 아우 치화・치윤, 계부 응주, 종제 치홍・치강 등이 차례로 장렬히 전사했다.

공께서 의병들의 시체를 둘러보고 싸움은 이길 수 없지만 의(義)는 욕되게 할 수 없노라 하고 의관을 정제하고 북향재배한 후 깎아지른 천척절벽 아래로 몸을 던져 장렬하게 순국하였다. 노(奴) 서석(徐石)으로부터 이 소식을 전해들은 신씨 부인도 부부의 도를 지켜 남편과 생사를 같이한다 하고 같은 곳에 올라 투신자살하였다. 몸종 복분(福分)과 노 서석도 통곡하며 상전을 따라 같이 죽었다.

부사어국(夫死於國)하고 처사어부(妻死於夫)하며 비사어주(婢死於主)로다. 백부 응하(應夏) 공도 '마땅히 죽을 자리에 삶을 구함은 애오라지 대의를 그르칠 뿐이노라' 하고 자결하였으며 치강의 처 권씨 부인도 계곡에 몸을 던져 자결하였다. 이날 당내 건강한 종 십여 명과 여종 6명도 주인의 비보에 놀라 통곡하면서 스스로 목숨을 끊었으며 시종 노의 처 옥금(玉今)도 물에 투신하였다.

향리의 선비 김덕기, 손대효, 박종연, 이장춘, 신광도 그리고 마을 사람 안철수, 조정원, 장춘우 계우(桂友) 형제 그리고 따르는 자 일백 여명도 끝까지 대항하다 옥쇄하였다. 장춘우의 어머니 유씨(柳氏)도 두 아들의 비보를 듣고 목숨을 끊었으니 진실로 애석하도다. 그러나 권희순 공은 성 수성장을 거쳐 장기현감을 역임하였다. 공의 이러한 의병활동과 그 일문의 삼강정신이 조정에 알려져 1609년(광해군 1)에 정려를 내렸으니 비명에 '남자의 뜻 굽히지 않고 의로써 마치니 죽음이 아니로다'라고 하였다.
(뒷부분 생략)

(평산 신씨의 순절)

신구정(申九鼎)의 딸 평산 신씨는 김치중과 혼인했다. 김치중은 건마산(지금의 단촌면 병방리 일대)의 전투에서 있은 전투에서 많은 의병과 의성 김씨 가문 사람들이 일시에 순국하게 되자 쌓여 있는 의병들의 시체를 둘러보고 통곡한 후 하인 서석(徐石)에게 부인 신씨에 보내는 서찰을 쥐어주었다. 그리고 의관을 정제하고 북쪽을 향해 재배한 후 절벽 아래로 몸을 던져 순국했다.

남편의 서찰을 받은 부인 신씨는 아들에게 주는 글을 써 서석에게 전하고 남편이 죽은 그곳에 올라가 투신했다. 이에 몸종인 복분(福分)과 서석도 통곡하며 상전을 따라 그곳 절벽에서 몸을 던졌다. 당시 병암서당을 중심으로 하는 의성 김씨 문중의 하인 10여 명도 주인들을 따라 스스로 목숨을 끊었다. 조정은 1609년(광해군 1) 3월에 순국 순절한 일문 모두를 정려했다.

○ 경상북도 의성군 점곡면 송내리 228-5

의성 병암서당

병암서당(屛岩書堂)은 조선시대 단종 임금에 대한 충절을 지킨 김한동의 증손이자 전적(典籍)을 지낸 김응하(金應夏)가 동생 김응상(金應商), 김응주(金應周)와 함께 학문을 연마하고, 나아가 후손을 교육하기 위해 세운 건물이다.

병암서당 중수기에 의하면 이 서당은 선조 임금 대에 부사직공 파조 휘(諱) 한동부군(漢仝府君)의 증손 참봉공 3형제(휘: 김응하·김응상·김응주)가 벼슬에 나아가지 않고 산림에 은둔하여 학문을 연마하고, 나아가 후손을 교육하기 위해 건마산 병암 아래에 창건했다.

1797년(정조 21)에 김응하의 7대손 김정신이 김정조와 더불어 지역 유림의 도움을 받아 교동(橋洞) 근처에 다시 서당을 세웠다. 1931년에는 후손들이 협의하여 현재의 위치인 중사촌(中沙村)으로 옮겨 중수했다. 그리고 2004년 다시 후손들이 관청의 지원을 받아 서당을 중수하여 오늘에 이르고 있다.

병암서당

마을 뒤편 산록의 급경사에 위치하기 때문에 2층 누각 형태로 정자가 지어졌으며, 주변 경관의 조망을 위해 반 칸 규모의 툇간을 둔 것이 특징이다.

주위로는 토석담을 둘렀으며, 전면에는 사주문(四柱門)을 세워 서당으로 출입하게 했다. 서당은 정면 3칸, 측면 1칸 반 규모의 팔작지붕이다.

○ 경상북도 의성군 점곡면 사촌2길 43

의성 오봉종택 · 오봉사당

오봉종택(梧峰宗宅)에는 오봉 신지제(申之悌, 1562~1624)의 위패를 모신 사당이 있다.

신지제는 학봉 김성일의 문인으로, 1589년 문과에 급제한 후 1590년(선조 23)에 예안현감을 지냈다. 그가 의성에 근무할 때에는 '장대서원'을 세워 지역 자제들의 교육에 힘썼다.

신지제는 임진왜란 때 의병모집 및 식량조달 임무를 맡아 팔공산 등지에서 의병활동을 한 공로로 사후에 이조참판의 직위를 받았다.

종택 안에는 신지제를 불천위로 모시는 오봉사당이 있으며 사당 안에는 그의 유품이 보관되어 있다. 오봉종택은 1987년 5월 13일 경상북도 문화재자료 제187호로 지정되었다.

오봉종택 낙선당

낙선당 옆에 자리한 신지제 신도비

사당

○ 경상북도 의성군 봉양면 구미길 90

의성 학록정사

학록정사(鶴麓精舍)는 학동(鶴洞) 이광준(李光俊, 1531~1609)의 공을 기리고 후학을 양성하기 위해 1750년(영조 26)에 지은 건물이다.

이광준은 1562년 별시 문과에 급제하여 문신으로 관료생활을 시작했다. 1592년 임진왜란이 발발하자 의병을 일으켜 공을 세웠으며, 1603년(선조 36)에는 강원도 관찰사 겸 병마수군절도사를 지냈다.

학록정사 전경

학록정사

학록정사 현판

사당 광덕사

강당 학록정사

학록정사는 산운마을 내에 남향하여 자리 잡고 있는데, 정면에 소시문(蘇始門)이라고 편액한 솟을대문이 있고, 강당이 중심에 자리하고 있다. 강당 건물 뒤에는 사당 광덕사(光德祠)를 두어 삼부자(학동 이광준, 경정 이민성, 자암 이민환)의 신위를 제향하고 있다. 건물은 정면 5칸, 옆면 2칸으로 팔작지붕집이며, 표암 강세황이 쓴 현판이 걸려 있다.

학록정사는 1989년 5월 29일 경상북도 유형문화재 제242호로 지정되었다.

○ 경상북도 의성군 금성면 산운마을길 21-7

의성 후산정사

후산정사(後山精舍)는 의성 사촌리에 있는 사당으로 조선시대 전기의 문신이자 이황의 제자 김사원(金士元, 1539~1602)의 위패를 봉안하고 있다.

김사원의 호는 만취당(晩翠堂), 본관은 안동이다. 천성이 어질고 부모에게 효도하여 많은 사람들에게 사랑과 공경을 받았으며, 자라서는 퇴계 이황의 문하에 들어가 벼슬에 뜻을 두지 않고 학문에 전념했다.

임진왜란이 일어나자 김사원은 지역 유림의 추대를 받아 '의성 정재장(義城整齊將)'으로 활약했다. 전란이 평정된 후에는 이재민 구휼에 나서 거주지를 잃은 많은 백성들을 도왔다.

김사원이 별세한 후 후손들이 그의 덕망을 추모하여 안동 도산에 천산정사를 세웠으며, 1758년(영조 34)에 이곳 후산으로 옮겨 세웠다. 천산정사는 1868년(고종 5) 흥선대원군의 서원철폐령에 따라 철거되었다.

향나무 왼쪽은 후산정사, 오른쪽은 사당 후산사

후산정사

강당 후산정사

사당 후산사

1990년에 후손을 중심으로 하여 중건추진회가 발족되어 1991년 7월 후산정사로 명칭을 변경하여 중수했다. 경내에는 외삼문, 중정당, 사당 등이 건립되어 있으며, 해마다 춘추 정일에 유림들이 모여 제사를 지낸다.

○ 경상북도 의성군 점곡면 점곡길 15-8

20. 청도

청도 금호서원

금호서원(琴湖書院)은 임진왜란 때 이순신 장군 휘하에서 전공을 세우고 경상우수사 겸 삼도 수군통제사를 지낸 식성군(息城君) 이운룡(李雲龍, 1562~1610)과 향산(鄕山) 이백신(李白新)을 기리기 위해 세운 서원이다.

이운룡의 출생지인 청도군 매전면 명대마을(온막리)에 사당 상충사(尙忠祠)를 건립하여 향사하다가 1814년(순조 14)에 이곳 이서면 금촌리로 옮겨 세웠다. 그 후 대원군의 서원철폐령으로 인해 1871년(고종 8)에 훼철되고 강당만 대월산(對月山) 기슭으로 옮겨 세운 후 효충사(孝忠祠)라고 했다.

1947년에 서원을 중창했으며, 2001년에는 강당을 중건했다. 건물배치는 외삼문인 시덕문(施德門)을 들어서면 강당과 동재·서재가 있고, 강당의 뒤쪽에 내삼문이 있으며 그 안쪽으로 사당 현충사(賢忠祠)가 있다.

금호서원은 대월산을 배경으로 앞쪽의 풍양지와 학산(鶴山)을 바라보며 북서향으로 자리하고 있다. 2단으로 조성된 대지에 외삼문, 강당, 사당을 일축선상에 두고 강당의 좌우에 동재와 서재를 둔 전학후묘 형식이다. 이운룡 장군의 불천위 신주를 모신 금호서원은 1995년 6월 19일 경상북도 문화재자료 제308호로 지정되었다.

금호서원

금호서원

금호서원 충의당

시덕문

이운룡 장군 사적비

이백신 선생 의적비

사당 현충사

현충사

(이운룡)

이운룡은 신라 개국공신 표암공(瓢巖公) 이갈평의 후손이다. 성장 초기에는 유학을 하다가 24세에 무과에 급제하여 무인의 길로 들어섰다.

이운룡의 옥포만호 부임 4년째인 1592년 4월 14일 일본군 선봉부대가 부산에 상륙하면서 왜란이 시작되었다. 낙동강 하구를 지키던 경상우수사 원균은 병기와 전함 등을 바다에 버리고 병사를 해산시킨 뒤 전함 4척만 이끌고 곤양만으로 후퇴하려 했다. 이때 이운룡은 호남 수군에 급히 지원을 청하는 것이 옳으니 전라좌수사 이순신을 잘 알고 있는 율포권관 이영남을 보내자고 했고 원균은 이를 받아들였다.

전라좌수영의 이순신은 이영남의 지원요청이 있자 장수들을 불러 모아 경상도 해역으로의 출동 여부를 토의했다. 대다수 장수들이 반대했으나 녹도만호 정운과 군관 송희립은 출동하여 지원할 것을 주장했다.

이순신은 조정에 장계하고 출동을 결의했다. 호남 수군은 5월 5일 고성 앞바다를 지나 6일 한산섬에서 경상우수영군과 합류한 후 7일 정오에 옥포만에 도착하여 합동작전을 시작했다. 이운룡은 선봉장이 되어 적선 50여 척을 격전 끝에 침몰시켰다(옥포해전). 이후 영등포해전, 당항포해전, 한산해전 등에서 이순신 장군을 도와 조선 수군이 승리를 거두는 데 기여했다.

이윤룡은 공로를 인정받아 1597년 정유재란 때는 경상좌수사로 기용되어 분전했다. 나중에 삼도 수군통제사에 임명되었다.

1604년 선무공신으로 훈록되어 식성군으로 봉군되고 나라에서 토지 등 사물(賜物)을 내리고 불천위로 제사를 받들도록 했으며, 조상까지 증직하고 자손대대로 유급영세(宥及永世)의 특전을 누리도록 했다.

1607년 함경남도병사로 재직했고 1609년 충청수사로 재임 중 무고로 인해 퇴직하고 고향집으로 돌아왔으나 종기를 앓아 고생하다가 1610년 7월 2일 49세의 나이에 별세했다. 조정에서는 자헌대부 병조판서 겸 지의금부사를 제수했다.

(이백신)

향산 이백신의 시조는 이운룡과 같이 이갈평이며, 그의 후손 사재령공 이일선이 개성에서 밀양으로 내려와 정착했다. 선무원종공신 절충장군 방산첨사인 아버지 이붕(李鵬)과 어머니 청도 백씨 사이에서 1539년(중종 3) 청도 금촌에서 태어났으며, 성장해서는 성산이씨 감찰 이덕문의 여식과 혼인하여 아들 이결(李潔)을 두었다. 1604년 향년 66세에 별세했으며 묘는 금촌 풍양지 내산에 있다.

이백신의 나이 54세 되는 1592년 임진왜란이 발발하고 나라가 존망의 위기에 처하자 인근 지역의 동지들을 의병으로 규합하여 경상도 진주를 거쳐 전라도 금성까지 출격하여 싸웠다. 이백신의 승전소식을 듣고 많은 의병들이 모여들었다.

전쟁 3년째인 1594년 아들 이결이 사망했다는 소식이 전해졌다. 장사를 치른 그는 며느리에게 가사를 당부하고 그 길로 다시 전장으로 돌아왔다. 전쟁이 종료된 후 1605년 논공행상에서 선무원종공신으로 녹훈되고 어모장군(禦侮將軍) 훈련원 첨정으로 포상되었다.

○ 경상북도 청도군 이서면 삼성산길 106-58

청도 용강서원 충렬사 및 14의사 묘정비

용강서원(龍岡書院)은 고려시대의 문인으로 청도에 정착한 밀양 박씨 문중의 시조가 된 충숙공 박익(朴翊, 1332~1398)과 임진왜란 때 의병활동을 하여 공을 세운 14명의 의사를 제향함과 동시에 후진을 양성하기 위해 건립한 서원이다.[67]

서원 내에 있는 사당 충렬사는 의병을 일으켜 청도, 밀양, 경산 등지에서 일본군에게 타격을 가한 박경신(朴慶新), 박경인(朴慶因), 박경전(朴慶傳), 박경윤(朴慶胤), 박경선(朴慶宣), 박선(朴瑄), 박찬(朴璨), 박지남(朴智男), 박철남(朴哲南), 박린(朴璘), 박우(朴瑀), 박구(朴球), 박숙(朴琡), 박근(朴瑾) 등 14명의 의사를 모신 사당이다. 이들 14의사는 부자, 형제, 숙질, 종형제 사이로 이 가운데 11명은 선무원종공신 1, 2, 3등에 각각 올랐고, 1명은 병자호란 때 진무원종공신 1등에 올랐다.

박경신은 임진왜란 때 이일의 종사관으로 활동했으며, 해주목사에 임명된 후에는 전란으로 인한 피해 복구와 민폐 제거에 힘써 민심을 안정시키고, 수양산성(首陽山城)을 수축하여 방비 태세를 갖추었다.

14의사 중 5명의 의사가 순국했는데 박경인・박경선은 임진왜란 때, 박경신・박찬은 공무 중에, 박우는 병자호란 때 순국했다.

14의사를 제향하는 용강재(龍岡齋)는 1794년(정조 18) 이래 후손을 비롯한 지역 유림들이 사우(祠宇)로 발전시키기 위해 노력했으며, 1816년(순조 16)에는 '충렬사(忠烈祠)'로 개편되었다.

1868년(고종 5) 서원이 훼철되었지만 일제강점기인 1913년에 용강서당(龍岡書堂)이 건립되고 1935년에는 요사, 관리사, 창고, 14의사를 봉안한 숭의사(崇義祠)가 충렬사(忠烈祠)로, 용강서당이 용강서원으로 명칭이 변경되었다.

---

67) 고려시대 때 예부시랑, 중서령 등의 벼슬을 지내고 여러 차례 왜구와 여진족을 토벌하는 공을 세웠던 박익은 조선이 개국되자 벼슬을 사양하고 두문동에 들어가 은거하며 여생을 보냈다.

용강서원과 14의사 묘정비각(오른쪽)

14의사 묘정비각

용강서원

용강서원

용강재

14의사 묘정비

14의사 묘정비 머릿 돌

용강서원 상의당

14의사 창의 시 맹약문(국문 번역)

오늘날 우리나라의 운수가 불운하여 왜적(倭敵)들이 방자하게 날뛰고 있다.
변방을 지키는 장수들이 장수답지 못해 이렇게 먼 곳까지 쳐들어오게 되었다.
백성들은 도탄에 빠지고 사녀(士女)들은 더러운 욕을 당하고 있다.
이처럼 극심한 액운은 만고에 없었으니, 무릇 혈기 있는 사람이라면 누군들 마음이 아프지 않겠는가.
우리들은 비록 보잘 것 없으나 항상 가슴속에 조그마한 충성심을 품고 있었다.
상중에 있다면 어찌 작은 혐의(예절상 상주는 불가하다는 혐의)를 피하려고 대의의 죄를 짓겠는가.
진실로 내 한 몸을 잊고 나라를 위해 죽고자 한다면 한 번 죽음으로 족하다.
성공하느냐, 실패하느냐, 결과가 좋을 것인가, 나쁠 것인가는 논하지 않겠다.

(묘정비)

14의사 묘정비(廟庭碑)는 1876년에 건립한 것으로 비문은 동몽교관(童蒙敎官) 김시질(金是瓆)이 찬했다. 왜란 당시의 상황을 매우 상세하게 기술하고 있으며 비각의 구조도 원형을 유지하고 있다. 국가가 위기에 처했을 때 분연히 일어난 밀양 박씨 일족의 위국충절을 기리고 있다.

용강서원 충렬사 및 14의사 묘정비는 1998년 8월 3일 경상북도 기념물 제129호로 지정되었다.

○ 경상북도 청도군 이서면 모산길 45-4

청도 임호서원

임호서원(林湖書院)은 임진왜란 때 무관으로 선조 임금을 호종한 박경신(朴慶新, 1539~1594)과 의병을 일으켜 청도 지역에서 활약한 그의 쌍둥이 아들 박지남(朴智男, 1565~1626)과 박철남(朴哲男, 1565~1611)을 배향하고자 그 후손들이 지은 건물이다.

박경신은 밀성 박씨로 1539년 9월 9일에 출생했으며, 호는 삼우정(三友亭)이다. 31세 때 무과 초시에 합격하고 이듬해 복시에 급제했다. 35세에 장원급제한 후에 여러 관직을 역임했다. 1594년 6월 5일 56세의 나이에 순직했으며, 왜란 종료 후 선무원종공신 1등, 호성원종공신 2등에 올랐다. 후손들이 그 충절을 기리어 임호서원 뒤에 있는 경의사(景義祠)에 배향했다.

장남 박지남은 부친의 의병창의에 가담하여 청도, 밀양, 영천, 경주 등지의 전투에 참전했다. 무과에 급제했고 왜란 후 선무원종공신 2등에 책훈되었으며 경의사에 배향되었다.

박지남의 쌍둥이 동생 박철남 역시 아버지 박경신, 형 박지남과 함께 청도, 밀양 등지에서 의병활동을 하여 전공을 세웠다. 부친, 형과 함께 왜란 후 선무원종공신 2등에 올랐다.

이들 삼부자가 함께 경의사에 모셔졌는데 나중에 후손들이 임호서원을 지어 삼부자를 함께 배향했다.

임호서원

삼우정기

보물전시각 경의관

경의관

사당 경의사

박경신 신도비

(밀성 박씨 삼우정파 종중 소장 문적)

임호서원 초입에는 삼우정 삼부자를 기리는 비석과 함께 나라에서 내린 각종 공신녹권 등 보물 제1237호로 지정된 포상문서 '밀성 박씨 삼우정파 종중 소장 문적(密城朴氏三友亭派宗中所藏文籍)'을 보관하기 위한 건물 경의관(景義館)이 건립되어 있다.

문적은 박경신에게 내려진 '선무원종공신 녹권' 1책과 박경신 부부에게 순조 임금 때 내려진 교지 2매, 박경신의 아들 박지남·박철남에게 내려진 '선무원종공신녹훈인증서' 13매 등이다. 문적은 1996년 1월 19일 보물 제1237호로 지정되었으며, 대구박물관에 위탁 보관되어 있다.

○ 경상북도 청도군 금천면 명포길 294-5

21. 청송

청송 대전사 백련암 편액

대전사는 672년(신라 문무왕 12)에 의상대사가 창건했다. 919년 (고려 태조 12) 눌옹이 주왕의 아들 대전도군(大典道君)의 이름을 따서 중창했다. 1592년 임진왜란 때 소실되어 폐허가 되었던 것을 1672년(현종 13)에 중창했다. 보광전은 2008년 7월 28일 보물 제1570호로 지정되었다.

(백련암)

임진왜란 때 명나라 장수 이여송은 승병훈련을 지휘하던 사명대사에게 한 통의 서신을 보냈다. 서신을 보낸 정확한 일시는 알 수 없으나 서신 내용은 목판에 음각되어 대전사에 보관되었다.

훗날 목판은 복제되어 원본은 영천시에 소재하는 은해사 성보박물관으로 보내졌고, 복제본은 대전사 백련암 처마 밑에 걸리게 되었다. 서신의 내용은 다음과 같다.

공명과 이익을 도모하려는 뜻 없어
오로지 도선을 배우는데 마음 쏟았네.
이제 국사가 급하다는 말을 듣고
총섭의 임무를 띠고 산을 내려왔네.

백련암

중앙에 있는 편액이 이여송의
서신내용을 음각한 목판

백련암 목판

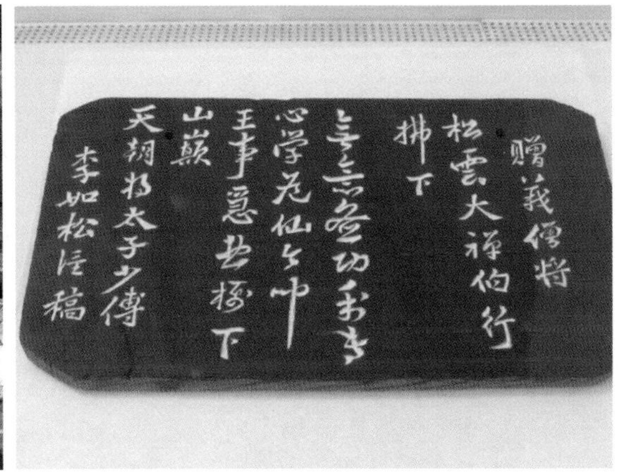

목판 원본(은해사 성보박물관 사진 제공)

대전사와 그 뒤로 보이는 기암

(기암)

주왕산 입구 대둔사 뒤에 보이는 큰 바위의 명칭은 기암(旗岩)이다. 옛날 중국 당나라의 주도(周鍍)라는 사람이 자신을 후주천왕(後周天王)이라고 칭하고 군사를 일으켜 당나라 조정과 맞섰다가 크게 패한 후 신라로 건너와 주왕산에 숨었다.

당나라는 신라에 대해 주왕을 제거해 달라고 청했고 신라 조정은 마일성 장군을 파견했다. 이곳에 은거하던 주왕이 마 장군과 싸울 때 볏짚을 둘러 군량미를 쌓아둔 것처럼 위장하여 마 장군 군사들의 판단을 흐리게 했다는 설이 있다. 마 장군이 이곳을 점령했을 때 대장기(大將旗)를 세웠다고 하여 '기암'이라고 부르게 되었다.

○ 경상북도 청송군 부동면 공원길 226 대전사

22. 포항

포항 동산재

재실 동산재(東山齋)는 서방경, 서극인, 서유원 3인의 유덕을 추모하기 위해 지역 유림과 후손들이 건립했다. 서방경(徐方慶)의 호는 직재, 본관은 달성으로 구계공 서심(徐沈)의 7세손이다.

서방경은 종질 서극인(徐克仁), 죽계 이대임(李大任)과 임진왜란 때 곽재우 휘하의 의병장으로 공을 세워 경주판관과 해주판관을 제수받았으며, 사망 후에 가선대부 병조판서에 증직되었다. 서극인은 봉사로 제수받았다.

동산재

동산재

○ 경상북도 포항시 남구 장기면 방산로 312번길 12-27

포항 정유서·정유록 유허비

정유서·정유록 유허비는 임진왜란 때 일본군을 격파한 정유서(鄭維瑞)·정유록(鄭維錄) 형제의 공로를 기리기 위한 비이다. 정유서는 고려시대 전공판서(典工判書)를 지낸 정인언(鄭仁彦)의 후손으로 아우 정유록과 더불어 임진왜란 때 일본군을 물리치는 데 기여했다.

유허각

유허비

○ 경상북도 포항시 남구 장기면 장기로 197

포항 죽성재

임진왜란 때 의병을 일으켜 일본군을 격파한 정유서(鄭維瑞)와 그의 아우 정유록(鄭維錄)을 제사지내는 죽성재(竹城齋)는 1952년 창건했으며 1979년에 중수했다.

이들 형제에게는 임진왜란 때의 공로가 인정되어 사맹(司猛)의 직위가 내려졌다. 형 정유서에게는 가선대부의 직위가 추가로 내려졌으며 선무원종공신록에 기재되었다.

죽성재

○ 경상북도 포항시 남구 장기면 읍내길 89번길 34

포항 학삼서원

학삼서원(鶴三書院)은 임진왜란 때 공을 세운 이대임(李大任, 1574~?)의 학문과 덕행을 추모하기 위해 지은 건물이다. 이대임의 호는 죽계(竹溪), 본관은 창녕이며, 이국추의 아들이다. 이대임은 임진왜란 때 창의하여 장기전투 및 경주전투 등에 참가했고, 세상을 떠난 후 가선대부 병조참판에 증직되었다.

1791년(정조 15) 지역 유림의 공의로 향현사를 창건하고 이대임의 위패를 모셨다. 선현 배향과 교육을 담당하여 오던 중 1868년(고종 5)에 흥선대원군의 서원철폐령으로 인해 훼철되었다가 1907년에 복원되었다. 1948년 2월에 유림의 공의로 다시 향사하기 시작했으며 동시에 학삼서원으로 승격했다. 향례일은 매년 음력 3월 상정일(上丁日)이다.

학삼서원 전경

조도문(造道門)

사적비

학삼서원은 강당의 뒤쪽에 사당이 배치되어 있는 전학후묘의 형태이다. 현존하는 건축물로는 사당 경충묘(景忠廟), 강당 경의당(景義堂), 교육공간인 동재, 학습공간인 서재, 문간채 등 5동이다.

경충묘에는 이대임의 위패가 봉안되어 있다. 현판에 '조도문(造道門)'이라고 쓰여 있는 문간채는 솟을대문에 맞배지붕이고 처마는 홑처마이다.

○ 경상북도 포항시 남구 장기면 학삼길 51-3

〈참고문헌〉

경산문화원, 『경산의 의병항쟁』(경산: 경산문화원, 2000).

경주시사편찬위원회, 『경주시사 I』(경주, 2006).

고사카 지로(양억관 역), 『바다의 가야금』(서울: 인북스, 2001).

김천시사편찬위원회, 『김천시사(상)』(1999).

『모하당문집』(대구: 사성김해김씨종회, 2009).

박기현, 『우리 역사를 바꾼 귀화 성씨』(서울: 역사의 아침, 2007).

배상렬, 『난중일기 외전』(서울: 비봉출판사, 2007).

상주문화원, 『존애원의 위상제고를 위한 학술대회 논문집』(상주, 2011).

상주시 · 상주대 상주문화연구소, 『상주의 문화재』(상주: 상주시, 2011).

『역사스페셜 6: 전술과 전략 그리고 전쟁, 베일을 벗다』(서울: 효형출판, 2003).

우종묵 편(김홍영 국역), 『월곡 우배선선생의 생애와 의병활동』(대구: 월곡선생창의기념사업회, 1994).

울산광역시, 『울산의 문화유적탐방』(울산: 동진인쇄사, 1997).

『울산시사』(울산: 울산시사편찬위원회, 1987)

『울진군지』(울진: 울진군지편찬위원회, 2001).

유성룡(이재호 옮김), 『징비록』(서울: 역사의 아침, 2007).

의성문화원, 『의성유적지』(의성, 1996).

이덕일, 『조선 왕을 말하다』(서울: 역사의 아침, 2010).

이수건, 「월곡 우배선의 임진왜란 의병활동: 그의 『창의유록』을 중심으로」, 우종묵 편(김홍영 국역), 『월곡 우배선선생의 생애와 의병활동』(대구: 월곡선생창의기념사업회, 1994).

이탁영(이호응 역주), 『정만록』(의성: 의성군청, 2002).

임란호국영남충의단보존회, 『임진왜란과 영남의병』(대구, 2009).

장동익, 「월곡 우배선의 임진의병활동」, 우종묵 편(김홍영 국역), 『월곡 우배선선생의 생애와 의병활동』(대구: 월곡선생창의기념사업회, 1994).

주규선, 『신안 주문 임란공신』(여수, 2007).

최범서, 『야사로 보는 조선의 역사 2』(서울: 가람기획, 2003).

최효식, 『임란기 경상좌도의 의병 항쟁』(서울: 국학자료원, 2004).

하세가와 쓰토무(조여주 역), 『귀화한 침략병-임진왜란의 숨은 이야기-』(서울: 현대문학, 1996).

『한국민족대백과사전』(성남: 한국정신문화연구원, 1991).

한국고전종합DB(http://db.itkc.or.kr/)

한국역대인물종합정보시스템(http://people.aks.ac.kr)

디지털울진문화대전(http://uljin.grandculture.net/)

이북경주시사(http://ebook.gyeongju.go.kr/)

〈찾아보기〉

왜란의 흔적 및 유적지 목록(가나다 순)

지역	명칭	소재지
경산	경흥사	경상북도 경산시 남천면 모골길 196-55
	용계서원 충현사	경상북도 경산시 자인면 원당길12길 24
	임란 창의 8의사 사적비	경상북도 경산시 하양읍 하양로 102 하양읍사무소 (구 청사) 경내
경주	경주읍성	경상북도 경주시 북부동 1
	김호 장군 고택	경상북도 경주시 식혜골길 35
	박의장 공직비	경상북도 경주시 황성동 황성공원 내
	삼괴정	경상북도 경주시 강동면 삼괴정길 14-19
	옥구 이씨 삼강묘비	경상북도 경주시 강동면 다산리 산 58-1
	운암공 부조묘	경상북도 경주시 천북면 강정1길 13-6(성지리)
	육의당	경상북도 경주시 외동읍 제내길 245
	임란창의공원 문천회맹 기념비	경상북도 경주시 원화로 431-12(황성동)
	최진립 장군 신도비	경상북도 경주시 내남면 이조3길 28-17(이조리)
고령	김면 장군 유적	경상북도 고령군 쌍림면 고곡리 16
	죽유종택	경상북도 고령군 쌍림면 송림2길 70
구미	김종무 충신 정려비	경상북도 구미시 강정4길 63-6
군위	장사진 의병장 유적	경상북도 군위군 효령면 오천1길 5-20
	홍천뢰 장군 추모비	경상북도 군위군 부계면 대율리 한밤마을(풀머리 성안 숲)
김천	김천역 전투 전적지	경상북도 김천시 남산공원 3길 12 김천초등학교 부근
	영천 이씨 정려비	경상북도 김천시 봉산면 봉계1길 19-2
	일본군 사령부 터	경상북도 김천시 개령면 동부 1리, 동부 2리
	지례향교	경상북도 김천시 지례면 향교길 84
대구	남지장사	대구시 달성군 가창면 남지장사길 127
	녹동서원·김충선 사적비	대구시 달성군 가창면 우록리 585
	동화사 사명당 대장 진영	대구시 동구 팔공산로 201길 41
	모명재	대구시 수성구 달구벌대로 525길 14-21
	송계당	대구시 북구 서변로 3길 47-19
	송담서원 박성 신도비	대구시 달성군 구지면 구지서로 530-47
	예연서원	대구시 달성군 유가면 구례길 123
	용호서원	대구시 달성군 다사읍 서재본 4길 18-27
	우배선 창의유적비	대구시 달서구 송현로 7길 38 월곡역사공원 경내
	임란호국 영남충의단	대구시 동구 효목동 산 234-35 망우당공원
	현풍 곽씨 십이정려각	대구시 달성군 현풍면 지동길 3
	환성정	대구시 북구 호국로 51길 45-17
문경	모산굴	경상북도 문경시 가은읍 성저리 산 66-2
	문경관문	경상북도 문경시 문경읍 상초리 555
	신길원 현감 충렬비	경상북도 문경시 문경읍 상초리 340-1

지역	명칭	소재지
봉화	두릉서당	경상북도 봉화군 봉화읍 두릉골길 171
	류종개 충신각	경상북도 봉화군 상운면 문촌리
	쌍절려	경상북도 봉화군 봉화읍 석평리 585
	임란의병 전적지	경상북도 봉화군 소천면 현동리 848
	충효당 화산 이공 유허비	경상북도 봉화군 봉성면 창평본마길 19-1
상주	감암정	경상북도 상주시 이안면 무운로 959
	김준신 의사 제단비	경상북도 상주시 화동면 판곡1길 15-3
	상산 김씨 효녀각	경상북도 상주시 낙동면 내곡리 250
	상주박물관 임진란 기록	경상북도 상주시 사벌면 경천로 684
	상주박물관 형제급난도	경상북도 상주시 사벌면 경천로 684
	임란 북천 전적지	경상북도 상주시 경상대로 3123
	정경세 신도비	경상북도 상주시 공검면 부곡1길 14-25
	정기룡 장군 유적(충의사)	경상북도 상주시 사벌면 충의로 230
	조공제	경상북도 상주시 복룡동 504-1
	창석사당	경상북도 상주시 청리면 가천3길 70
	체화당(월간사당)	경상북도 상주시 청리면 가천2길 52
	충신의사단비	경상북도 상주시 연원1길 10-16
	황령사	경상북도 상주시 은척면 성주로 225
	효곡재사	경상북도 상주시 공성면 효곡로 365-35
성주	관왕묘·관운사	경상북도 성주군 성주읍 경산6리 526-6
	쌍충사적비	경상북도 성주군 성주읍 심산로 91-1
	충신문	경상북도 성주군 수륜면 수륜리 477
안동	관왕묘	경상북도 안동시 태화동 604
	예안 이씨 정충각·정효각	경상북도 안동시 풍산읍 풍산중앙길 119-1
	예안 이씨 충효당	경상북도 안동시 풍산읍 우렁길 73
	월천서당	경상북도 안동시 도산면 월천길 437-7
	의성 김씨 학봉종택	경상북도 안동시 서후면 풍산태사로 2830-6
	학봉 신도비·묘방석	경상북도 안동시 와룡면 가수내길 38-15
영덕	경수당 종택	경상북도 영덕군 영해면 원구길 28-13
	덕후루	경상북도 영덕군 창수면 숫골4길 248
	목사공 종택	경상북도 영덕군 축산면 칠성1길 5-10
	정담 정려비	경상북도 영덕군 창수면 인량리 170-12
영양	장열공 사당	경상북도 영양군 일월면 가마실길 23-4
	회곡고택	경상북도 영양군 청기면 기포길 27-14
영천	고천서원	경상북도 영천시 임고면 고천길 64-3
	귀천서원 경덕사	경상북도 영천시 신녕면 권응수길 40-4
	김연 신도비	경상북도 영천시 임고면 황강길 19
	도잠서원·조호익 신도비	경상북도 영천시 대창면 영지길 405
	동린각	경상북도 영천시 임고면 포은로 964-86
	임란의병 한천전 승첩지	경상북도 영천시 화남면 천문로 1771-81
	창대서원	경상북도 영천시 창대서원1길 9-18
	하천재	경상북도 영천시 자양면 포은로 1611-11
	환구세덕사	경상북도 영천시 임고면 환구길 142

지역	명칭	소재지
예천	약포사당 · 도정서원	경상북도 예천군 호명면 강변로 417
	용문사 자운루	경상북도 예천군 용문면 용문사길 285-30
울산	망조대	울산시 동구 동부동 312 동부시장 옆 도로변
	신흥사	울산시 북구 대안4길 280
	충의사	울산시 중구 서원11길 25
울진	김언륜 장군 유적지	경상북도 울진군 북면 나곡리(북면 성당 부근)
	성류굴	경상북도 울진군 근남면 성류굴로 225
	주호 부인 장씨 정려각	경상북도 울진군 죽변면 화성리 67-1 도로변
	축천대	경상북도 울진군 울진읍 새마실1길 64-1
의성	고운사 가운루	경상북도 의성군 단촌면 고운사길 415
	김치중 의열각	경상북도 의성군 점곡면 송내리 228-5
	병암서당	경상북도 의성군 점곡면 사촌2길 43
	오봉종택 · 오봉사당	경상북도 의성군 봉양면 구미길 90
	학록정사	경상북도 의성군 금성면 산운마을길 21-7
	후산정사	경상북도 의성군 점곡면 점곡길 15-8
청도	금호서원	경상북도 청도군 이서면 삼성산길 106-58
	용강서원 충렬사 및 14의사 묘정비	경상북도 청도군 이서면 모산길 45-4
	임호서원	경상북도 청도군 금천면 명포길 294-5
청송	대전사 백련암 편액	경상북도 청송군 부동면 공원길 226
포항	동산재	경상북도 포항시 남구 장기면 방산로 312번길 12-27
	정유서 · 정유록 유허비	경상북도 포항시 남구 장기면 장기로 197
	죽성재	경상북도 포항시 남구 장기면 읍내길 89번길 34
	학삼서원	경상북도 포항시 남구 장기면 학삼길 51-3

김현우

글로벌교육문화연구원 지역연구실장
자연보호중앙연맹 정책위원장

『한국정당통합운동사』
『한국국회론』
『일본현대정치사』
『일본국회론』
『미국연방의회론』
『은행나무』
『소나무』
『매화나무』
『임진왜란의 흔적 1-부산·경남』

E-mail: nss99@naver.com

임진왜란의 흔적 2
대구·경북

초판인쇄 | 2013년 3월 15일
초판발행 | 2013년 3월 15일

지 은 이 | 김현우
펴 낸 이 | 채종준
펴 낸 곳 | 한국학술정보㈜
주 소 | 경기도 파주시 문발동 파주출판문화정보산업단지 513-5
전 화 | 031) 908-3181(대표)
팩 스 | 031) 908-3189
홈페이지 | http://ebook.kstudy.com
E-mail | 출판사업부 publish@kstudy.com
등 록 | 제일산-115호(2000. 6. 19)

ISBN 978-89-268-4149-5 93910 (Paper Book)
978-89-268-4150-1 95910 (e-Book)